ビジュアル

世界の偽物

FAKES, SCAMS & FORGERIES

大全

フェイク・
詐欺・捏造の
全記録

ビジュアル
世界の偽物
大全

ブライアン・インズ
クリス・マクナブ

定木大介　竹花秀春　梅田智世 訳

日経ナショナル ジオグラフィック

ビジュアル 世界の偽物大全
フェイク・詐欺・捏造の全記録

2023年6月19日　第1版1刷

著者	ブライアン・インズ　クリス・マクナブ
翻訳	定木大介　竹花秀春　梅田智世
編集	尾崎憲和
編集協力・制作	リリーフ・システムズ
装丁	小口翔平＋須貝美咲(tobufune)
発行者	滝山 晋
発行	株式会社日経ナショナル ジオグラフィック
	〒105-8308　東京都港区虎ノ門4-3-12
発売	株式会社日経BPマーケティング
印刷・製本	加藤文明社

ISBN978-4-86313-563-5　Printed in Japan

乱丁・落丁本のお取替えは、こちらまでご連絡ください。
https://nkbp.jp/ngbook

本書は英Amber Booksの書籍「FAKES, SCAMS and FORGERIES」を翻訳したものです。内容については原著者の見解に基づいています。

CONTENTS

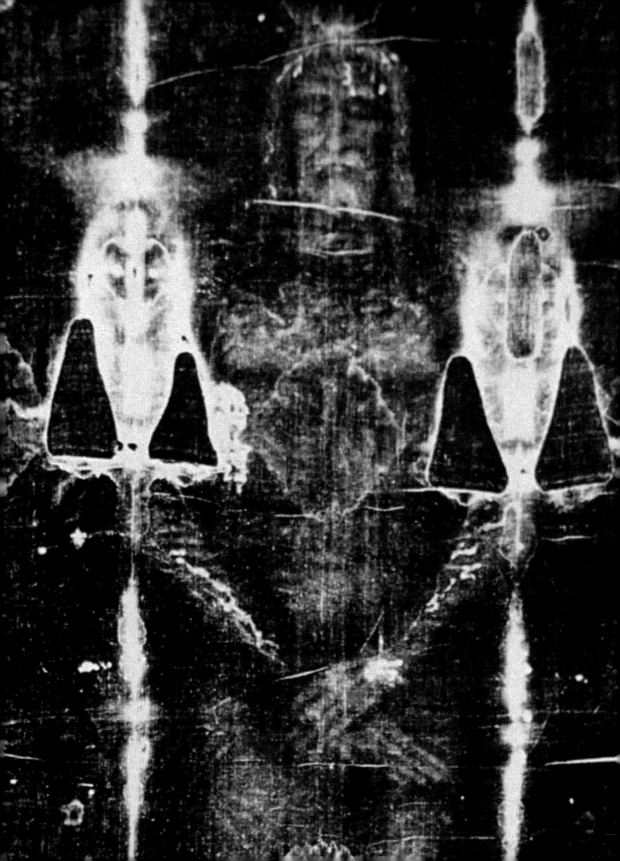

はじめに

「人を欺くことに手を染めるとき、我々は何と複雑にもつれ合った布目を織らなければならないことか」——これはウォルター・スコット卿の物語詩『マーミオン』の一節だが、本書ではその「布目」をつぶさに改めていく。騙しには「模造・模倣」「偽造」「詐欺」という3つの形態があり、この3形態はまた、犯罪に至るまでの3段階でもある。

「模造・模倣（FAKES）」とは、「すでに存在する」か、または「かつて存在したことが記録にとどめられている」ものの複製を作る行為をいう。紙幣、手紙、原稿、本といった、およそありとあらゆる種類の紙媒体がその対象になりうるし、芸術作品も例外ではない。また、素性を偽ったり、他人になりすましたりすることも、この範疇に属するだろう。

これに対して「偽造（SCAMS）」は、複製に本物の作者の名前を添えるなどして、あたかも本物であるかのように見せかけることだ。文書や芸術作品に偽の署名を書き加えたり、本物の作者の手になるものだと認めさせるような補強証拠を用意したりする行為がそれにあたる。一般論だが、まだこの段階ではいかなる犯罪も成立していない。ゴッホやマティスの絵を模写するアマチュア画家は多いし、面白半分に巨匠のサインまで入れてしまう向きも少なくないが、それをもってただちに犯罪と呼ぶのは無理がある。

しかし、単に偽物を作るだけでは飽き足らず、何らかの方法で売りに出したり、ほかの方法で金銭を得る目的に供したりすれば、それは「詐欺（FORGE-RIES）」と呼ばれるれっきとした犯罪行為となる。

法的には、たとえば通貨の複製を作った者は、たとえそれを流通させようとしなくても、模造——より正確には偽造——の罪に問われる。また、犯意をもって他人の名を騙ったり、自分を本来の自分と違う何者かに見せかけようとしたりすれば、それは単なる模造・模倣の域を脱し、詐欺行為を働く一歩手前にあると言える。

本書で見ていくように、およそどんなものでも、一度は模造・模倣または偽造されたことがある。それは何も、有名な芸術作品や、紙幣などの金券、遺言状、身分証明書、家具、宝石、陶器に限らない。節操のない偽造者たちは持てる技術と集中力のすべてを注ぎ込んで、たとえばウイスキーの瓶の偽物を生み出してきたし、それこそデザイナージーンズから豆の缶詰まで、ありとあらゆる種類の商品を偽造してきたのである。

イエス・キリストの亡骸が写り込んだとされる「トリノの聖骸布」。この布は、磔にされたイエスのむくろを包んだものだと長らく信じられていたが、炭素年代測定によって、布が織られたのは今から約700年前であることが判明している。

DEMAND THE SUM OF FIVE POUNDS
Bank of England
BEARER ON DEMAND THE SUM OF FIVE POUNDS
Bank of England
O PAY THE BEARER ON DEMAND THE SUM OF FIVE POUNDS
Bank of England
PROMISE TO PAY THE BEARER ON DEMAND THE SUM OF FIVE POUNDS

CHAPTER 1

<ruby>偽金<rt>にせがね</rt></ruby> FUNNY MONEY

英国の犯罪者たちは長年、
偽造通貨のことを「偽金（<ruby>ファニーマネー</ruby>）」と呼んできた。
実際、通貨の偽造には
2500年近くにも及ぶ奇想天外の歴史がある。

ある品物を別の品物と交換するという考えは、人類史の極めて早い段階で生まれた。ビーズや貝殻といったトークン（代用貨幣）を食べ物や武器といった実用品と交換するというアイデアが、人々に受け入れられたのである。これがやがて、硬貨の鋳造という形で定着する。硬貨の鋳造を国家が後押しした最古の例は、おそらく紀元前7世紀の小アジアに見られる。地中海東岸で活動するギリシャ人商人がすぐにそれを真似し、紀元前4世紀には建国まもないローマでこの習慣が広まった。同じ頃、中国人も銭貨（主に東アジアで流通した硬貨）の鋳造を始めており、それがインド、朝鮮、日本にも伝わっている。西欧で見つかった硬貨はほとんどが金か銀で作られており、偽造師たちはすぐにそれらの複製をこしらえるようになった。

左ページ：プラスチック製の紙に印刷された現代英国の5ポンド札は、偽造防止の観点からは世界で最も進んだ紙幣の1つであり、実際、最も偽造の少ない紙幣の1つに数えられる。

左：1米ドル前後の価値しかない1ユーロ硬貨さえ、目端の利く犯罪者たちによって偽造されてきた。

ただ、偽造硬貨をそれと見抜くのは比較的容易だった。というのも、偽の硬貨は本物よりも軽かったからだ。当時、既知の金属の中で最も重いのは金であり、金は薄い金箔で包んだ鉛よりも重かった。ひとつかみの偽金貨は一見、本物に見えたかもしれないが、重さを量ればすぐに偽物と分かったのである。一方、銅の地金にはんだ付けで銀箔を貼って作った模造銀貨は本物との区別が難しく、これまでに見つかった偽銀貨のうち最古のものは、紀元前400年までさかのぼる。

コレクターの目を欺く

趣味としての硬貨蒐集はかなり古くからある。ヨーロッパでは早くも17世紀には古銭集めが始まっており、古銭のコレクションが大きな市場価値──それも、古銭に使われている金属そのものよりもはるかに大きな市場価値──を獲得するのに、長くはかからなかった。そうなると偽造師たちが荒稼ぎのチャンスを逃すはずも

なく、彼らは偽物を作ってコレクターに売りつけた。そのため、明らかな偽物が混じったコレクションも数多く見つかっている。

偽の鋳造

本物の硬貨は通常、図案を彫った2枚の金型で融かした金属を挟み込み、圧迫することで"鋳造"する。初期の偽造師たちはもちろん、後世の偽造師たちも、多くはそのような技術をもっていなかった。そこで彼らは、本物の硬貨から粘土や石膏で型を取り、そこに融かした金属を流し込んで偽物を成形した。そのため、偽造硬貨といえば図案が本物のようにくっきりしておらず、縁も本物ほど滑らかには仕上がっていないのが普通だった。

古銭を模造する

カール・ウィルヘルム・ベッカー（1772～1830年）は、ワイン卸商の息子としてドイツのシュパイアーに生まれた。商売がうまくいかず、

左側の2枚はカール・ウィルヘルム・ベッカーが18世紀に偽造した古代ローマの硬貨。右側の2枚が本物。

閃きの瞬間

　アルキメデスが「エウレカ!（分かったぞ）」と叫びながら裸で町中を走り回ったという逸話は、人口に膾炙している。しかし、アルキメデスが初期の「真贋鑑定人（フェイクバスター）」だったという事実を知っている人は、果たしてどれくらいいるだろうか？　古代ギリシャの数学者にして発明家でもあったアルキメデス（前287頃～前212年）は、シチリア島のシラクサで生まれた。彼の名が最もよく知られているのは、「アルキメデスの原理」と呼ばれる発見によってである。

　あるとき、シラクサの僭主ヒエロン2世はアルキメデスを呼び、金細工師に作らせた王冠の鑑定を命じた。金細工師の申告通り純金製なのか、それとも金と銀を混ぜて作った紛い物なのかを見定めよというのである。重さを量ったところで何も分からない。その王冠が金だけでできているとしたらどれくらいの重さになるのか、知るすべはないからだ。伝説によれば、アルキメデスはある日、この問題に頭を悩ませながら、当時シラクサで人気の娯楽施設だった公衆浴場を利用した。浴槽に身を沈めた彼は、自分の体がお湯をあふれさせることに気づく。

　その刹那、アルキメデスは閃いた――金は銀よりも密度が高いから、水を満たした容器に問題の王冠を沈め、あふれ出した水の量を計ればいい。王冠が同じ重さの金塊よりも多くの水をあふれさせたのであれば、それは紛い物ということになる。

　アルキメデスは興奮のあまり衣類を身に着けることさえ忘れ、「エウレカ!」と叫びながら裸のまま通りを走って家に帰ったという。

紀元前212年、ローマがシラクサを占領した際、アルキメデスは兵士の1人に殺害された。

硬貨は価値が低いので
紙幣ほどには偽造されないが、
それでもまったく偽造されなく
なったわけではない。その証拠に、
2018年には市中に出回っていた
偽造ユーロ硬貨が約18万枚も
回収されている。

30代半ばでミュンヘンに出てきて造幣局に勤め、そこで金型彫刻の技術を学ぶ。そして、金と銀でギリシャ・ローマ時代や中世の硬貨の完璧な模造品をこしらえ、古代の硬貨に関する浩瀚（こうかん）な著作があるT・E・ミオネなどの販売業者に卸した。模造品は彼らを経由してコレクターの手に渡った。

偽物と見抜かれないよう、多くの偽造硬貨は実際より古く見えるような"汚し"が施された。ベッカーも古びた感じを出すため、鉄の削り屑を詰めた金属の箱に偽造硬貨を入れたという話がある。自ら「クッチャービュクセ（御者の缶）」と呼んだその箱を、馬車の車軸に取り付けて走り回ったらしい。

多くの偽造師と同様、ベッカーも微々たる利益しか上げられなかった。ミオネに1350フローリンで売った269枚セットの偽造硬貨を作るのに、費用が550フローリンもかかっている。ミオネがそれらを本物と偽って転売したかどうかは不明だが、本物なら当時6万7000フローリンの価値があったと推定される。

ベッカーの視力は次第に衰え、1826年には金型を彫ることができなくなった。その2年後にベッカーが他界すると、未亡人は夫が残した331個の金型を使って安っぽい鉛の偽金をこしらえた。これらの金型はその後、ベルリンの帝国博物館に収蔵されている。

金属の目方に見合った
価値があるか？

19世紀の一時期、金よりわずかに重い金属であるプラチナが、ロシアをはじめとする一部の国々で鋳貨の素材として使われた。当時、プラチナの産出量は需要を上回っており、銀よりも安価だったため、プラチナに薄く金を貼った偽造金貨が製造された。そうしたプラチナ製の偽金貨は、重さが本物と変わらないように感じられたため、多くの人が騙された。

もっと目端の利く偽造師たちは、金貨に使われている金地金（きんじがね）の価格が国家当局によって鋳造された硬貨の額面価値よりも低いことに気づいた。だから、あえて純金で偽の硬貨を作る偽造師もいたのである。本物の金が素材として使われた場合、その行為は偽造ではなく「違

コインクリッパー

偽金を生み出す巧妙な手法の数々は、過去2000年という歳月をかけて開発され、発達してきたものだ。しかし、偽の通貨は国家経済を揺るがすので、何世紀にもわたって通貨の偽造は反逆罪に問われ、死刑を科せられてきた。そこで小悪党たちは極刑を免れようと、本物の硬貨から小さな断片を切り取り、それらを融かし合わせて新たな硬貨を鋳造した。「クリッパー（削ぎ落とす人）」と呼ばれた彼らは、捕まると偽造の手口そのままに耳や鼻を削ぎ落とされたので、どのような罪を犯したか、ひと目で分かった。

法製造」と定義されるが、公記号を違法に使用したことにもなるので、犯罪と見なされることに変わりはない。

　20世紀に入ると、金貨と銀貨はほとんどの先進国で徐々に使われなくなっていった。現在流通している硬貨は、銅やニッケルのような卑金属で作った比較的小さな額面のものに限られる。こうした金属の調達コストが硬貨の額面価値と同じかそれ以上なのに加え、鋳造にはそれなりの技術が必要とされることもあって、硬貨の偽造は一般的に割に合わなくなった。

　硬貨は価値が低いので紙幣ほどには偽造されないが、それでもまったく偽造されなくなったわけではない。その証拠に、2018年には市中に出回っていた偽造ユーロ硬貨が約18万枚も回収されている。

小銭危機

　1970年代に一度、イタリアの市場から少額硬貨が消えてしまうという珍事が起きた。このときは、タイプライターで打った紙幣から、地下鉄の切符や公衆電話のトークン、果てはキャンディーまでもが釣銭の代わりに使われた。どうやら、一部のやり手の日本人が、イタリアの少額硬貨に使われている金属の価値が硬貨自体の額面価値よりも高いことに気づいて、こつこつ買い占めたのが原因らしい。

偽造師を悩ます諸問題

　今も昔も、偽造通貨の作り手側にはさまざまな困難が付きまとう。紙幣の場合は、まず、偽造に適した紙を調達もしくは製造しなければならない。世界の紙幣の多くは、コットン紙か、ま

たはコットン紙にほかの繊維を混ぜて強度を高めたものに印刷されている。ところが1990年代以降、ポリマー製の紙幣を採用する国が増えてきた。この素材は耐久性に優れ、汚れに強いだけでなく、より高度な偽造防止加工を施すことができるからだ。もっとも、紙幣に使われる紙の供給は国際的に厳しく管理されているため、見かけや手触りが本物と変わらない紙を見つけるのは容易ではない（この問題に対して先進的な偽造師たちが見出した解決策の1つが、米国の1ドル札を脱色し、その上に100ドル札の図案を刷り重ねるというものだった）。偽

十字軍の時代（1096〜1303年）、聖地でイスラム戦士と戦うキリスト教徒の軍勢は、その土地で使われている通貨の模造品を鋳造した。出来は決して良くなかったが、金と銀が使われており、商取引に使用することができた。

1956年8月27日、カリフォルニア州ロサンゼルスで連邦捜査官が押収した大量の偽札。

よく見てみると…

　手に取った紙幣をまじまじと見る人はあまりいない。偽物だと気づかれにくくなるわけだから、偽造師にとっては願ってもないことだ。たとえば、カラーコピーが普及し始めた頃、多くの偽金作りが紙幣をコピーして、少人数でうまく流通させていた。もちろん、よく見れば偽物と分かるのだが、気づいた頃にはあとの祭りだったのである。

2枚の紙幣の細部を拡大した写真。左がイングランド銀行発行の5ポンド紙幣、右がコピー機で作ったその偽札である。図案の描線を比べると、明らかに本物のほうがくっきりしている。

造師のもう1つの悩みの種は、捕まらずに模造品を製造するための機材・人材の問題である。違法な紙幣を刷るためには普通、高性能な印刷機やスキャナーといった機材と、それを操作する人手が要る。これらを揃えるのがひと苦労なうえ、犯罪者は他人のことを信用しようとしないから厄介だ。

　これらの難題をクリアしたあと、最後に残るのが、偽造通貨をいかに流通させ、利益を得るかという問題だ。零細な偽造師なら、高額紙幣の偽物を使って生活必需品を購入し、釣銭を受け取ることで本物の金に換えられるが、これだと、常に捕まる危険と背中合わせになる。

　一方、偽造通貨の大規模生産には、気づかれることなく偽金を流通経路に乗せられる仲介組織が必要となる。ほとんどの場合は国際的な犯罪組織だが、最近はテロ組織の関与を示す証拠も出てきている。こうした組織もまた利

益を上げることが目的なので、偽造師に支払う代価は偽金の額面価値の数パーセントに過ぎない。

　偽金作りの規模が中程度ならば、小さな犯罪グループを組織するという手もある。具体的には、まず、メンバーの1人または数人が、本物の通貨を使って宝石や毛皮といった転売が容易な高額商品を購入する。それからあまり時を置かずに、もう一度同じ店を訪ね、今度は偽造通貨を使って前回よりも大量の買い物をする。店主が偽金だと気づく頃には、犯罪者たちはとっくに行方をくらましているという寸法だ。

紙幣の登場

　1716年、スコットランド生まれの金融業者で投機家のジョン・ロー（1671〜1729年）の働きかけにより、フランスで初めて紙幣が使われるようになった。これは、ローが設立した個

人銀行「バンク・ジェネラール」が硬貨の預託を受け、預金者の求めに応じて払い戻しを行うことを約した、いわば約束手形だった。残念ながら、この仕組みはわずか4年後、「ミシシッピ・バブル」の崩壊とともに破綻する。

当時フランス領だった米国のルイジアナで、ローはミシシッピ川流域に眠る膨大な資源を開発するという触れ込みの会社を設立。自分の銀行と業務提携させたものの、バブルがはじけて取り付け騒ぎが起きると、フランスから逃亡せざるを得なくされた。

こうした出だしのつまずきがあったにせよ、紙幣はやがて広く普及した。19世紀になると小規模な銀行が雨後の筍のように生まれ、おの

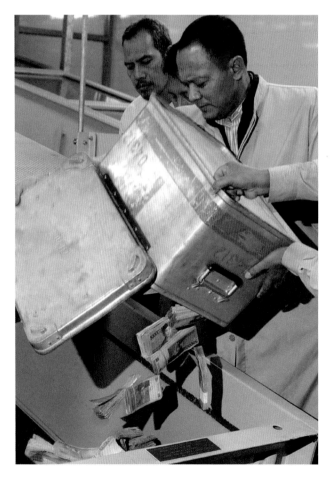

2011年9月13日、インドネシアのジャカルタで実施された偽札の廃棄作業。2003年から2010年にかけて国内で見つかった240億ルピア（280万米ドル）相当の偽札が、中央銀行の職員と警察官の手で処分された。

ずと銀行券の偽造も増えた。そして紙幣の偽造は、今も偽造師たちの活動の柱であり続けている。もっとも、彼らの偽造の対象は通貨に限らない。小切手、株券、国債証書はもとより、郵便切手さえ、創造性に富んだ犯罪者の関心を引かずにはおかないのである。

小切手、株券、
国債証書はもとより、
郵便切手さえ、
創造性に富んだ犯罪者の関心を
引かずにはおかないのである。

　偽造紙幣が大量に流れ込むのは組織犯罪、特に麻薬や武器の密売の現場である。札束1つ、あるいはスーツケースに詰めた大金が薄暗い路地で密かに受け渡されるとき、その場で札の真贋を確かめようとする者はまずいない。しかも、札束の一番上と一番下には、偽装のために本物が使われていることが少なくないのだ。結果、2枚の本物に挟まれた偽札は市中に出回るようになり、銀行によるチェックが行われない限り発見されない。

米国シークレットサービス

　1862年以前、米国の紙幣といえば、政府が認可した地方銀行の発行する銀行券だけだった。連邦紙幣は存在せず、連邦議会は偽造師の摘発と訴追を州および地方当局と銀行協会に委ねていた。やがて米国財務省がいくつかの法案を通過させ、その1つである1863年国法銀行法によって連邦銀行券（通称「グリーンバック」）の発行が認められた。

　しかし、連邦通貨の信頼性を保つためには偽造師をきちんと取り締まる必要があり、それは早急に解決すべき課題だった。そこで1865年7月、財務長官ヒュー・マカロックの肝煎りで、ワシントンDCに米国シークレットサービス（財務省秘密検察局）が発足する。初代の責任者

には、すでに偽造摘発の実績を積んでいたウィリアム・P・ウッドが就任した。

しかし、シークレットサービスの奮闘にもかかわらず、通貨の偽造はあとを絶たなかった。たとえば、シークレットサービスの発足から70年経っても、偽札詐欺の被害総額は毎年77万ドルを下らなかった。1937年、シークレットサービスのトップに就任したフランク・J・ウィルソンは、こうした状況を憂慮し、偽札に関する大々的な啓発活動を行うことにした。まず、当時出回っていた偽札の特徴を記したチラシが数千枚、銀行とその顧客に配られた。また、シークレットサービスの職員が銀行や小売店を訪ね歩き、偽札犯の手口を実演してみせた。さらには、『Know Your Money（お金を知ろう）』と題する映画が偽札作りを暴き出し、偽造を見破る方法を解説したパンフレットが何百万部も刷られた。

このキャンペーンは当初、大成功を収め、偽造通貨による被害額が年に4万8000ドルまで減少した。実に、マイナス93パーセントという快挙である。だが、その後偽札の量は激増し、市中に出回る前の偽札をシークレットサービスが大量に押収しているにもかかわらず、被害額

印刷機から刷り出される
本物の米国1ドル紙幣。

汚い二重取り

　彫版工ウィリアム・スミスが偽造した数多くの紙幣や証券の1つに、米国政府が発行した1000ドルの利付き手形がある。これを摘発したのが、1865年に財務省秘密検察局、いわゆるシークレットサービスの初代責任者となったウィリアム・P・ウッドだった。この偽手形は非常に完成度が高かったので、財務当局は省内から原版のコピーが持ち出されたに違いないとにらみ、高額の報奨金を提示して情報を募った。やがて、スミスの共犯者ウィリアム・ブロックウェイを偽造書類所持の疑いで逮捕したウッドは、原版を差し出せば有罪を免れるようにしてやろうと持ちかける。そうやって、手柄だけでなく報奨金までせしめようという魂胆である。しかし、ブロックウェイはこの話に乗らず、さらにはツキにも恵まれた。すでに悪評が鳴り響いていたウッドはまもなく解任され、事件の捜査は沙汰止みになったからである。

は押収額の12パーセント前後で推移した。たとえば1971年は、押収総額2300万ドルに対して、市中で見つかった偽札の総額は340万ドルに上った。

シークレットサービスの役割

　シークレットサービスの活動には誤解がある。その仕事は、大統領とその家族および随員、あるいは訪米中の外国要人の警護に限られ、ほかにはせいぜい、特定のスパイ活動の摘発が加わるぐらいだろう、と。しかし、通貨偽造に関する捜査がこの政府機関の重要な仕事であることは、今も変わらない。最近では、シークレットサービスによる取り締まりの対象範囲が、クレジットカードやコンピューターを使った詐欺事件、個人情報の窃盗、それに金融安全保障に対するテロの脅威にまで広げられた。2003年の3月には、シークレットサービスの一部部門が財務省を離れ、新たに設けられた国土安全保障省の管理下に入っている。

懲りない偽造師、ブロックウェイ

　悪名高い米国の偽造師ウィリアム・ブロックウェイは、1822年、ウィリアム・スペンサーとしてこの世に生を受けた。ブロックウェイは養父母の姓である。ほとんど教育というものを受けなかったが、それでも独学を積み、イェール大学で法学と電気化学の講義を聴講することができた。

　南北戦争以前、地方紙幣は民間業者が印刷を請け負っていたが、発行銀行の職員が用紙と原版を管理していた。ある日、コネチカット州ニューヘイブンの銀行で、ブロックウェイは銀行員の目を盗み、薄い鉛のシートを印刷機に差し込むことに成功する。このシートから5ドル札のポジを作ったブロックウェイは、イェールで学んだ技術を駆使し、自分で使うために5ドル札を1000枚ほど刷ることができた。

　にわかに懐が暖かくなったブロックウェイは、フィラデルフィアに腰を落ち着けると、地味なスーツに身を包んで株式仲買人を名乗り、妻を迎えた。1860年、彼はウィリアム・スミスという英国生まれの彫刻師と知り合う。スミスはニューヨークで紙幣の彫版工として働いており、その腕前と完璧な記憶力を生かして非の打ちどころがない模造品をこしらえることができた。同じ頃、ブロックウェイは願ったり叶ったりのビジネスパートナーを見つける。牧場経営と土地売

左ページ：20世紀のイタリア人画家マリオリーノ・ダ・カラバッジョ（本名フェラボリ）は、自分の絵画作品に郵便切手の複製も含めたため、「偽造師」の称号を奉られた。

買に強い関心を持つジェームズ・B・ドイルという男で、偽札の洗浄に使える銀行口座をいくつも持っていた。

ブロックウェイ、スミス、ドイルの3人組は15年間にわたって偽札を作り、成功を収めた。1880年、スミスは翌年に償還期限を迎える1000ドル債券の原版を彫った。債券の印刷に使う特殊な用紙は、本物を製造している工場から盗み出したものだった。

その頃、ブロックウェイの妻が弁護士に離婚の相談を持ちかけていた。この弁護士にはシークレットサービスの捜査官に知り合いがいた。ドラモンドというこの捜査官に、弁護士は冗談半分で、「ブロックウェイの商売は調べてみる価値があるかもしれない」と提案する。それがきっかけでブロックウェイは監視下に置かれ、やがてドイルとのつながりが浮かび上がった。ドイルは尾行され、スミスの家から小さな包みを持って出てくるのを目撃される。のちにシカゴで拘束されたとき、ドイルは204枚の偽造債券を

紙幣製造に使われる主な印刷方式

凹版印刷

おうはん

紙幣を刷るのに使われた最初の技法。金属板に手作業や機械で図案を彫り込むか、または写真画像を転写した金属板にエッチング（腐刻）を施して原版を作る。完成した原版の全面にインクを塗り、拭き取ると、刻印された図案の窪みにインクが残る。これを印刷すると、紙の上にインクが盛り上がるため図案が認識できるわけだ。この方式で刷られた印刷物は、表面に指を走らせるとインクの隆起を感じ取れる場合が多い。

オフセット印刷

金属板を化学物質でコーティングし、印刷する画像のネガを露光すると、画線が金属板に「固着」するので（いわゆるフォトリソグラフィー）、固着しなかった部分のコーティングは洗い落とす。この金属板を印刷機にセットしたら、まず水に濡らし、それからインクを塗布する。インクは固着した画線にだけ付き、それがいったんゴム筒に転写（オフ）されてから紙に移る（セット）。こうしてでき上がった印刷物は、顕微鏡でのぞいて見ても凹凸がなく平坦である。

凸版印刷

金属の活字を組んで活版を作るか、またはオフセット印刷で使われるのとよく似た方法で画像を焼き付けた金属板を腐食液で腐食させ、画線部分が盛り上がるようにする。この盛り上がった反転画像にインクを塗ることで印刷が可能になる。高密度のインクをふんだんに使った場合、印刷物の裏面を顕微鏡で見ると、かすかに隆起が確認できることもある。紙幣にはこの方式で通し番号が振られているが、その際に使われる「ナンバリングボックス」は自動車の走行距離計のように動作し、1度印画するたびに数字が1ずつ増えていく。

ドライオフセット印刷

凸版印刷同様、腐食による浮き彫りを施した金属板を、オフセット印刷と同じ要領でオフセット（転写→移転）する方式。

スクリーン印刷

セリグラフィーとも呼ばれる技法。シルクやナイロンまたは金属を薄く引き伸ばしたスクリーンに、写真技術的なプロセスで画線のステンシルを作る。このスクリーンの上にインクの付いたローラーを転がすことで、紙に画線が転写される。

オーストラリアの50ドル紙幣を検査する作業員たち。先進的な紙幣偽造対策への投資により、現在オーストラリアは世界で最も偽造が少ない国の1つになっている。

所持していた。ブロックウェイも検挙されたが、ドラモンドとの取引に応じ、訴追を免れる代わりに、偽造用の原版23セット、特殊用紙のストック、そして5万ドル相当の印刷済み偽造債券を引き渡した。ドイルの裁判に証人として呼ばれたブロックウェイは、「債券が偽物だということを被告人は知らなかった」とかばったが、それでもドイルには12年の刑が宣告された。

ブロックウェイ、ついにお縄を頂戴する

1883年、ドラモンドは偽造した鉄道債を所持していたブロックウェイを逮捕した。ブロックウェイは懲役5年を言いわたされてシンシン刑務所に送られたが、3年間服役したのち釈放さ

れている。出所するなり偽造稼業を再開したブロックウェイだったが、やがて密告されて捕まり、今度は10年の刑期を務める羽目になった。そして1905年、83歳になったブロックウェイはトレーシングペーパーを購入したところを見とがめられ、拘引のうえ取り調べを受けたが、嫌疑をかけるには高齢すぎると判事が裁定したため、翌日には放免されている。ブロックウェイはその後15年生きながらえ、1920年に98歳の天寿をまっとうした。

紙幣の原版を彫る

本物の紙幣や有価証券は、全部またはその一部が、彫刻を施した原版から印刷される。この印刷方式は「凹版印刷」と呼ばれる（左ペ

ージのコラムを参照）。19世紀から20世紀初頭にかけては、熟練した彫工が手作業で原版を作っており、偽造師も同じ技術を使わなければならなかった。秘密の地下室にこもり、ゴーグルをして偽札作りに勤しむ偽造師の姿は、漫画などでもお馴染みだろう。部屋に渡した洗濯ひもに手動印刷機で刷ったばかりの偽札が干してあるのも、そうしたイラストにお決まりの構図だった。

20世紀の半ばまでには、紙幣や証券の図案を彫った原版から多面の原版シートが作られるようになっていたが、その工程はやや複雑だった。まず、図案が彫られたオリジナルの鋼板に強化加工を施し、それを用いて円柱状の軟鋼に繰り返し図案を刻印する。図案が浮き彫りに

なったこの軟鋼もやはり強化され、今度は鋼鉄または銅のシートに刻印される。その際、印刷位置に合わせて何度も原版が複製されるわけだ。こうしてでき上がったシートは、耐水性を持たせるためにクロムメッキを施されたのち、印刷機のシリンダーに巻きつけられた。

くゆらせる通貨？

1945年、第二次世界大戦が終結すると、戦勝国となった米国、英国、フランス、ソ連の4カ国はドイツとオーストリアを占領し、両国を分割して管理した。当時、食糧や生活必需品の不足は深刻で、西洋煙草も例外ではなかった。そのような状況下で、煙草がたちまち貴重な代用通貨になったとしても不思議はない。煙

ドイツ連邦銀行の偽札分析ラボでユーロ紙幣を検査する専門技術者。2020年の集計では、偽ユーロ紙幣の混入は100万枚につき約17枚と、極めて低い割合だった。

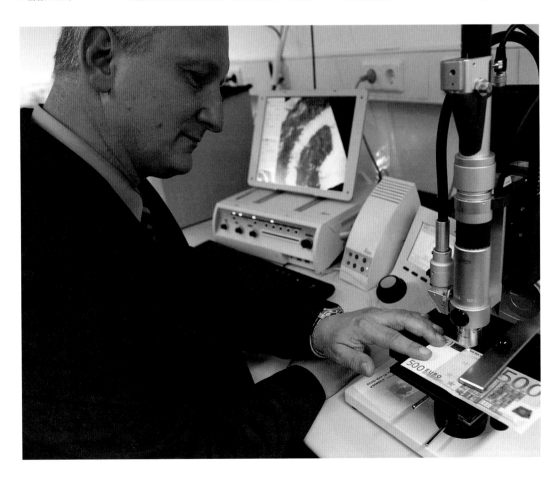

草はあらゆる品物と交換することができたし、役人に便宜を図ってもらうために袖の下として渡すこともできた。ただし、煙草がなまじ経済価値を持ってしまったがために、それを吸う人はいなくなった。煙草に火をつけるということは、10ドル札を燃やすのと変わらなかったからである。

闇市場では、バラの煙草を詰め込んだ小さなアタッシュケースを抱えて商売に励む、胡散臭い小悪党の姿が見られるようになった。煙草は人の手から手へと渡るうちに、葉が乾いて少しずつこぼれ落ち、しまいには紙の筒だけになってしまうのだが、それでも交換価値は失われなかった。そうなると、実際にそれをする者がいたかどうかは別として、巻紙だけ偽造してこの市場に参入することも、やろうと思えばできたはずだ。

偽造師を出し抜く

偽造師を出し抜こうとする絶え間ない戦いの中で、米国財務省をはじめとする世界中の通貨当局は、紙幣の複製を不可能にしようとあれこれ工夫を凝らした。その1つが、紙幣印刷の原版に細かな意匠を加えるための写真的な処理法の採用である。この技術は真似のしようがないものだったため、偽造師は当面、従来通り手作業で原版を彫るか、あるいは色彩の粗い写真を本物の紙幣と偽ってつかませることができないか試してみる以外に、選択の余地がなかった。

ところが1950年代、フォトリソグラフィー（20ページのコラムを参照）とオフセット輪転印刷機の登場によって状況は一変する。色分解写真と"小型の"オフセット印刷機（実際はそれほど小型ではなく、したがって高価だった）が、現

米国のドル紙幣が偽札でないか調べるロシアの鑑識官。偽造通貨はその通貨を発行する国ではなく、海外の市場で製造され、使われ、洗浄されることが少なくない。

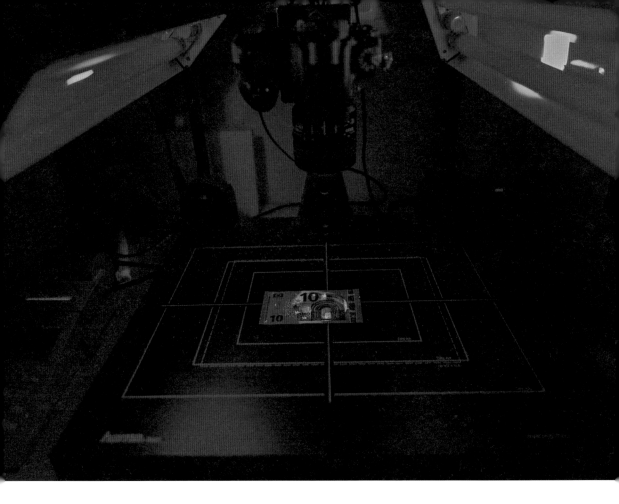

紫外線を照射される10ユーロ札。本物ならば、紙幣に使われている蛍光剤がこのように発光する。偽造紙幣の場合、蛍光印刷などの値の張る処置は省略されていることが多い。

代の偽造師に欠かせない商売道具になったのである。必要な機材は、印刷を本業としない多くの合法ビジネスでも使われていたので、購入希望者はあれこれ詮索されずに売ってもらうことができた。

　1980年代以降は、高精細カラースキャナーとコンピューターを使った偽造が増加した。スキャナーから出力された4色分解ネガは、そのまま製版して普通のオフセット印刷機で使うことができる。これは、英国の偽造師スティーブン・ジョリーが1990年代、10ポンド札と20ポンド札を偽造して市場を欺く際に使った手口だ。ジョリー自身は印刷の素人だったが、"ヘルマン・ザ・スキャンマン (スキャン屋ヘルマン)"と呼ばれるドイツ人からネガの供給を受けていた。ちなみにこのドイツ人、20ポンド紙幣の裏

1992年に全米で発生した
銀行強盗事件を見ると……
被害総額は6300万ドルだった。
しかし、その同じ年、銀行は
詐欺で42億ドルも失っている。
ペン1本で盗む連中のほうが、
銃で強奪する連中よりも
はるかに多くの金を盗んでいる
ということだ。

——フランク・アバグネイル

側に刻印された小さなポットの色を変えることで、偽札に自らの"サイン"を残すという大胆不敵さを見せている。

　ジョリーの偽造の対象となった新紙幣には、従来のものと違い、金属が帯状には埋め込まれておらず、紙幣の両面に破線として露出していた。ジョリーは金属箔を途切れ途切れに貼り付けることで、この特徴を再現することができた。1998年、試し刷りの廃棄を任されていた共犯者が、廃棄せずに貯め込んでいた試し刷りとともに検挙されたのがきっかけで、ジョリーはついに逮捕された。

デスクトップ型の偽造

　2000年代以降、強力なスキャナーにDTPソフトとレーザープリンターを組み合わせた、新たな偽造のトレンドが生まれた。その恩恵に浴したのが、少量の偽札を作る才能豊かな偽造師たちであり、彼らは専門家の目こそ容易に欺けないかもしれないが、一般の市場では本物として通用してしまう偽札を製造することができるようになった。偽造師の創意工夫には目をみはるものがある。スキャンした画像はコンピューターの画面上でいくらでも修正できるため、透かしや金属箔といった偽造防止加工をいったん"白紙化"し、改めて復元することが可能だ。特に小切手の場合、金額や署名の改竄（かいざん）はたやすくできる。

　時代は前後するが、1989年、ロサンゼルスに本店を置くファースト・インターステート・バンコープは、国際犯罪組織に75万ドルを騙し取られた。手口は、この会社が発行した本物の配当小切手を盗み、コンピューターで金額と受取人名を改竄のうえ、レーザープリンターで印刷するというものだった。ファースト・インターステート手形交換所は、この偽造小切手にまんまと騙されたのである。

　こうした偽造手口の進化に対抗すべく、小切手と紙幣の印刷に多くのデザイン変更が加えられた。その1つが、普通のコピー機やスキャナーでは読み取れないほど細かな意匠を盛り込むことだった。たとえば、1993年、インペリ

アル・バンク・オブ・ロサンゼルスが「SAFE-Check（セーフチェック）」という小切手の販売を開始した。この新小切手にはスキャン不能な極小のドットパターンが描かれており、複製すれば「VOID（空白）」という文字が現れる仕掛けになっている。これは、よく使われる色覚テスト（色とりどりのドットに埋没した形状を識別できるかどうかで色覚異常の有無を判定する）に似たものだ。インペリアル・バンクは、SAFECheckの導入後、小切手詐欺による被害額が9割減ったと発表した。偽造防止措置としてはほかにも、蛍光インクを使うとか、どんなインク消しにも反応する化学的なコーティングを用紙に施すといったものがあった。しかし、カラースキャナーに搭載されるテクノロジーは日

英国の5ポンド札（上）と20ポンド札（下）に施された偽造防止加工。紫外線のもとで明るく輝き、紙幣が本物であることを示している。20ポンド札の場合は、明るい赤と緑で描かれた「20」という数字がくっきりと浮かび上がる。

万能の"偽"ドル

米国の20ドル紙幣の偽札。

　世界中で最も広く偽造されている通貨といえば、米ドル紙幣である。1993年には2000万ドル相当の偽ドル札が米国内で押収されたが、国外で押収された分の総額は1億2100万ドルに上ると報告された。加えて、アジア、中東、東欧でも大量の偽ドル札が出回っており、しかもそれらは真贋の鑑定が可能な地域に戻ってくることがない。

　たとえばレバノン当局によると、1992年以降、同国ではドルを中心に20億ドルを超える精巧な偽造紙幣がシーア派原理主義勢力によって製造されており、その背後にはイランとシリアの支援があるという。また、ロシア国内で流通している紙幣は、ドルにせよルーブルにせよ、その5分の1を偽札が占めると見積もられている。インドもまた、偽造紙幣や偽造証券の一大産地である。

進月歩を続けている。

　米国の100ドル紙幣には、1991年以来、ベンジャミン・フランクリンの肖像を囲む楕円形の枠線に「The United States of America（アメリカ合衆国）」という語句がマイクロ文字で印刷されている。ところが、Envisionsというメーカーがわずか1799ドルで売り出したカラースキャナーの広告は、この意匠が複製可能であることを暴いてしまった。同社にはまもなくシークレットサービスの査察が入り、広告は打ち切られたものの、スキャナーの性能はそのまま残った。

　結果として、複数のスキャナー・メーカーが自社製品に偽造防止機能を組み込むことになった。そうしたスキャナーは、特殊なプログラミングを施したマイクロチップで主要紙幣を認識するため、プリンターで出力しても白紙しか出てこない。また、プリンターのシリアルナンバーを微細なドットで印字するスキャナーも開発された。印字されたドットは肉眼では見えないが、特殊な装置で解読することができる。Adobe Systems社は2004年1月、紙幣のコピーがより難しくなるような検知装置を自社の人気ソフトPhotoshopに組み込んだことを認めている。

とはいうものの、世界中の偽造通貨の大半は、依然としてオフセット印刷で生産されている。たとえば、世界に出回っている米ドル紙幣の偽札は、ほとんどが米国以外の国でオフセット印刷されたものだ（現在、国外で製造される偽造ドル紙幣の約80パーセントは、コロンビアの主要偽造グループが手がけている）。一方、高品質な偽札は凹版印刷で製造される。その際に使われるのが米国製版印刷局御用達のスイス製印刷機だ。しかし、そうした機器は買うにも運用するにも多額の費用がかかるため、国家ぐるみの犯行ではないかという疑いがある。米国政府はこうしたいわゆる「スーパードル（超精巧偽ドル札）」が、全世界でおよそ4500万ドル分流通していると見ている。

もっとも、小規模犯罪の世界では、「デスクトップ型」の偽造は巨大な成長産業だ。何しろ、機器とソフトウェア合わせて1000ドル程度の投資で、納得のいくリターンが見込めるからだ。この種の偽造は急速に広がっており、年を追うごとに脅威が増しつつある。2004年6月の米国製版印刷局による推計では、デジタル機器で作られた偽造通貨は全体の40パーセントを占めた。それが2016年には61パーセントまで増えており、その後も増加を続けている。

偽造を未然に防ぐ

偽造師はさまざまなツールを駆使できるが、彼らの仕事は過去20年で各段に難しくなってきている。それというのも、合法通貨に施される幾重もの偽造防止措置の洗練が、ほとんどSFの域に達しているからだ。たとえば、米国製版印刷局が1996年に発行した新世代の米ドル紙幣には、1929年以来の大幅なデザイン変更が加えられた。特筆すべきは、マイクロ文字とセキュリティー・スレッド（偽造防止糸）が導入されたことである。その後も2000年代初頭までに、偽造防止のための斬新な意匠がいろいろとドル紙幣に盛り込まれた。たとえば、初代のグリーンバックに採用された透かし入りの紙は、1879年に極細の綾糸を織り込んだ特殊紙に取って代わられたのだが、これを機に復

活している。目に見える最も顕著な変更は、肖像画がより大きくかつ細密に描かれ、その位置も紙幣の中央からわずかにずれたことだろう。しかも肖像画の背景には、複製が難しい非常に細い線が印刷されていた。

紙幣の右下の通し番号は、見る角度によって色が変わる「光学式変化インク」で印刷された。また、セキュリティー・スレッドの位置は金種によって異なり、紫外線を当てると通常とは違う色で発光した。額面金額も、1本1本のセキュリティー・スレッドに沿って印刷された。肖像画によっては、衣服の縁にマイクロ文字があしらわれた。たとえば、50ドル札ではグラント

2010年にデザイン変更された米50ドル札の表側を接写したもの。紫外線のもとでよく見ると、細いセキュリティー・リボンの上に「USA 50」という文字が確認できる。普通光のもとではまず見えないので、偽造防止に効果がある。精緻に描かれた第18代米国大統領ユリシーズ・S・グラントの肖像もまた、偽造師泣かせの意匠となっている。

世界最初の郵便切手は
1840年、ローランド・ヒル
の提唱によって英国で発
行された「ペニー・ブラッ
ク」である。1ペニーとい
う低い額面ながら、すぐに
偽造師の標的となり、発
行から1年も経たないうち
に偽物が作られた。

大統領の襟に、100ドル札ではベンジャミン・
フランクリンが着ている上着のラペル（襟の折
り返し）にマイクロ文字が確認できる。2003年
10月、新20ドル札が発行されたのに続いて、
2004年9月には50ドル札のデザインも一新さ
れた。その際に加えられた偽造防止措置として
は、赤と青を使った微妙な背景色、たなびく旗
のイメージ、小さな銀青色の星章などがある。

　米ドル紙幣のデザインは、常に偽造師の一
歩先を行くために、およそ2年から5年ごとに
刷新されている。最新の100ドル札には前述
した複数の偽造防止措置に加え、3Dセキュリ
ティー・リボンが（印刷されるのではなく）織り
込まれた。

　さらに進んだ偽造防止技術を採用している
国もあり、多くの場合は紙幣の素材にポリマー
を使って偽造を阻んでいる。たとえば最新世代
の英国紙幣には、紙幣を動かすとその動きに
合わせて変化するホログラム、画像がぼんやり
と浮かび上がる透明な窓、それらを通貫する
金属色の縞（紙幣の表面は金色、裏面は銀
色）、銀箔のパッチ、縁取りの色が変化する画
像、紫外線を当てると蛍光反応で浮かび上が
る金種マークといった偽造防止措置が盛り込
まれている。英国紙幣の偽造は比較的少ない
が、それでも2020年に市中から回収された偽
の20ポンド札は14万4000枚を数えた。

切手の偽造

　1840年、ローランド・ヒルの提唱によって
英国で発行された世界最初の切手「ペニー・
ブラック」は、1年も経たないうちに偽造されて
いる。しかし、現行郵便切手の偽造が大きな
利益を生むことはほとんどない。額面金額が比
較的小さいからだ。その反面、希少な切手で
あればコレクターが大枚をはたくし、偽物と鑑
定された切手さえ喜んで購入する好事家も少
なくない。たとえば、現存する最古の"偽ペニ
ー・ブラック"が、1991年に135万ポンドで

メダルを獲った模造品

　フランソワ・フルニエ（1846～1917年）はスイス
生まれのフランス人で、普仏戦争（1870～71年）
に出征し、復員後は故国スイスのジュネーブに腰
を落ち着けて、無数の模造切手を製造した。当時、
切手の模造は合法で、それどころか、そうした模
造品が国際切手展で金メダルを獲得することさえ
あった。メダリストの1人に、やはりジュネーブで
活動したルイ＝アンリ・メルシエがいる。1904年、

フルニエはメルシエの在庫をすべて買い取り、模
造切手の提供を続けた。フルニエの死後、印刷機
や、切手のシートにミシン目を入れる機械をはじめ
とする遺品のすべてが、未亡人によってスイス郵
趣連合に売却された。連合はフルニエの作品のア
ルバムを作るため、模造切手に「FAUX（模造品）」
のスタンプをオーバープリントして選り分け、残り
は焼却処分に付した。

落札されている。

　世界各国で製造された初期の切手はすぐに希少となり、19世紀の半ばには、それらの偽造に励む人々がすでに大勢いた。そうした先駆者の1人に、いわゆる"ボストン・ギャング"を率いたサミュエル・アラン・テイラー（1838〜1913年）がいる。スコットランド生まれのテイラーは、幼い頃に米国へ渡ってくると、切手の取り扱いを始め、1863年には最初の偽造を手がけた。パラグアイやグアテマラといった国々が自前の切手を作る何年も前に、ボストン・ギャングは偽切手を刷って売っていたのである。当時、米国の郵便局や通信事業者の中には地域独自の切手を発行するところもあったが、テイラーはそうした切手も何百枚と偽造し、ときには自分の肖像画を描き入れた。彼は1893年に一度収監されているが、1905年まで偽造を続けたようだ。

イタリア生まれのジャン・ド・スペラティは「切手偽造の帝王」と呼ばれる。彼自身は常々、自分が作っているのはあくまでも「模造品」だと言って譲らず、偽造師呼ばわりは名誉棄損にあたると訴えを起こして勝訴したこともある。

切手取引が生まれたばかりの頃、多くの切手商が廃版となった切手の原版を買い取り、それで印刷した切手をオリジナルとして売っていた。有名どころでは、米国のジョージ・ハッセーやJ・ウォルター・スコット、英国のスタンリー・ギボンズ、ベルギーのJ・B・モエンスらがいる。廃切手の原版から刷った切手は法律的には偽造品だったが、彼らは「偽造ではなく模造」だと表現した。ドイツのハンブルクでは、1860年代から1880年代にかけてスピロ社が、1870年代から1890年代にかけてはゼンフ兄弟が、それぞれ数百点の偽造切手を製造していた。

事態を重く見た英国王立郵趣協会が専門家委員会を設置し、疑わしい切手の鑑定を委託するようになったほどである。世界各国もこれに追随したが、それでも切手の偽造はあとを絶たなかった。

偽造は手慰み

「切手偽造の帝王」と呼ばれたイタリアのジャン・ド・スペラティ（1884~1957年）は、生まれ故郷のピストイアで早くから切手の偽造を手がけていた。現代の美術品贋作者の多くがするように、スペラティも偽切手を専門家に見せてお墨付きをもらっていた。騙された専門家が発行した真正証明書を付けて、偽切手をオークションにかけていたのである。1920年代には、偽造した消印をオーバープリント（加刷）することで、偽切手をより本物らしく見せていた。

第二次世界大戦が始まると、希少切手の人気はさらに高まった。隠すのが容易で、ドイツ軍による私財没収を免れるのに都合が良かったからだ。スペラティはフランスから切手を持ち出そうとして捕まり、収監を避けるため、それらが偽物であることを白状している。ただ、「偽物だと分かるよう全部裏面に印がつけてある」と言い添えるのを忘れなかった。しかし、印はいずれも鉛筆書きだったことから、本物と偽って売りさばこうとしていたことは明らかに思えた。

スペラティは生涯、自分は「模造品」を作っているだけだと公言して譲らなかったし、実際、偽造師呼ばわりされたことで被ったという損害を、一度は裁判で認められている。しかし、そんな彼も、70歳を超えると視力が衰えてくる。英国郵趣協会は偽造稼業から足を洗うことを条件に、スペラティ本人から2万ポンド（当時の貨幣価値で1億円前後）。とも言われる金額で偽造切手の在庫や原版を買い取った。しかし、3年後にスペラティが世を去ったあと、彼が約束をたがえていたことが明らかになる。「手慰みのために」偽造を続けていたことを、本人が臨終間際に告白したのである。

偽造稼業はやめられない

市場から偽物を除去するには、偽造師から在庫を買い取るしかないように思える。1967年、米国郵趣協会は、メキシコのユカタン半島で何千枚もの切手や消印を偽造していたベルギー生まれのラウル・ド・トゥアン（1890~1975年）と、まさにそのような取引を行った。

フランス南西部の都市ペリグーにある国立切手印刷所の従業員が、印刷機から刷り出される切手を検品しているところ。ちなみに、切手印刷に使われるインクには、紫外線感応性や磁性といった偽造防止に有効な特性を帯びているものが少なくない。

米国郵趣協会の事務局長ジェームズ・デボス大佐は次のように述べている。「私たちは20年近く前から彼の活動をつかんでいましたが、それを止めることはできませんでした。もしド・トゥアンが米国にいたなら、とっくの昔に刑務所送りになっていたでしょう。しかし、もっぱら古切手を取り扱い、たいていは消印やオーバープリントを偽造して希少価値を高めるという彼のやり口は、メキシコの法に触れるものではなかったのです。米国の郵政当局は、ド・トゥアンが米国に郵便物を送れなくなる命令を発しましたが、彼の偽切手はほかのルートを介して出回り続けました」

米国郵趣協会は偽造切手の原版1636枚と、インクを含むド・トゥアンの商売道具すべてと思われるものを、格安で買い取ったという。協会が自ら所有することは法的に許されなかったので、それらを『The Yucatán Story（ユカタン物語）』という本の図版に使い、その後は一切合切をシークレットサービスに引き渡さなければならなかったと言われている。ド・トゥアンはエクアドルのグアヤキルに移り住み、そこで生涯を閉じたのだが、死後判明したのは、彼が商売道具をある程度手元に残しておいて、切手の偽造を続けていたということだった。

2004年、インターネットオークションサイトのeBayに出品していた切手商フアン・カノウラ・シニアが、ド・トゥアンの商売道具の一部を入手していたことが明らかになった。16年以上にわたり偽造稼業を続けてきたカノウラは、これを機に商売を畳んで引退するつもりだと発表した。その際に、「偽造師としてはもう終わった。これからはせいぜい余生を楽しみたいね」と語ったと伝えられている。

ポルトガル通貨詐欺事件

自分で偽札を刷るのではなく、大手の紙幣印刷会社にその仕事を肩代わりさせた有名な詐欺師がいた。アルトゥール・アルベス・レイスというポルトガル人青年である。

1896年生まれのレイスは、1916年、若い妻を連れてポルトガル領西アフリカのアンゴラ植民地に渡ってくる。自ら偽造した工学の学位免状を持っていたので、すぐに技師の仕事が見つかった。

当時アンゴラの経済は苦境に立たされていたが、ポルトガル政府は何ら支援策を講じなかった。レイスは24歳のときに、かつて勤めていた鉄道会社が経営難に陥ったのを見て買収に動き、株の不正取引を始めた。しかしこれが発覚し、1924年、リスボンに戻ったところを逮捕され、2カ月間服役している。

獄中で金儲けの秘策を練ったレイスは、釈放されると、早速1通の証書を偽造する。それは、アンゴラの政府当局とレイスの間で交わされたように見せかける書類で、アンゴラに100万ポンド（500万ドル）を貸し付けるという架空の借款計画に基づき、レイスがアンゴラでポルトガル紙幣を1億エスクード増発するのを認めるという内容だった。レイスは次に、共犯者を募って少人数のチームを結成する。ただし、計画の全容は誰にも明かさず、各人に必要最低限の情報を与えるにとどめた。

レイスの共犯者の1人、カレル・マランがオランダの紙幣印刷会社に接近し、ポルトガル紙幣の印刷を請け負っているロンドンの印刷会社ウォーターロー商会に紹介状を書いてもらう。この紹介状を手に、マランはウォーターロー商会の会長ウィリアム・ウォーターローとの面会にこぎ着けた。そしてウィリアムに、「アンゴラで紙幣を増発することが知れわたれば、深刻な政治的影響が生じることは避けられないから、ポルトガル銀行総裁とは自分が直接やり取りする」と告げる。さらに、「新たに印刷する紙幣は発券済み紙幣の焼き直しで構わない、植民地に届き次第、『アンゴラ』という文字をオー

> 自分で偽札を刷るのではなく、
> 大手の紙幣印刷会社に
> その仕事を肩代わりさせた
> 有名な詐欺師がいた。

夫人と写真に収まるウィリアム・ウォーターロー。1924年、彼はレイスが偽造した2通の手紙の内容を鵜のみにしたばかりか、ほかの役員に相談もせず、額面500エスクードのポルトガル銀行券58万枚の印刷にゴーサインを出してしまった。

レイスがロンドンの紙幣印刷会社ウォーターロー商会を騙して刷らせた額面500エスクードのポルトガル銀行券20万枚のうちの1枚。

バープリントするから」とも。ウィリアムが（ほかの役員に相談もせずに）承知すると、レイスはさらに2通の手紙を偽造した。いずれもポルトガル銀行総裁からのもので、上記の取り決めを是認する内容だった。こうして1925年早々、

500エスクード紙幣20万枚が印刷され、通し番号が連続しないように混ぜ合わされたうえで、リスボンに届けられた。この複製紙幣を元手に、レイスはバンコ・アンゴラ&メトロポールという銀行を設立し、リスボンとオポルトに営業所を構える。この銀行は競合他行よりも低金利で融資を行い、為替の交換レートもほかより有利だったので、非常に繁盛し、7月にはウォーターロー商会に500エスクード紙幣38万枚の追加発注をかけるほど好調だった。

　一方でレイスは、詐欺の痕跡を消すためにポルトガル銀行の株式買い入れを始める。共犯者たちとともに大株主になってしまえば、銀行関係者の誰にも、偽造紙幣の存在を確認するための調査ができなくなる——そうレイスは踏んだのである。ところが、レイスがアンゴラに出張している間に、オポルト支店の出納係が、為替取引が正しく帳簿に記載されていないことに気づき、報告を上げた。

　バンコ・アンゴラ銀行の保有紙幣を1枚残らず調べ上げるという骨の折れる調査が行わ

英国史上最大の偽札押収事件

2019年、英国の中央銀行であるイングランド銀行は、新たな偽20ポンド（28ドルに相当）紙幣が国内で出回っていることに気づいた。偽札は精巧で、その出来栄えに素人臭さは微塵も感じられない。イングランド銀行の専門家たちの見立てでは、それこそ大部数の雑誌を刷るのに使われるような業務用の印刷機でなければ到底作れない代物だという。つまり、大がかりな組織犯罪が行われているということだ。

偽札の供給源はおそらくイングランド南東部のケント州だろうと目星が付けられ、ケント・エセックス両州重大犯罪捜査局、イングランド銀行、そして国家犯罪対策庁の偽造通貨捜査課という3者による大規模な合同捜査が開始された。個人情報と金融情報を駆使し、過去の犯罪記録を洗い上げ、疑わしい男たちの携帯電話による通話を監視するという、複合的な作戦である。やがて携帯通話の監視が功を奏し、次第に捜査の網が狭まっていく。そしてついに、ベカナムのケント・ハウス・レーンにある、ニック・ウィンター（58歳）なる人物が所有する小さな工場に的が絞られた。2019年5月4日、その工場に警察が踏み込んだのは、これ以上ないほどのグッドタイミングだった。中ではフィリップ・ブラウン（54歳）ともう1人の男が、まさに偽札を刷っている最中だったのである。「言い逃れのしようがない現場を押さえられてしまったな」——その場で御用となったブラウンは、警察に対してそう認めている。

複数の印刷機の周りには偽の20ポンド札が山と積まれており、数えたところ、全部で525万ポンド（700万ドル）という目の玉が飛び出るような金額に達した。文字通り、英国史上最大の偽造貨幣押収である。そのうえ、偽札を発注した裏社会の面々の名前が記された受注簿まで現場で見つかったというのだから、驚くほかない。この事件では、主犯格のニック・ウィンターにフィリップ・ブラウンとジョン・エバンズ（27歳）を加えた3人が、それぞれ6年から10年の刑を受けて収監された。

ところで、工場の手入れから数カ月後、思わぬところから一味の犯行のさらなる証拠が出てきている。2019年10月9日、犬の散歩代行者が道端に捨てられていた約500万ポンド（670万ドル）分の偽札を発見したのに続き、2020年1月15日には、鉄道の線路沿いに20万940ポンド（26万9500ドル）の偽札が散らばっているのが見つかった。その頃までに、イングランド銀行は約160万ポンド（215万ドル）分の偽造紙幣を市中から回収していた。ケント州のある警察幹部は次のように述べている。

「偽札作りとしては巧妙な犯行だったが、遅かれ早かれ検挙は免れなかっただろう。見つからずにいつまでも続けられると思い込んだのが、連中の運の尽きだったんだ」

通貨の偽造は世界的な問題である。写真はポルトガル司法警察が2011年に押収した130万ユーロにも及ぶ偽ユーロ札の一部。

れた結果、ついに同じ通し番号の紙幣が2枚
見つかった。もちろん、どちらが本物でどちらが
複製かは見分けがつかない。この事実が漏洩
すると、人々は手持ちの500エスクード札を両
替しようと躍起になり、パニックが起こった。レ
イスはアンゴラから帰国したところを逮捕され
る。ポルトガル銀行は市中に出回っている500
エスクード札を残らず買い取ることを余儀なく
され、いっとき、ポルトガル経済は破綻するか
に見えた。

　1929年、ひどく込み入った裁判の結果、レ
イスは20年の刑を宣告される。しかし、それ
で一件落着とはならなかった。翌年、ポルトガ
ル銀行がウォーターロー商会を訴えたのであ
る。ウォーターロー側は、ポルトガル銀行は疑
わしい紙幣を回収し、印刷代だけで真正の紙
幣を発行できているのだから、損害は用紙代だ
けだと主張した。他方、検察当局の狙いは懲
罰的損害賠償金を課すことだった。裁判は当
時最高裁の権能も有していた貴族院までもつ
れ込み、結局、ポルトガル銀行に6000万エス
クードの損害賠償請求権が認められた。

細部にこだわる男、
チャールズ・ブラック

　英国人のチャールズ・ブラックは1928年に
生まれ、機器製作技師として修業を積んだ。
水槽に使う温度自動調節機能付きの暖房シス
テムを新開発するなど、3年間は身に着けた技
能を良いことに役立てたが、なまじエンジニア
の知識があることから中古車販売に携わるよう
になり、やがて盗難車を販売したかどで有罪判
決を受けてしまった。獄中では偽造の罪で服役
している囚人たちと話す機会が多く、1969年
に釈放されると、アマチュア写真家としての腕
を生かして偽造を始めることにした。

　ちょうどその頃、ロンドンで国際印刷機材展
が催されたのは、ブラックにとって願ってもない
タイミングだった。会場に入り浸り、自社製品の
売り込みに余念がない販売担当者から説明を
聞いたり、実際に機器を動かすところを見せて
もらったりしたブラックは、たちまち「買うべきも

のリスト」を完成させた。資金は"フレッド"と
名乗るカジノのオーナーが用立ててくれる。販
売員にはカタログ印刷に使うと説明し、妻には
ポルノ雑誌を創刊するつもりだと言ってごまかし
た。買い込んだ印刷機と製版機を収納するた
め、庭に大きな小屋を建て、母屋の書斎を現
像用の暗室に改造すると、あとは面倒なカラー
印刷の手順を覚えるだけだったが、こちらは数
日で要領をつかんでしまった。

　服役していた頃、ブラックはほかの偽造師た
ちを見下していた。連中は上っ面だけ本物っぽ
く見えればそれで満足するが、自分は細かいと
ころまでとことんこだわり、本物に瓜ふたつのも
のを作り上げる――そう本人が豪語している通
り、ブラックは何時間も暗室にこもって写真の

上：各種ポンド紙幣を手
に持つ英国の偽造師チ
ャールズ・ブラック。

左ページ："模造品"作り
に勤しむジャン・ド・スペ
ラティ。

ネガを作っては、高級誌に掲載される写真と同様、マゼンタ、ブルー、イエロー、ブラックの4色で印刷した。しかも、各色につき1つのネガを作るだけでは飽き足らず、わざわざ引き伸ばし、部分ごとに正確な色調を再現すべく、細かく分割したネガの断片をこつこつ貼り合わせるという念の入れようだった。

ブラックは手始めに、仲間のスタンリー・ル・ベイグと額面50ポンドのトラベラーズチェック25万ポンド分を偽造した。それを、例の"フレッド"が裏社会を介して正価の3分の1で売りさばいた。

小切手や紙幣には、小型の「ナンバリングボックス」と磁性インクを使って通し番号が振られている。ブラックは紙幣印刷会社の知人を説き伏せて、ナンバリングボックス3台と大量の磁性インクを持ち出させた（この"知人"は以前もブラックのために本物の小切手を盗み出していた）。そして、複数の発行銀行名でオーバープリントしたスタンプを作り、小切手にミシン目を入れ、印刷済みの厚紙表紙に10枚ずつ綴じ

チャールズ・ブラックがジャーナリスト、マイケル・ホースネルの手を借りて半生を綴ったベストセラー。本書は彼が"更生"を誓ったのち、1989年に出版された。

た。小切手はめぐりめぐって発行銀行に戻ってくるまで偽物とは気づかれず、したがって本物が市場から回収されることもなかった。

電気コードとグリセリン

ブラックは次に、米国の50ドル札と20ドル札を偽造することにした。そこで1つ、新たな問題が生じる。米国紙幣に使われている紙には、偽造対策として細い赤と青の繊維が織り込まれていたのである。ブラックはいかにも彼らしいやり方で、この問題を解決した。昔ながらの電気コードの被覆を細かく刻み、明るい緑色に印刷した紙の上に撒いたのである。それを写真に撮って、現像した写真を縮小すると、ようやくそれらしく見えた。ただ、この緑色の濃淡がなかなか決まらず、図案を正確に再現するのにも時間がかかった。一方、通し番号の頭文字と発行銀行の関係については、図書館に一度足を運んだだけで解明できた。仕上げとして、新札の滑らかな手触りを再現するため、刷り上がった偽札をグリセリン液に浸し、ヒーターで乾かした。

ところが、仲間の1人が盗品の小切手（本物）を換金したことで逮捕されたのをきっかけに、ブラックにも司直の手が及ぶ。1971年、警察に自宅を捜索されたが、そのときは容疑が偽造ではなかったため、庭の小屋までは調べられなかった。ブラックが7週間拘留されている間にも、ル・ベイグは何食わぬ顔で偽ドル紙幣の製造を続けた。やがて保釈され、裁判を待つ身となったブラックも、すぐに偽造を再開する。今度の標的は、イングランド銀行が発行したばかりの新5ポンド札だった。

新紙幣は「偽造不能」を売りにしていたが、ブラックはあえてそれに挑んだ。本物には正確に決められた位置に透かしが施されており、そこからウェリントン公の肖像が透けて見える。さらに、紙幣の繊維には細い金属のストリップが織り込まれていた。ただ、この金属ストリップは紙幣の表と裏を引き剥がさなければ直接見ることができず、忙しい銀行の窓口係や商店主がわざわざそんなことをするとは到底思えなか

カール・ウィルヘルム・ベッカーの手になるビザンティン硬貨の複製（左上）。下はベッカーが鋳造に使った金型の全体像で、右上はその刻印面。

った。彼らは紙幣を明かりにかざして、透かしとストリップの影を確認できればそれでよしとするだろう——そう踏んだブラックのアイデアは、単純ながら、例によって手間暇のかかるものだった。彼はストリップの位置にただの黒い線を印刷し、その上から不透明な白インクを刷り重ねることで、ウェリントン公の肖像がぼんやりと浮かび上がるようにしたのである。あとは新札の色づかいを再現し、通し番号を振るだけだが、どちらもブラックのいつものやり方で簡単に処理できた。

　1972年2月、ようやく裁判が開かれ、ブラックは「偽造物を使って物品を入手した」罪で5年の刑を言いわたされた。服役中、刑務所内の印刷所で働くことになったのは、皮肉というほかない。収監されてから1年ほど経つと、自宅が改めて捜索され、商売道具をごっそり押収されたこと、そして、ル・ベイグを含む共犯者2名が「取り調べに協力的」であることを知ら

される。ル・ベイグともう1人の男はそれぞれ5年の刑を言いわたされたが、ブラック自身はすでに服役中であることを盾に尋問を拒否した。それでも、疑惑の渦中にあるためなかなか仮釈放が認められず、ようやく出所が叶ったのは1973年の暮れも押し迫る頃だった。

　久しぶりに家に帰ってみると、予備として台所の扉の下の空所に隠しておいた50ドル札のネガは幸いにも無事だった。いっとき更生を決意し、機器製作技師として堅気の生活を送ろうとしていたブラックだったが、その矢先に、ロンドンでまたしても印刷機材展が開催される。1975年のことである。誘惑に抗しきれず会場を訪れたブラックは、そこでブライアン・ケーティンという旧知の人物と再会した。聞けば、勤めていた印刷会社が潰れて職を失ったが、サセックス州パガムにある自宅の二重壁の奥に、オフセット印刷機を隠してあるという。

　「そろそろ仕事を再開したいと思っていたし、

それには相棒が必要だった」――のちにブラックはそう語っている。「だが、パガムで奴の作った偽札を見てみると、相棒が必要なのはむしろ奴のほうだと分かったよ。おもちゃの札にだって、もっとましなのがある」。そこでブラックは、偽札作りの技術にさらに磨きをかけることにした。20ページで述べたように、本物の紙幣は凹版印刷で刷られるから、表面に凹凸ができる。一方、オフセット印刷機で刷る偽札はあくまでも平らで、凹凸がない。ブラックはまず、レターヘッドに使われるようなエンボスパウダーを試してみた。しかし、本人いわく「1950年代にいっとき流行った3D映画みたいな仕上がりだった。まるで幻覚みたいに、図案が紙から飛び出して見えるんだ」。結局、真鍮の板に微小なドットで図案を刻印し、それをもとにエンボス加工を施して、いかにも凹版印刷されたかのような手触りと外観を再現した。

1979年に開かれた裁判で、米国財務省の職員は、押収した偽札がそれまでに見たことがないほど精巧なものだったことを認めざるを得なかった。

しかし、抜け目のないブラックにも見落としが1つだけあった。紙幣やその他の証券類は特殊な紙に印刷されるということである。そういった紙には、「白色化剤」が使われていない。白色化剤の入った紙は自然光のもとではより白く見えるが、紫外線光を照らすと明るい青色に発光する。1976年には、窓口に持ち込まれる紙幣を検査するための紫外線スキャナーの導入が、全国各地の銀行で始まっていた。今や銀行だけでなく、商店にも当たり前のように置かれている機械である。

スイスで顧客の1人が捕まるまで、ブラックはそのことを知らなかった。だが、用紙の問題はひょんなことから解決する。ずっと倉庫の奥に眠っていた法廷用紙のストックが、大量に見つかったのである。1977年、ブラックとケーティンは「200万ドル相当の偽札をベイルートに送ってほしい」という注文を受ける。報酬は額面のわずか14パーセントに過ぎなかったが、それでも1人14万ドルの稼ぎになる計算だった。

これでようやく金持ちになれる――ブラックとケーティンがそう喜んだのも束の間、ブラックがこしらえた大量の偽札を（おそらく麻薬を買い付けるために）車に積んで運んでいた運転手がトルコで逮捕され、金の出所を問いただされた。パリからアンカラに出張してきた米国財務省の職員には、押収された紙幣が本物か偽物か見極めがつかなかったが、それでも、運転手のパスポートに走り書きされたブラックの電話番号が決め手になった。

ブラックの自宅にもう一度捜索が入り、偽造に使う機器こそ見つからなかったものの、ジャガイモの箱の下から8万5000ドル相当の偽札が発見された。何より大きかったのは、ケーティンの印刷機のフレーム番号が記された鉛筆書きのメモが出てきたことだ。製造元に照会したところ、すぐにケーティンのガレージにたどり着き、そこで都合3600万ドル分の偽札が押収された。

1979年に開かれた裁判で、米国財務省の職員は、押収した偽札がそれまでに見たことがないほど精巧なものだったことを認めざるを得なかった。開発に莫大な予算と歳月を投じた偽札検知装置が一夜にして時代遅れになってしまうほど、見事な出来栄えだったというのである。裁判の結果、ケーティンには3年、ブラックには合計21年の判決が下された。1982年に保護観察付きで仮釈放されたブラックは――あくまでも本人いわくだが――ついに足を洗うことを決意する。妻からは三下り半を突きつけられたが、めげずにタイ人の女性と再婚し、夫婦でタイ人花嫁を英国人男性に紹介する事業を始めた。ブラックは次のような例えで心境を吐露している。「サーカスの花形といえば、そりゃあ凄腕のナイフ投げさ。でも、ただの道化師でいるほうが枕を高くして寝られるんだ」

右ページ：イングランド銀行の銀行券は、エセックス州ラフトンにある同行御用達の印刷工場で、厳戒態勢のもと製造されている。刷り上がったシートは1枚1枚目視で検品され、最高の水準を満たしているかどうかが確かめられる。

CHAPTER 2
贋作 FAKE ART

名のある芸術家の作品は、
年を経るごとにその価値を増していく。
一方、腕はあるのに作品が売れない画家や彫刻家の中には、
実入りの良い贋作作りに手を染める者もいる。

美術品の模造や偽造は何百年も前から行われてきたが、本物か偽物かを見極める鑑定が本格的に行われるようになったのは、ここ100年ほどのことである。なぜそれ以前は鑑定が行われなかったのか、理由はいくつかある。特に15世紀から16世紀にかけて、多くの芸術家の工房では、弟子の修行のため、あるいは市場の需要を満たすために、精巧な複製が盛んに行われていた。そのため、本物と複製にはっきりとした線引きがなく、また工房の師匠である芸術家が両方に署名することもあった。そうすると、本物と複製の区別はますます怪しくなる。18世紀に美術品収集が流行すると、多くの複製や贋作が、たいてい出所を証明する書類もないまま取引され、所有者がコロコロと変わった。こうして200年にわたって、本物でないものも本物として扱われていたのだ。

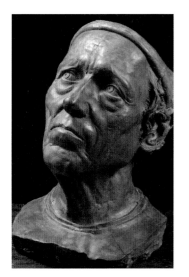

左ページ：自ら描いた「Sexton Blakes」（スラングで「偽物［fakes］」を意味する）とともに写真に収まる英国の美術品贋作師トム・キーティング。

左：19世紀半ばにイタリアの贋作師ジョバンニ・バスティアニーニが15世紀の頭部像として数多く制作した偽物の1つ。

有名な画家の作風を模倣することは「オマージュ」、すなわち敬意を表する行為と見なされていた。たとえば、英国の偉大な画家J・M・W・ターナー（1775〜1851年）は、オランダの画家ウィレム・ファン・デ・フェルデ（1611〜93年）やフランスの画家クロード・ロラン（1600〜82年）の作品を真似た絵画を嬉々として描いていた。

それに加えて、専門家たちが互いに意思疎通を欠いていることは、ある種の独善を生み、贋作の問題に拍車を掛けた。専門家は特定の画家、あるいはその画家に近い流派の作品に特化する傾向があり（現在もそうだが）、ほかの画家の専門家に意見を聞くことはほとんどなかった。また、その芸術家のあまり知られていない作品を集めていることも多く、その芸術家の作品の鑑定を事実上牛耳っていた。

有名な美術品のオークションにおける落札価格は、この100年間で天文学的な数字に跳ね上がり、贋作制作が以前と比べてはるかに儲かるビジネスとなっている。金を稼ぎたいという点では、贋作師もほかの人と変わりはない。利益は、彼ら贋作師の仕事の質を向上させる大きなインセンティブになる。

さまざまな科学的分析技術が発達したのはここ100年ほどのことで、今では作品に使用されている材料の特定や年代測定、構造の調査、本物と認定されたほかの作品との比較が可能になっている。そして、おそらく何よりも重要なのは、遠く離れた専門家同士がすぐに連絡を取り合えるようになったことだろう。

真贋鑑定の基準

科学的な鑑定方法が確立される以前、美術品の真贋鑑定を行う基準は作風とプロブナンス（来歴）の2つしかなかった。プロブナンスとは、作品が長年にわたって所有者から所有者へどういう形で受け継がれてきたかを示す記録で、作品の真正性を確認するために作成されるべきものである。贋作を作るとなると、こうした書

偽物だと見抜くのが
とりわけ難しいのは、
たいてい最近作られたものだ……。
そうした贋作は
我々の時代や視点に近いので、
いやがうえにも魅力的に映る。

——ジョセフ・ビーチ・ノーブル
（元メトロポリタン美術館副館長）

偽造・捏造ファイル　　　**FORGER'S FILE**

利益といたずら心

美術品の贋作を作る最大の目的が、人を騙して利益を得ることに疑いの余地はない。しかし面白いことに、贋作師が言うには、専門家を出し抜こうという、利益とまったく別の動機（いたずら心や恨みつらみ）もあった場合が少なくない。もっともらしい贋作を作るには、かなりの芸術的能力、知識、技術が必要だ。しかし、贋作師が自分の作品を認められることは少ない。値段も妥当ではない。だが、もしその作品が有名な芸術家、できれば死去した芸術家の名を冠していれば、高額で取引される可能性がある。贋作を作る誘惑にはなかなか抗えるものではない。

類も偽造しなければならない。

　有名な巨匠の知られた作風や題材が、腕利きの贋作師によって精巧に模倣されることもある。逆に絵画に「ゴヤ」や「レンブラント」の署名があっても、専門家の目で見て"違和感"があれば、それは偽物として相手にされなくなる。

　ニューヨーク、メトロポリタン美術館の元副館長ジョセフ・ビーチ・ノーブルは、『ブリタニカ百科事典』の中でこう書いている。「偽物だと見抜くのがとりわけ難しいのは、たいてい最近作られたものだ……。そうした贋作は我々の時代や視点に近いので、いやがうえにも魅力的に映る。時代が変わると、人々の視点が移り、嗜好が変わり、新しい鑑賞の基準が生まれる。そういうわけで、世代を超えて残る贋作はほとんどない」

何をもって「古い」とするのか？

　美術館の世界において、古代のものと思われていたものが、もっと新しい時代の複製であることが分かったり、そういう疑いが出てきたりした場合、話がややこしくなる。その好例が、1771年にナポリ近郊のブドウ畑から発掘され、現在は大英博物館に収蔵されているギリシャ神話の酒の神、ディオニュソスの頭部の彫刻だ。当初は古代ギリシャのものと考えられていたが、現在では複製であることが判明している。オリジナルは紀元前5世紀のアテネの巨匠フィディアスの作品と思われ、紀元2世紀にローマの彫刻家がこれを複製したのだ。本章の冒頭で指摘したように、ローマの彫刻家が贋作を作るつもりだったとする理由はなく、もちろん複製そのものにも大きな価値がある。この例と似通った不確かな歴史を持つ所蔵品が、世界中の美術館にはごまんと存在する。

芸術が儲かる商売へ

　何世紀もの間、ヨーロッパはおろか、世界のどこにも美術品の市場は存在しなかった。美術品は高位の聖職者や国家の権力者からの依頼で制作されるものだった。そのため、芸術家が高い報酬を得たり、高い評価を受けたりすることはあっても、作品が特定の場所から動かされることはなく、制作者の名前が記録されることもほとんどなかった。しかし、15世紀に入り、豪商たちが新しいパトロンとして登場すると、状況が一変する。新興の富裕層として台頭した豪商たちは、自らの重要性と社会的地位を誇示しようと躍起になり、美術品の買い手として教会と肩を並べ始めたのである。

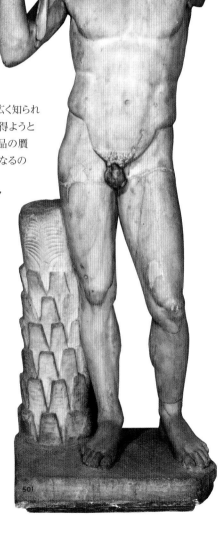

ルネサンス

　15世紀は芸術のルネサンス（再生）の時代と呼ばれる。さまざまな芸術家が広く知られるようになり、高額の依頼を得ようと競い合うようになった。美術品の贋作が初めて利益を生むようになるのもこの頃である。

　数を増やす富裕層のコレクターたちは、有名な画家の作品であれば、本物だろうが、よくできた贋作だろうが、芸術家の工房で作られた複製だろうが、何でも買った。ルネサンス期の新しい芸術を学びにイタリアへやってきた芸術家たちは、帰国してからイタリアの著名な芸術家の"作風"を真似て作品を作った。また、イタリア以外にも裕福なコレクターはおり、代理人をイタリアに派遣して、高額の作品を買い求めた。こうしてルネサンスの美術品が爆発的に増え、しかもその多くが模造や金儲けのための贋作だったことから、のちの時代に大きな問題を引き起こすことになる。

枢機卿と偽のキューピッド像

ジョルジョ・バザーリ（1511～74年）は『画家・彫刻家・建築家列伝』の中でこう書いている——ミケランジェロ（右）が等身大の眠れるキューピッドを彫った。ある友人が言った。「この像をしばらく埋めてから古代の彫刻としてローマに送れば、ここフィレンツェで売るよりも高く売れるに違いない」。ミケランジェロはこれを実行したとされるが、その友人がローマに持っていって埋めたとも言われている。いずれにせよ、サン・ジョルジョ枢機卿（ラファエロ・リアリオ）が200コロナで買い取った。友人はミケランジェロに「これしか払ってもらえなかった」と言って30コロナしか渡さず、残りを自分の懐に入れたという話もある。その間に枢機卿は、このキューピッドが古代の彫刻ではなくフィレンツェで作られたものだったことを知り、金を返せと迫った。枢機卿は、本当に完璧な作品の良さが分からないのかと笑われ、非難さえされた。「それが現代のものだろうがなかろうが、どうだっていいじゃないか」……この一件で、ミケランジェロの名声はますます高まった。

卓越した贋作師、ミケランジェロ

ミケランジェロ・ブオナローティ（1475～1564年）はイタリアの偉大な画家、彫刻家、建築家にして詩人だが、若い頃の彼は贋作を作るのに何のためらいもなかった。14歳のとき、画家ドメニコ・ギルランダイオ（1449～94年）に弟子入りすると、自分の時間の大半を兄弟子たちの作品を研究するのに費やした。

ジョルジョ・バザーリはミケランジェロの生涯を綴った伝記にこう書いている。「彼は老いた師匠のデッサンを完璧に模写し、本物と見分けがつかないほどであった。それもそのはず、彼は紙を燻して着色し、古そうな見た目に仕上げていたのだ。そして本物を自分の手元に残し、代わりに模写したほうを返して大丈夫だったことが何度もあった」

ミケランジェロの贋作で最も有名なのは、等身大の『眠れるキューピッド』の「古美術（アンティーク）」彫刻だ。この彫刻は現在では失われているが、彼の線画の中にあったスケッチがオリジナルのデザインだと考えられている。16世紀、ミケランジェロの『眠れるキューピッド』はマントバのデステ・コレクションに収蔵され、本物の古代ギリシャ・ローマ時代の彫刻と一緒に展示されて

いた。訪れた人々がミケランジェロの匠の技に驚嘆したのは間違いない。

本物のレンブラント？

　巨匠直筆の作品と、巨匠の指示で制作された複製、あるいは模造品や意図的な贋作との区別が非常に難しいことは、オランダの画家レンブラント・ファン・レイン（1606〜69年）の例を見れば分かる。レンブラントの作品は評判も価値も極めて高く、しかも彼の名を冠した絵画は大量に出回っている。たとえば米国のニューヨーク税関の記録では、1909年から1951年の間に米国に輸入された"レンブラントによる"作品が何と9428点もある。レンブラントは確かに多作だったが、この数字が正しければ、生涯を通じて3日に2点というあり得ないペー

スで作品を制作したことになる。そうなってくると、世界中の国立美術館に所蔵されているほかの作品や、個人所有のレンブラント作とされる作品も、ひとつ残らず疑わしくなってしまう。

　混乱の原因はレンブラント自身にもある。レンブラントは自分の工房で弟子たちに"レンブラント風"の作品を作らせ、サインだけして自分の作品として販売することが多かった。彼の死後には、ほかの芸術家が素直な尊敬の気持ちから、レンブラントの作風を真似た絵を描いている。たとえば、18世紀英国の無名の画家、トーマス・ウォーリッジが制作したとされるエッチングは、一時期レンブラントの手になるものと考えられていた。

　一方、"偽レンブラント"作品が大量に出回っているせいで、本物と思われていた絵画にも疑

現代の美術品贋作師は、過去の有名な画家のあまり知られていない作品を研究することに多くの時間を費やしている。このレンブラントが描いたマイナーな作品は、最近ポーランドのワルシャワ王宮で開催された展覧会で展示されたもの。

ボッティチェリの直筆?

絵画の需要に応えるべく工房を設立したルネサンス期の画家に、サンドロ・ボッティチェリ（1444/45〜1510年）がいる。ボッティチェリの作品のいくつかは、彼が監督する形で弟子たちに制作させていたことが分かっている。弟子の絵の仕上げとしてボッティチェリが手を入れ、おそらく大きな修正を加えて、自分の絵として世に出した。厳密に言えば、これは偽物でも贋作でもない。しかし、ボッティチェリの作品とされる素晴らしい絵画を鑑賞するとき、その筆致のどこまでがボッティチェリのものなのか、私たちは知るよしもない。

典型的なボッティチェリの作品『聖母子と洗礼者ヨハネ』（イタリア・フィレンツェのアカデミア美術館所蔵）。ボッティチェリの作品であることは確認されているが、一部でも弟子が描いているのかどうかまでは断定できない。

右ページ：この『帽子を被った初老の男』がレンブラントの作品かどうかは、美術史家の間で長く議論されてきた。現在ある証拠から判断すると、偽物の可能性が高い。

いの目が向けられている。ロンドンのナショナル・ギャラリーにある『帽子を被った初老の男』という作品には「Rembrandt f/1648」という署名がある。同ギャラリーの科学部門の調査によると、17世紀の作品であることはほぼ間違いなく、レンブラント自身の技法の特徴も見られるという。1990年に開催された大英博物館の展覧会『Fake? The Art of Deception（フェイク? 騙しの芸術）』展に伴い発行されたものには、こう書かれている。「この絵は模倣ではなく、レンブラント本人の作品とするのが最も自然な結論だろう」。しかし、現在ではギャラリーの立場が変わり、作品の説明文にはこう書かれている。「様式と絵画技法から判断して、この作品が画家自身の手によるものではないということで、すべてのレンブラント専門家の意

15世紀の苛烈な宗教改革者、修道士ジローラモ・サボナローラの頭部像。ジョバンニ・バスティアニーニ作。このイタリアの贋作師は、38歳で亡くなるまでに似たような作品を多数制作している。

見は一致している──ということは、署名が捏造だったことになる。この作品は、レンブラントの仕事ぶりをよく知る、おそらく彼の工房にいた誰かの手によるものに違いない」

　美術品のオークションハウスは、高名な芸術家の作とは断言できない作品を、うまい言い回しで区別している。可能性の高い順に、"said to be by ～"（～の作と言われる）、"studio of ～"（～の工房による）、"school of ～"（～

派に属する）と続き、最後に「ほかの作家の手によることがかなり確実な作品」が来る。

大金が動く

　19世紀は美術品贋作の黄金時代と言ってもおかしくない時代であり、国立美術館が初めて設立されたのがこの時代であったのも偶然ではない。パリのルーブル美術館はもともと、ルイ14世がフランスを統治していた時代（1643～1715年）に大部分が建てられた歴史的な宮殿が、美術品の収蔵および展示場として使われていたことにさかのぼる。19世紀に入ると、一般客に公開される世界初の美術館となり、それからすぐに、ロンドンのナショナル・ギャラリー、マドリードのプラド美術館、ベルリン国立美術館、ミュンヘンのアルテ・ピナコテークが相次いで開館した。同世紀末には、カイロ、東京、メルボルン、モントリオールなどの都市にも美術館が誕生する。米国では、ニューヨークのメトロポリタン美術館、ボストン美術館をはじめ、フィラデルフィア、シカゴ、デトロイトなど、十数都市に美術館が設立された。

複製を複製する

英国の20世紀美術史家ケネス・クラーク卿は、まだ子どもだった学生時代のことを自伝にこう書いている。「デッサン教室の棚には、イタリアの偉大な贋作家の手による鋳造像がたくさん並んでいた。19世紀に作られたこれらの模造品は、そのアカデミックな自然主義性から、本物の作品よりも美術教師の好みに合っていた……。私への指導はというと、この興味をそそられない物体をHBの鉛筆で描かせることだけだった。あらゆる角度から何十回となく描いた。一番簡単だったのがバスティアニーニだった」

その結果、こうした美術館がこぞって芸術品の大作、特に古代の美術品を買い求めるようになり、贋作制作の誘惑は頂点に達した。職人や芸術家は、自分たちよりも先人の作品に高値がつく状況を恨めしく思うようになる。その一方で、個人のコレクターは、自分が買ったものが高値で売れて、かなりの儲けが出るだろうと皮算用を立てていた。

当初、最も需要が多かったのはエジプト、ギリシャ、ローマの古美術品であった。博物館が所蔵作品の図版集を出版し始めると、模造や偽造がさらに容易になった。中世の美術品への関心が高まるのに合わせて、コインや象牙、さらには彩色写本まで、ありとあらゆる種類の偽物が作られるようになった。

贋作、イタリア流で

イタリア人は古美術品の偽物を作る技能が飛び抜けている。その中でも一番数を作った1人がジョバンニ・バスティアニーニだ。このバスティアニーニが自分の作った贋作の1つを誇らしげに暴露したことから、ほかの作品にもにわかに疑惑の目が向けられるようになった。1830年生まれのバスティアニーニは若い頃、フィレンツェの古美術商ジョバンニ・フレッパに雇われ、粘土と大理石の提供を受けて彫刻を始めた。そして、15世紀ドミニコ会の改革者ジローラモ・サボナローラの胸像が、誰でも当時

の作品と騙されるほどの出来栄えだったことから"世紀の大発見"と評されるようになり、フレッパはさっさと売り払って大儲けした。

コレクターたちは、15世紀の無名の工房の作品が発見されたのだと信じ込んだ。やがて、哲学者のマルシリオ・フィチーノや、ロレンツォ・デ・メディチの愛人ルクレツィア・ドナーティの胸像が登場する。ルクレツィアの胸像は、一流の美術史家が「15世紀フィレンツェの彫刻家の傑作」と評価したが、バスティアニーニが亡くなった1868年の翌年、購入者が偽物であることを突きとめる。それでも、この作品は並外れて出来が良かったことから、ロンドンのビクトリア&アルバート博物館が贋作として84ポンドで購入した——これは当時、ルネサンス期の真作に支払われていたのと肩を並べるほどの金額だ。

ルーブル美術館と渡り合う

バスティアニーニが作った贋作のうち悪い意味で一番有名なものと言えば、サボナローラの友人であったジローラモ・ベニビエーニの胸像だ。唯一ベニビエーニに「似ている」とされる作品は18世紀に描かれたエッチング画だったことから、フレッパとバスティアニーニはそのエッチング画と特徴がよく似ているボナイウーティという煙草職人を見つけ、彼をモデルとして座らせて胸像を制作した。この胸像はルーブル美

画家アントニオ・ベッリオ（1636頃～1707年）の作と言われる18世紀初頭のフレスコ画3枚の修復作業に取りかかるブリストル博物館の修復師たち。ベッリオの作品の中には、彼の作風を真似て描いたフランスの画家、ピエール・ベルシェ（1659～1720年）の手によるものもある。

術館に認められ、1866年に1万4000フランという破格の値段で買い取られた。

直後に論争が起こる。翌年、フレッパがバスティアニーニに胸像を依頼したことを公表したのだ。ルーブル美術館の館長だったニューウェルケルク伯爵は、自分の美術館による購入を擁護した。まもなくフランスの彫刻家ウジェーヌ・ルケスヌがルーブル美術館の側に立って、バスティアニーニ本人と新聞上で激しい論争を繰り広げる。

ニューウェルケルク伯爵がバスティアニーニに対し、この胸像と一緒に並べる作品の制作を1万5000フランで持ちかけたと新聞が報じ

ると、当の贋作師は、3000フランもらえれば作るし、ローマ皇帝全12人の胸像を1人につき1000フランで作るとおおやけに逆提案した。しかし、ルーブル美術館からは何の反応もなく、そのまま1868年6月にバスティアニーニはこの世を去る。

バスティアニーニの死から10年後の1878年、20世紀前半で最も成功したイタリア人美術品贋作師となる男が、クレモナで生まれた。その名をアルチェオ・ドッセナという。石工の見習いだった彼は、古い建物の修復に携わり、過去の彫刻の秘密を学んだ。1918年にローマへ移ると、2人の古美術商、アルフレード・

私は作品の複製など
一度もしていない。
ただ復元しただけだ。
私は過去のさまざまな様式に
完全に精通し……ほかの方法では
自分のものにできなかった。
それが私なりの制作スタイルだ。

—アルチェオ・ドッセナ

ファゾーリとローマン・パレージに雇われて贋作の制作に携わり、同時に愛人も得た。

ドッセナによる"復元"

　ドッセナの贋作は、名だたる美術館さえも騙されて大金を払うほどの完成度であった。それゆえ、"古代ギリシャ"のアテナ像とジョバンニ・ピサーノ（1250頃～1315年頃）の作とされる聖母子像はクリーブランド美術館が買い、21の断片からなる"エトルア"のディアナはセントルイス市立美術館が買った。シモーネ・マルティーニ（1284～1344年）の作とされる『受胎告知』はニューヨークのフリック・コレクションが22万5000ドルで購入、ミノ・ダ・フィエーゾレの作とされる墓はボストン美術館が購入し、それにはご丁寧にミノの作品とする偽の領収書も付いていた。
　1928年、ボストン美術館に売った偽物の墓の代金として、パレージが600万リラ近く受け取ったのに対し、自分はわずか2万5000リラしかもらっていないことを知ったドッセナは、裁判所に訴えを起こす。当時は愛人が亡くなったばかりで、それなりに立派な葬儀にしてやりたいと思ったのだ。彼は贋作を作ったことを認め、125万リラの未払い金の支払いを要求する。そしてこう訴えた。「私は作品の複製など一度もしていない。ただ復元しただけだ。私は過去のさまざまな様式に完全に精通し、それは特定の技法という形でなく、精神に宿るものであるから、ほかの方法では自分のものにできなかっ

た。それが私なりの制作スタイルだ」
　ドッセナの暴露後、裁判所は訴訟を却下した。それから彼は、ナポリとベルリンで自分の名前で作品を発表した。ベルリンでの展覧会について雑誌はこう批評している——「偽造師ではなくなった。だが芸術家は現れなかった」。1937年、ドッセナは慈善病院にて死去する。

贋作師の技：絵画の場合

　贋作師たるもの、高い技術を持った職人でなければならない。美術品の贋作において何よりも肝心なのは、本物に見えることだ。贋作師

イタリアの贋作師アルチェオ・ドッセナによる偽の「聖母子像」。ロンドンのビクトリア＆アルバート博物館が購入したのち、贋作だと判明した。

のとほぼ同じ年代の古材を探すか、最近の板を加工して古く見せる技術が求められる。アンティーク家具から木の板を外して使うのが理想的だが、アンティークを買ってきて解体するのは、それだけでかなりの出費になる。新品の板を使うのであれば、蒸すか、熱湯で"料理"するか、あるいは1年かそれ以上野ざらしにする。それをさらに汚して黒ずませる。板に描かれた出来の悪い絵を安く買うという手もあるにはあるが、そんな機会は滅多にない。買えた場合は、絵をこすり落として元の「地」に戻す贋作師もいれば、元の絵の上に描いていく贋作師もいる。

かなり古い木の特徴の1つとして、虫食いができていることがある。過去には、鉛の銃弾を木材に発射して同じような穴をこしらえていたアンティーク家具の贋作師もいたが、そうすると鉛の弾を取り除かなければならない。そこで、シンプルに木にドリルで穴を開けるだけの贋作師もいる。しかし、ドリルや鉛の弾は本物の虫食いとは異なり、穴が直線的にしか開けられない。贋作師エリック・ヘボン（71ページ参照）は著書『The Art Forger's Handbook（美術品贋作師の手引き）』の中で、木の表面を非常に粗いやすりで削って、年代が経っているように見せる方法を勧めている。

キャンバスの処理

現代のキャンバス（布を木製の枠に張ったもの）は、1世紀以上前に使われていたものとは異なる。現在だと、枠やくさびに使われる木は機械で切断されるので、どうしても新品にしか見えない。生地自体も機械で織られているため、表面が均一だ。一方、昔のキャンバスは手織りなので、表面にわずかながらムラがある。贋作師にとってありがたいことに、古くてひどく傷んだ、あるいは質の悪いキャンバス画が豊富に出回っている。これらは比較的安い値段で購入でき、絵の上から描いていける。新しいキャンバスを使う場合は、裏側が湿気の影響を受けたように見せるため、表面をザラザラにしたり、汚したりする必要がある。

は、画家や複製する作品をよく知り、理解し、作品を正確に複製する能力が求められる。

しかし、それだけでは十分ではない。使う材料も専門家の目を欺くものでなければならない。たとえば、過去には木の板に描いた巨匠もいれば、キャンバスに描いた巨匠もいる。板絵を偽造するためには、元となる絵が制作された

絵具、顔料、ワニス

　次に解決すべき問題は絵具だ。19世紀後半まで、絵具には鉱物や植物の染料など、天然の材料しか使われていなかった。現在では白色の絵具に亜鉛やチタンホワイトがよく使われるが、かつては白鉛が一般的だった。昔は砕いた鉱物を顔料に使っていたが、それが今はアリザリンなどの有機顔料に置き換わっている。そのため、慎重な贋作師は用心して、当時の材料しか使わない。ファン・メーヘレン（68ページ参照）はそうした贋作師の1人で、ウルトラマリンはラピスラズリから、インディゴは藍の汁から、バーミリオンは辰砂から、アースカラーは伝統的な粘土から作っていた。

　さらに本物らしさを演出するため、これらの顔料を亜麻仁油と一緒にガラス板の上で砕いて絵具にする。この絵具を実際に使うときは、テレビン油とオイルで薄める。亜麻仁油や昔使われていたオイルは乾燥がかなり遅く、塗った絵具が何年も固まらない。また、年月が経つとともに色が暗くなり、同時に透明度が増してい

瓶に入ったスマルト。澄んだ青色の顔料で、かつてガラスや陶器の釉薬の着色料として主に使用されていた。シリカ、炭酸カリウム、酸化コバルトなどの鉱物の混合物である。

エッチングや版画はそれ自体が複製なので、本当に腕の良い贋作師のものなら、贋作だと見破ることはほぼ不可能である。

く。贋作師はこれを再現するために、贋作の絵を、特にハイライトの部分を通常よりもわずかに暗く描く。完成した作品や制作段階の作品を温かい（熱くはない）オーブンに入れて加熱すると、絵具が固まりやすくなる。

　多くの絵画にはワニスが塗られている。もともと、油と白鉛が黒ずむのを遅らせるための処理だが、描かれてから何世紀も経つと、ワニスとその下の絵具の表層に細かなひび割れができる。これはクラクリュールと呼ばれ、すべての絵具の層を貫いて入るほかのひび割れとは異なる。プロの贋作師は、フランスのルフラン＝ブルジョワ社が絵画修復のために特別に作った2種類のワニスを使用する。1つはVernis à veiller（経年変化用ワニス）、もう1つはVernis craqueleur（クラクリュール用ワニス）だ。エルミア・デ・ホーリー（78ページ参照）は、後半生の作品に両方を使ったが、ファン・メーヘレンは別の技法を用いた。

　偽造の仕上げに、絵とキャンバスの裏を汚す。方法としては、普通の家庭のほこりをクラクリュールの間に吹き込んだり、ろうそくや煙草のパイプの煙で燻したりする。そして、作品を古い額縁にはめ込んでさらに本物らしくしたら、販売準備完了だ。

贋作師の技：
線画、エッチング、版画の場合

　紙に描かれたり、刷られたりした作品の偽造は、絵具を使う絵画を偽造するのに比べて工夫が少なくて済む。かなりの芸術的能力が必要とされるとはいえ、絵画の偽造に比べれば、幾分かはましである。エッチングや版画はそれ自体が複製なので、本当に腕の良い贋作師の

ものなら、贋作だと見破ることはほぼ不可能である。

　紙に刷られた作品の多くは、個人のコレクションに収蔵されたり、場合によっては屋根裏部屋や安全のために弁護士の書庫に保管されたままになったりして、世の中から姿を消している。そのため、本物あるいは本物と思われる作品が、長い年月を経て再発見されることも少なくない。また、骨董屋や蚤の市で、知られていない絵画が見つかることもある。もちろんプロブナンスがついていないので、専門家の鑑定が必要だ。美術史家や美術館の学芸員が主要な画家の既知作品のリストを公表しているが、画家がほかに何を制作した可能性があるか、そうだとしたら何枚あるかは誰にも分からない。

古い紙のように見せる

　贋作師にとって紙作品の一番の問題は、その作品が描かれた、あるいは刷られた紙と似たような紙を入手することだ。1945年以降、市販されているほとんどの紙には、紙を白くする効果のある「蛍光増白剤」が添加されている。このような紙を紫外線に当てると、青色の蛍光を発する。手練れの贋作師は、偽造する作品とほぼ同じ年代の古書を購入し、見返しや空白のページを切り取って偽造に使う。そうすれば放射性炭素を使った年代測定にかけても（64ページ参照）、年代的には本物という結果になる。

　もちろん、現代の芸術家は今ある紙を使うだろうから、この問題は生じない。法的な文書に使われる紙も、蛍光増白剤が使われていないかもしれない。とはいえ、贋作師が古い作品を偽造する場合、やはり紙を古く見せる必要がある。うまいことに、紅茶やコーヒーが紙に汚しを入れるのにかなり効果的だ。また、オーブンで紙を加熱しても古い感じに変色する。

　版画はオフセット印刷（20ページ参照）で複製され、どんなに用心深い贋作師でも、現代のインクを使っている可能性が高い。疑わしい絵画は絵具の小さなかけらを、たとえば額縁の下になっている絵画の端から採取して化学的に分析することができるが、オフセット印刷のインクの膜は非常に薄く、通常の分析では手に負えない。

贋作師の技：
彫刻や陶器の場合

　あらゆる美術品の贋作と同様、彫刻や陶器の贋作師にも、芸術家の作風を正確に再現する技能が重要だ。とはいえ、彫刻家が同じ作品を2つも作ることはあり得ないので、贋作師

木材に鉛の弾丸を撃ち込んで虫食いのような見た目にするのは、アンティーク家具の複製師の間でよく知られた方法だ。

右ページ：フィレンツェのアカデミア美術館にあるミケランジェロ作の有名なダビデ像。蝋で小さなモデロが作られたことは以前から知られていたが、石膏モデルの破片の"発見"は美術界にセンセーションを巻き起こすかに思われた。

下：まあまあの出来のロダン風彫刻。オーギュスト・ロダンの弟子の1人であるエルンスト・ドゥーリッヒが制作したものだが、師匠の名前が刻まれている。

は新しい彫刻をデザインして作らなければならない。ここで疑問が湧いてくる──「そういうことをするのは、作品の芸術的価値を損ねることになるのではないだろうか？」

　ミケランジェロの『眠れるキューピッド』の贋作の話（44ページ参照）に出てくるように、彫刻やブロンズ鋳造品を古く見せたければ、しばらく埋めておいてから"発見"するのが一番手っ取り早い。大理石は時が経つにつれ、紫外

**芸術家の存命中に作られた
複製には、鋳造者の名前が
記されることになっている。
では、芸術家の死後はどうなるのか、
相続人はどうなるのか？**

線に当てると特徴的な蛍光を発するパティナ（古色）が表面に現れる。ブロンズ像には黒みがかった緑色のパティナが出てくる。大理石の場合、古代の作品と思われるものでも、現代の電気工具で古い風合いを出したものは、専門家が見ればだいたいすぐに分かる。

　版画と同じくブロンズ像は複製品であることから、ギ・アンの事例（75ページ参照）で見るような、興味深い疑問が湧いてくる。正規の鋳造品は、原則として芸術家の監督のもとで作られる。芸術家の存命中に作られた複製には、鋳造者の名前が記されることになっている。では、芸術家の死後はどうなるのか、相続人はどうなるのか？　相続人はアマチュア・コレクターのために複製を作り続けるだろうが、そのときは法律上、鋳造者の名前を変えなければならない。アンのブロンズ像が贋作にあたるのは、現在の鋳造者の名前にすべきところを祖父の名前に書き換えたことにある。

　陶磁器はプロの贋作探偵でさえも、鑑定に困ることがある。とはいえ、費用をかけずに偽物を見破る方法がないわけではない。たとえば、現代の陶磁器は昔のものと比べて音の響きが良く、「ピン」という音が鳴り、色や釉薬が均一であることが多い。また、水を霧状にして吹きつけると、吸収率の違い

で、修復の際に別物が使われているかどうか
が分かる。しかし現在のところ、本当の意味で
偽造陶磁器を見破る方法は、熱ルミネッセンス
年代測定法による分析しかない。

ミケランジェロのモデロ

　1986年、ある小さな彫刻作品の"発見"が
あった。もし本物であれば、9000万ドルの価
値はあっただろう。これには美術界で評判の悪
い2人の美術商が絡んでいる。1人はオランダ
人のミッシェル・ファン・レインで、イコンなど
美術品の密輸入業者を自認していた。彼は、
自分がレンブラント（ファン・レイン）の子孫だと
信じ込ませて、日本のコレクターにレンブラント
の自画像をまんまと売り抜けた経歴を持つ。も
う1人の疑惑の美術商はフランス人のミシェル・
ド・ブリといい、アキレスの頭部の彫刻を紀元
前4世紀のギリシャの彫刻家スコパスの作品と
して、ゲティ美術館に250万ドルで売却したこ
とで有名だ。

　問題の彫刻作品は、かの有名なミケランジェ
ロが作ったダビデ像の石膏モデルの一部であ
る。ミケランジェロがラフモデル（モデロ）を作っ
ていたことは、以前から知られていた。ミケラン
ジェロの友人で伝記作家のジョルジョ・バザー
リによると、それは蠟で作られたものだったとい
う。だが、ミケランジェロが作ったモデロは1つ
ではなく、石膏で作られた2つ目のモデロがフィ
レンツェのベッキオ宮殿に保管されていたとい
う噂もある。ベッキオ宮殿は1690年に火災で
一部焼失し、実際発見されたモデロの一部に
は炎で焦げた形跡があった。

　発見したものにお墨付きを与えようと、ド・ブ
リはバージニア大学美術史学名誉教授のフレ
デリック・ハートとミケランジェロの世界的な専
門家の1人に連絡を取った。そしてハートをゲス
トとしてパリに招き、モデロを見せた。ハート
は上機嫌で、ド・ブリにおだてられてその気に
なったあげく、「どうして像が前に倒れてこのよ
うな形に焼けたのか」勝手に納得してしまった。
ド・ブリから像を売らなければならないと告げら
れると、これは素晴らしい本が書けると考えた。

そして、お墨付きを与えてくれれば手数料として販売額の5%を渡す、と提案される。この魅力にハートは抗えなかった。

ここから、話が複雑になっていく。美術品のオークションで有名なサザビーズが関わってくるのだ。そして、おそらく本物と思われる別のミケランジェロ作の小像の売却を交渉していたファン・レインも、モデロの売買の仲介者として絡んできた。当時のド・ブリは、スイスのジュネーブにある「オネゲル財団」という架空の団体をモデロの所有者にしていた。彼の説明によると、モデロは死んだ作曲家アルトゥール・オネゲルの遺品の靴箱から発見されたものだという。現在、この像は銀行の金庫にしまわれたま

ゴッホが1888年8月に描いた14本のひまわりの絵のオリジナルは、現在ロンドンのナショナル・ギャラリーが所蔵している。ゴッホはその後もひまわりをテーマに少しずつ違うものを何枚も描いており、そのために後年、どの作品が本物でどれがよくできた偽物かをめぐる論争が起こった。1997年、アムステルダムに展示されたひまわりの絵は、著名な美術専門家ジェラルディン・ノーマンによって偽物と判定されたが、2002年に本物として名誉を回復している。

まになっていて、関係者全員が開示を断固拒んでいる。

結局、ハート教授がモデロの販売手数料を受け取ることに同意したことが明らかになって、彼の鑑定は信用を失い、それ以来、モデロに関してはほとんど何の音沙汰もない。ファン・レインは現在、インターネットサイトを開設し、偽物と贋作の市場や、それらを扱う悪徳商人への個人的な攻撃を続けている。

疑惑のゴッホ

1997年、ロンドンの『アートニュースペーパー』誌が調査したところ、世界の主な美術館が収蔵するポスト印象派の画家フィンセント・ファン・ゴッホ（1853~90年）の作品のうち、少なくとも45点の絵画や線画が偽物だと発表した。同誌によれば、全部で100点ほどが「非常に怪しい」という。

ゴッホは「近代巨匠の中で誰よりも頻繁に」偽造された可能性があると、この分野の第一人者である学者の故ジョン・リワルドは断言している。この主張は抗議の嵐を巻き起こしたが、同時に多くの美術館が所蔵品を見直すきっかけとなった。その結果、専門家の間では長年にわたり、よく知られ、愛されている多くの"ゴッホ"が「怪しい」とされてきたが、どれが偽物であるかに関してはほとんど一致していないことが明らかになったのだ。調査結果が次々と公表され、そのたびにフランス人画家クロード＝エミール・シェフネッケル（1851~1934年）の名が取り沙汰された。

ひまわりは何本？

シェフネッケルはゴッホと同時代の画家で、ポール・ゴーギャン（1848~1903年）と親交があった。1901年にパリで開催されたゴッホの展覧会に携わり、自身が所有していたゴッホの作品数点を、弟のアメデが所有していたものとともに出展した。また、ゴッホ一家が所有していた『ひまわり』の1つの修復を、時間をかけて行っている。ゴッホは1888年8月、ゴーギャンと一緒に滞在していたフランス・アルルの部屋を飾るために、ひまわりの絵を4枚描いた。それぞれの絵には、3本、5本、12本、14本のひまわりが描かれていた。ゴーギャンはこの絵を気に入り、もう2枚欲しいと言ったので、ゴッホは1889年1月に12本のひまわりの絵と14本のひまわりの絵の複製を描いた。14本のひまわりの絵のオリジナルは現在、ロンドンのナショナル・ギャラリーに、複製はアムステルダムに所蔵されている。ゴッホの手紙にはこの6枚しか触れられていないが、1901年のパリ展には、「E・シェフネッケル氏所有」として7枚目となるひまわりの絵が出品されている。

ドイツの画商オットー・ワッカーが詐欺罪で有罪になる。ワッカーは「それまで知られていなかった」ゴッホの絵画33点を売りに出したが、そのうちの30点が複製であることが明らかになった。

当時、E・シェフネッケルは現代絵画の大規模なコレクションを有していた。しかし、妻から離婚訴訟を起こされ、やむなくコレクションを美術商である弟のアメデに売却する。シェフネッケルという名前は、1920年代にはもう贋作販売の話に絡んで出てきていた。その後、1932年にドイツの画商オットー・ワッカーが詐欺罪で有罪になったとき、シェフネッケルの名前が再び浮上する。ワッカーは「それまで知られていなかった」ゴッホの絵画33点を売りに出したが、そのうちの30点が複製であることが明らかになった。そこにはシェフネッケル兄弟から購入した3点も含まれていた。

1987年、チェスター・ビーティ家が7枚目のひまわりの絵を、日本の安田火災海上保険に2475万ポンドで売却した。この絵がシェフネッケルによる偽物であるという指摘に、当然な

クロード＝エミール・シェフネッケルの自画像。ゴッホの作品とされるものの多くはシェフネッケルによって偽造されたものだという話がたびたび出てくるが、そのたびに激しく反論している。

がら同社は愕然とし、安田火災美術館はこの絵が本物であると信じて疑わなかったと発表している。オランダのゴッホ美術館も、安田火災から多額の寄付を受けて増築を行ったばかりだったことから、微妙な立場に置かれた。

2002年、アムステルダムで「14本のひまわり」の絵3点すべてが展示され、専門家委員会はすべて本物であると結論づけた。しかし2014年になり、作家のブノワ・ランデスとハンスペーター・ボルンが、ゴッホの作とされる絵画の多くはシェフネッケルの手による可能性があると言い出した。だが、この主張にはギャラリーやほかの美術専門家から反論が出ている。シェフネッケル自身の作品も多くのコレクションに収蔵されているが、ゴッホのような名声を得ることはなく、1934年、美術学校の元教師として、失意のうちにパリで亡くなった。

同じ絵が2枚同時に

2000年、とんでもない贋作事件が発生した。ポール・ゴーギャンが描いた『リラの花瓶（Vase des Lilas）』という作品――ゴーギャンの最高

傑作クラスではないが、それでも数十万ドルの価値がある——が、一流の国際的オークションハウスであるクリスティーズとサザビーズに同時に出品されたのである。このことを知った両者は、ゴーギャンの専門家であるシルビ・クリュサールに調べてもらうため、双方の絵をパリのウィルデンスタイン研究所に送った。

すぐにクリュサールは、クリスティーズに出品された絵が業界用語で言うところの「not right（正しくない）」だと発表した。本物はイラン生まれのニューヨークの美術商エリー・サカイが持っていたもので、31万ドルで売れた。一方、クリスティーズは東京のギャラリーミューズに対し、この作品は残念ながら偽物だったと報告しなければならなかった。

FBIが呼ばれ、数年にわたる国際的な捜査の末、2004年3月、サカイが8件の詐欺容疑で逮捕された。FBIによると、サカイは本物を購入し、その数年後に複製を手に入れて東京のコレクターに売ったという。この2枚の絵が同時に売りに出されたのは、100万分の1の偶然であった。

さらに、FBIの報告では、同じような詐欺をサカイは何年にもわたって続け、稼いだ金額は合計350万ドルに上るという。サカイの手口は、複製に本物の証明書を付け、本物であるかのように見せかけてアジアのバイヤーに販売し、その後本物をヨーロッパで売るというものだった。なぜそうしたかについて、サカイはFBIにこう供述している。本物と偽物を売る地域を遠く離せば、売りに出たという話が両方の地域に伝わることはないし、売る絵画を、あまり知られておらず、中くらいの市場価値のものに絞れば、売ってもほとんど注目されない、と。

サカイがどこで贋作を作らせたかは、今も特定されていない。中国や台湾では、工房をあげて"古い"絵画を制作していることが知られており、この両国のどちらかだと考えられる。しかし、このような手口の詐欺がまたうまくいく可能性は低い。今は世界中の美術商がインターネットで連絡を取り合っているので、同じ絵が同時に2つのオークションハウスで売りに出さ

ノードラー商会の贋作スキャンダル

1846年、アッパーイーストサイドに創業したノードラー商会は、150年以上にわたってニューヨークを代表するギャラリーとして巨匠たちの作品を扱い、国際的な名声を博してきた。しかし2009年、このギャラリーに名を連ねる多くの裕福な顧客たちと美術界を震撼させる衝撃的な告発があった。のちに明らかになるように、1994年から2009年にかけて、抽象表現主義のジャクソン・ポロックやマーク・ロスコが描いたとされる作品を含め、60点以上の偽物が同ギャラリーを通じて販売されていたのだ。取引額の合計は8000万ドルあまりに及ぶ。この偽物をノードラー商会に持ち込んだのは、グラフィラ・ロザレスというロングアイランド在住の美術商だった。彼女は商会の代表アン・フリー

ドマンともう1人、同じく美術商を営むジュリアン・ワイズマンに売り渡した。ロザレスの話では、これらの作品はもともと"ミスターX"が所有していたが、それを譲り受けた息子が売却しようとしているとのことだった。しかし実は、これらの名画は当時ニューヨークに住んでいた中国人画家、銭培琛が描いたもので、ロザレスの当時の恋人ホセ・カルロス・ベルガンティニョス・ディアスが鑑定を偽造したと言われている。銭培琛とディアスはのちに国外に逃亡した（銭培琛は作品が違法な目的に使用されることを知らなかったと主張している）。ロザレスは有罪判決を受けた。フリードマンは起訴されなかったが、老舗のギャラリーは2011年に閉鎖された。

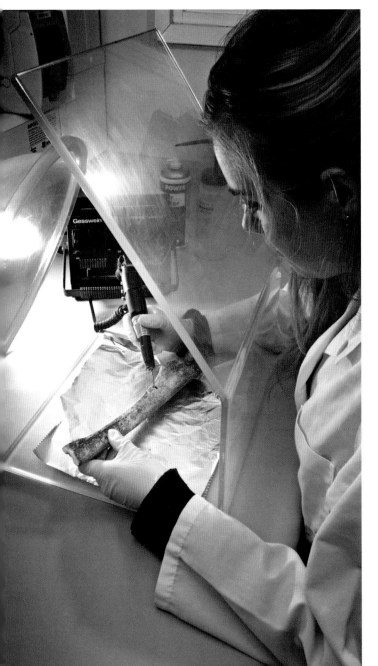

放射性炭素年代測定に使う試料として、科学者がドリルで古代人の長骨から有機物を採取しているところ。オックスフォード大学の放射性炭素加速器ユニットにて撮影。

れれば、すぐに分かってしまうのだ。サカイは2004年12月に贋作に関する罪を認めている。

現代科学で贋作を見抜く

大きな美術館の科学部門では、美術品を鑑定するのにさまざまな技術が用いられているが、そのほとんどは20世紀に開発されたものだ。具体的には、紫外線、赤外線、X線を使うもの、分光写真をはじめとする高度な化学分析、熱ルミネッセンス、放射性炭素年代測定などがある。このように、贋作の発見に使える科学技術はたくさんある。しかし残念ながら、このような詳細な鑑定をしてから作品を売りに出せるほど、時間や資金に余裕のある美術商は少ない。

絵画に紫外線を当てると、絵具やワニスのさまざまな層が異なる色合いで光るため、絵画に追加や変更が加えられていれば、立ちどころに分かる。古い大理石には黄緑色の蛍光を発するパティナができる一方、現代の大理石や切断されたばかりの古い大理石は鮮やかな紫色の蛍光を発する。

1つの典型的なケースとして、15世紀のシエナ様式で描かれ、金箔が貼られた三連祭壇画（トリプティク）に、現代の機械で作られた釘が使われているのがX線写真から分かった。

絵画に赤外線を当て、適切なフィルターを通して撮影すると、塗料の層を透過して、下にある絵画が明らかになる。その結果、同じキャンバスに描かれた以前の絵（多くの芸術家が自分の作品の上に絵を描いているため、それ自体が必ずしも贋作を示すものではない）や、消されてもっと価値の高い画家のものに換えられたオリジナルの署名が見つかることがある。X線も、赤外線と同じような使い方ができる。

X線は物体の内部を見るのにも有効だ。たとえば、中世の木彫の奥に、明らかに現代に作られた釘や金属の支えがあることが分かれば、それは明らかに贋作である。

1つの典型的なケースとして、15世紀のシエナ様式で描かれ、金箔が貼られた三連祭壇画（トリプティク）に、現代の機械で作られた釘

が使われているのがX線写真から分かった。さらにこのX線検査では、絵画が描かれ、金箔が施される前に木製のパネルがすでに虫食い状態になっていることが明らかになった。

X線を対象物に当てると蛍光が誘起され、X線が二次発生する。このX線の二次発光を既知の物質による発光と比較することで、絵画に存在する元素を特定することができる。この技術はたとえば、中国磁器の青釉（あおゆう。せいゆう、またはあおぐすりとも）に含まれるマンガンとコバルトの比率を分析するのに使われている。

化学分析では、過去の芸術家が使っていたはずのない絵具の顔料を検出することができ

る。19世紀まで白色顔料といえば鉛白しかなかった。そして、当時は家の暖房に石炭を燃やしていたので、その煙で絵画が黒ずんでいった。現代の白色顔料は、酸化チタンを主成分として製造されている。酸化チタンは黒ずまず、分析によって簡単に検出できる。その他の色も、一般に買えるのは合成素材を使ったもので、古い時代にはなかったものばかりだ。

分光写真による分析

化学分析を行うには、作品から絵具のサンプルを削り取らなければならない。しかし、分光分析の発達のおかげで、分析に必要なサンプルはほんのわずかな欠片でよくなった。少量

右ページ：このローマ教皇ユリウス２世の肖像画は、長い間ラファエロが描いたものの模写に過ぎないとされていた。しかし詳細な分析により、絵具を薄めるオイルにクルミ油が使用されていることが判明した。ラファエロがこの油を使っていたことが知られているため、現在では本物と認められている。

のサンプルを、たとえば木枠の下など、人目につかないところから採取して、炎を当てて燃やす。すると、その欠片に含まれるすべての元素の特徴を示すスペクトルが得られる。このスペクトルを撮影した写真を見れば、どの元素がどれくらい含まれているかが分かる。

画家が顔料を薄めるのに使ったオイルを分析することも可能だ。実際、オイルの分析によって、ローマ教皇の肖像画の複製と思われていたものが、実はオリジナルだったと判明したケースもある。教皇ユリウス２世の肖像画は、ラファエロ・サンツィオ（1483～1520年）の絵の複製に過ぎないと長い間思われていた。しかし分析の結果、メディウムにラファエロと同じクルミ油を使って描かれていることが判明した。また、X線撮影により、下地の絵が何度も描き直されていることも分かった。画家がただの複製を作るのにそんなことをするなど、まずあり得ない。

熱ルミネッセンス法による陶磁器の年代測定

熱ルミネッセンス法は主に陶磁器の年代測定に使われる技術で、陶磁器が焼成される際に含まれていた放射能が失われる性質を利用する。ただ、陶磁器はできてから年月が経つに

つれて、周囲の放射性物質を徐々に再吸収していく。土に埋まっている場合は、その傾向が強くなる。測定する際は、陶器のサンプルを340℃以上に加熱する。すると光が発せられる。光が明るいほど、サンプルが古いことを示している。その輝きの強さを、すでに年代が分かっているものと比較することで、検査した陶器の年代を推定することができる。

一方、偽造品業者たちも熱ルミネッセンス分析を欺こうと、ありとあらゆる手口を編み出している。たとえば、古代のカップやボウルを接着剤でつなぎ合わせ、薄いセラミックの膜で覆って古代ペルシャの牛の形に仕上げた事例や、それ自体にはほとんど価値のない本物の破片を組み合わせ、一見高そうなものに仕上げた事例もある。

放射性炭素年代測定法

もう１つ、重要な鑑定技術として放射性炭素年代測定法がある。この技術は、熱ルミネッセンス法とまったく逆の原理に基づいている。すべての有機物には、放射性同位元素である炭素14がわずかながら含まれている。生物も例外ではなく、生きているうちは炭素14が体内に取り込まれ続ける。しかし、死ぬと炭素14が取り込まれなくなり、含まれている炭素14は

偽造・捏造ファイル	FORGER'S FILE

科学がドッセナに追いつく

熱ルミネッセンス法によって、いくつかの"古代"彫刻が実はアルチェオ・ドッセナ（50ページ参照）の作品であったことが証明されている。その１つが、エトルリア遺跡から21個の破片の状態で出土したとされるテラコッタ製のディアナ像だ。ドッセナが贋作師であることを告白する際に、自分のアトリエで破片を組み立てた写真を出したこともあり、早くから疑惑を持たれていた。しかし、像が本物だと信じる人たちは、これを「写真のトリックだ」と一蹴した。結局、1968年に歯科用ドリルを使って、破片の１つから小さな試料が採取され、熱ルミネッセンス法による分析が行われた。その結果は答えるまでもない。この像の制作年代はわずか40年ほど前であることが確認された。

偽物の美術品、でも本物の詐欺

贋作を使って、なかなかばれにくい、たとえばれたとしても犯行から何年も経ってからになる巧妙な詐欺の手口がある。まず、優れた贋作と偽のプロブナンス、そして鑑定書を用意する。鑑定書は、本当に間違ったものでも、それ自体が偽造されたものでもよい。これを手に高額な保険を贋作にかけ、銀行の金庫室に保管する。この保険証書を作品の価値を証明する証拠として、投資家に「作品の部分的所有者にならないか」と持ちかける。当の作品は鍵のかかった金庫に保管されているので、自分が部分的に所有している（と信じる）人たちが目にすることはまずない。もしかすると、すでに金庫から持ち出されて、どこか別の市場で売り払われた可能性もある。

時間の経過とともに徐々に減少していく。この炭素14が現在どれくらい含まれているかを分析することで、その年代を比較的正確に推定することが可能になるのだ。炭素年代測定法は、50年未満の物質には適用できないが、4万年前のものでも信頼性の高い結果を得ることができる。ただし、この分析を行うには、作品を砕いて、切手程度の大きさの破片を得る必要がある。それでは作品に大きなダメージを与えるので、美術品の鑑定に炭素年代測定法が使われることは滅多にない。

ほかにも、贋作発見や美術品鑑定に役立つ新しい科学的手法がいくつか開発されている。その1つがペプチド・マス・フィンガープリンティング（PMF）だ。昔は展色剤（バインダー）、接着剤、コーティング剤といった物質に特定の動物性タンパク質が使われていたことから、これを特定して作品内でマッピングし、それらをまとめて「指紋（フィンガープリント）」とし、本物と認められた作品と比較できるようにする。ただ、このような技術は一般的に極めて高額で、実際に行える専門家も少ない。

すりかえられたトリプティク

　フランスの贋作師フランシス・ラグランジュ（1894～1964年）は、画家として修行を積み、友人から"フラッグ"と呼ばれていた。第一次世界大戦後の数年間は、卑猥な絵を売って生計を立てていたが、1926年にフランスの新しい切手デザインのコンペで入賞する。これが裏社会の目にとまり、「切手収集家が求める珍しい切手の偽造を引き受ければ、分け前として売上の20％を払う」と持ちかけられた。ラグランジュはその話に乗り、やがて100ドル札の偽造を始めるほどに自信をつける。

　ある日、裏社会の連絡役が彼のところに1人の画商を連れてきた。その画商の話では、米国人の顧客がフラ・フィリッポ・リッピ（1406～69年）の作品をどうしても手に入れたいという。問題はリッピの作品のほとんどが大きな美術館に所蔵されていることだったが、彼の描いた3枚組のトリプティクはフランス北部のランスにある大聖堂に飾られていた。

　ラグランジュは2カ月間、大聖堂の近くにある屋根裏のアトリエを借りて、作品を細部まで丹念に模写した。しかしこのとき、仲間が作品を盗み出し、自分が描いた複製とすりかえようと企んでいることまでは知らなかった。計画はすべてうまくいったが、それも1929年までのことだった。この年に米国の株式市場が暴落し、買い手が本物を手放すことになる。そして、ロンドンでの美術品販売を宣伝するリストに、このト

リプティクも掲載された。驚いたのは、当時この作品を所蔵していたランス美術館の館長だ。彼は宣伝に出ている絵が贋作と断じてやろうと、自信満々でロンドンに乗り込んだが、ロンドンにあるのが本物だと確認される。ランスに戻った館長は自分の美術館にある作品を調べてもらい、すぐに複製であることが明らかになった。

悪魔島

一方、裏社会のギャングはうまいことラグランジュをパリに呼び戻し、彼が貨幣偽造の罪で逮捕されるよう仕向けた。1931年に10年間の禁錮刑が下され、フランス領ギアナのカイエンヌにある流刑地に送られる。1938年、脱獄に成功したものの、すぐに捕まってディアブル島（悪魔島）に収容され、そこで再び絵を描くことが許された。1946年にようやく釈放されるとカイエンヌに居を構え、詐欺罪（偽造罪ではない）で3年間服役したとき以外は、絵を描き続けた。

カイエンヌを訪れた米国人がラグランジュの作品に興味を示したことから、これは行けそうだと、ラグランジュは渡米することにした。そして米国で個展を開き、自伝『Flag on Devil's Island（悪魔島のフラッグ）』（1961年）を出版する。最後はカイエンヌに戻り、1964年に同地で死去した。

リッピのトリプティクがどうなったのか、謎のままである。オリジナルはフランスに返還され

スペインの破天荒な芸術家サルバドール・ダリ（1904〜89年）には、いたずら好きな面があった。死の直前、自分が何をしているのか分かっていないがら、何百枚ものまっさらな紙に署名を入れた。この紙がその後たどる歴史は、美術史家を長く悩ませることになるだろう。

戦時中ナチスに協力し、オランダの国宝を売り払った罪で裁判にかけられるハン・ファン・メーヘレン。この裁判の中で、自分がフェルメールの絵画を次々と偽造したことを認めざるを得なくなった。

た。しかし、ランス美術館は第二次世界大戦で被害を受け、閉館となってしまった。実は、この"オリジナル"も複製であることが分かり、オリジナルは失われておらず、今もパリの美術館の地下に保管されているという話もある。

ゲーリングを騙した男

　ハン・ファン・メーヘレンは、1889年、オランダのデーフェンテルに暮らす敬虔なカトリックの大家族に生まれた。画家としてなかなかの才能を発揮し、30歳までに2回の個展を開き、どちらも成功を収めた。だが、画家として生きていこうとする多くの者がそうであるように、彼もまた美術専門家の傲慢さに幻滅を深めていく。中でも特に彼を幻滅させたのが、アブラハム・ブレディウス博士だ。

　1932年、ファン・メーヘレンは南仏に移住する。肖像画の制作でそれなりに生計を立てな

がら、17世紀絵画の贋作を作る研究を4年間にわたって密かに進めた。その中で、ライラック油にベークライト（初期のプラスチック）の成分を混ぜたものを使って絵具を速く乾かし、古い作品に見られるクラクリュールを再現する方法を考え出した。17世紀の無名の絵画を購入すると、表層を剝がしてもともとの下地の色をむき出しにし、その上に絵具の層を塗ってオーブンで焼いた。そうすると、ひび割れが起こり、その上に何を塗っても、再びひび割れが現れるのだ。

　鑑定を欺くため、顔料にもこだわり、17世紀当時の芸術家が入手できたものしか使わなかった。そうした顔料の多くは高価で入手困難だったが、あえて使うことで当時の作品だと思い込ませようとしたのだ。手始めに、テル・ボルフ、ハルス、フェルメールの模写を行い、彼らの絵画に見られる要素を取り入れた。そして、仕上

げた絵をオーブンで焼いてさらにひび割れを増やし、その隙間にインクを擦り込んで何世紀にもわたる汚れを再現するという技法を極めると、"傑作"の制作に乗り出す。

　フェルメール（1632〜75年）について、美術専門家の間ではあることが通説となっていた——フェルメールはある時点から、家の中の人々をテーマとする有名な風俗画を描き始める。1654年からその時点までの間に、いくつかの宗教的な主題の絵画を描いているが、それらはまだ発見されていないか、ひょっとすると失われてしまったかもしれない、ということだ。唯一確認されているのは、1901年にブレディウス博士によって鑑定された『マルタとマリア

オランダの法廷の被告席から告訴人に答えるファン・メーヘレン。贋作の罪で有罪判決を受け、まもなく獄中で死亡した。

の家のキリスト』だけである。

1937年、ファン・メーヘレンはフェルメールの新しい作品『エマオの弟子たち』を"発見"して、美術界を驚かせた。83歳の専門家ブレディウスは、この作品を大いに歓迎した。絵はボイマンス財団に55万フローリンで売却され、その3分の2をファン・メーヘレンが受け取った。だが、金銭的な報酬だけでは彼の欲望は満たされなかったようだ。

すっかり騙されていたブレディウスは、こう書いている。「これまで知られていなかった巨匠の絵が、誰の手にも触れることなく、オリジナルのキャンバスに描かれ、修復もされていない、画家のアトリエを出たままの状態で、目の前に突如現れる。芸術を愛する者の人生において、これほど素晴らしい瞬間はない」。ファン・メーヘレンは金持ちになったが、贋作を作り続ける誘惑には勝てなかった。

1939年から1942年にかけて、さらに6点の"フェルメール"が登場する。1940年にオランダがドイツに占領されると、ファン・メーヘレンは『キリストと姦婦』と題した絵をナチスドイツのヘルマン・ゲーリング元帥に売り渡した。しかし1945年にオランダが解放されると、ついにファン・メーヘレンの命運も尽きる。ナチスに協力した罪と国宝を売った罪で告発されたのだ。彼はこの絵が偽物であることを告白せざるを得なくなり、1947年に贋作の罪で有罪判決を受け、その数週間後に亡くなった。

贋作の達人、エリック・ヘボン

20世紀で最も成功した美術品贋作師の1人に、エリック・ヘボン（1934〜96年）という英国人がいる。ロンドンの貧しい暴力的な家庭に生まれた彼は、悲惨な幼少期を過ごした。やり場のない怒りのはけ口として学校に火を放ち、少年院に送られた。そこで教師たちに画家としての才能を認められ、絵を描くように勧められた。やがてロイヤル・アカデミー・スクールズに入学でき、そこで銀賞とローマ奨学金を得て、イタリアへ留学することになる。

ヘボンはまだ在学中に、ジョージ・アクゼル

という絵画修復師のもとで働いた。そこで絵画のクリーニングやレタッチだけでなく、経年変化による効果を真似て新しい部分にひび割れを作る方法も学んだ。また、小さなディテールを加えることで絵画を"改良"する方法も発見した。大したことのない風景画でも、気球を描き加えれば、航空史の草創期を偲ばせる貴重な記録となる。ヘボンいわく、猫を前面に出すと絵は一気に魅力的なものになるという。

ヘボンは間違いなく贋作の達人だった。彼の著書『The Art Forger's Handbook（美術品贋作師の手引き）』（1997年）には、絵を偽造するための古紙の探し方や、偽造用のインクや道具を本物らしく見せる方法といった情報がふんだんに紹介されている。往年の巨匠たちが使った顔料と、それを模倣する方法についても解説している。また、彼らが使用したであろう木の板やキャンバスの種類についても詳（つまび）らかにしている。

ゲイ・コミュニティーの一員として活発に活動していたヘボンは、ロンドンのコートールド美術研究所の所長だったアンソニー・ブラント卿と知り合いになる。ブラントはのちにスパイであることが発覚し、その肩書を剥奪された。彼はヘボンの作った贋作のうち、少なくとも2点を真作と鑑定したことが知られている。それが贋作と知ってのことだ

左ページ：ファン・メーヘレンの裁判にて、彼が描いたフェルメールの贋作『キリストと姦婦』を専門家が調べているところ。

下：観光客向けに売られている古代エジプトの美術品の多くは、実は偽物だ。このテティシェリ王妃の小像もその1つで、大英博物館の贋作コレクションに収蔵されている。

ったのか、そうでなかったのかは、いまだ疑問のままである。とはいえ、ほかの専門家は間違いなく騙された。

贋作師にありがちなことだが、ローマに移り住んだヘボンは、そこで自分の絵が批評家にあまり評価されていないことを思い知らされる。その後何年もかけて1000枚以上の素描を制作し、さまざまな巨匠の作品とした。さらにブロンズ像や、コロー、ボルディーニ、オーガスタス・ジョン、デイビッド・ホックニーの絵画を偽造した。こうして偽造した贋作は、自ら設立した小さなギャラリーを通じて販売され、大英博物館、モルガン・ライブラリー、ワシントンのナショナル・ギャラリー、そして無数の個人コレクションに収蔵された。ヘボンは裕福になり、ローマのゲイ・コミュニティーで贅沢三昧の生活を送った。

1978年、ロンドンの名門画商コルナギが、モルガン・ライブラリーと英国のナショナル・ギャラリーに売却した数多くの素描が、ヘボンに

偽物など存在しない…。
存在するのは偽の専門家と、
彼らが与える偽のレッテルだけだ

——エリック・ヘボン

よる偽造であることに気づき、ヘボンは一時的にピンチに陥った。贋作がばれたにもかかわらず、ヘボンはさらに500枚の絵を市場に出すと宣言する。また、専門家を混乱させようと、自伝『Drawn to Trouble（トラブルに魅せられて）』（1991年）の中で、不敵にも「今でも本物と信じられている多くの作品の作者は自分だ」と主張した。

「偽物など存在しない……」とヘボンは綴る。「存在するのは偽の専門家と、彼らが与える偽のレッテルだけだ」。1996年1月8日、鈍器で頭蓋骨を叩き割られたヘボンがローマの路上

エリック・ヘボンが生み出した美術品の贋作はどれほどの数に上るか分からない。正体を暴露されると、逆にもっと多くの作品を市場に流すと脅した。

トム・キーティングと「セクストン・ブレイク」

　トム・キーティングは非常に人好きのする悪人で、贋作師として成功を収めた。彼の特筆すべき点は、用心深いヘボンと違って、絵に使う材料が本物であることにまったくこだわらなかったことだ。のちに出版された『贋作者』（1978年）の中で、自分が描いた絵の一部についてこう書いている。「使ったのは水彩絵具、セピア色のインク、ワックス、ワニス……ただし、私のものは当然ながら、現代の合成樹脂製だ」。ロンドン流の韻を踏んだスラングで、彼は自分の作品を「Sexton Blakes」（偽物［fakes］の意味）と表現している。

　27歳のとき、医学的な理由で海軍を除隊したキーティングは、6年後の1950年にようやく美術を学ぶための奨学金を得た。しかし修了証書がもらえず、希望していた美術教師の職には就けなかった。次の数年間、絵画の修復師として働き、ヘボンと同様、いかがわしい技術の習得に励んだ。そして、画家が画商に搾取されていることへの抗議活動という体で、贋作に手を染めるようになる。その後20年ほどの間に、レンブラント、ゴヤ、ターナー、ゴッホ、ドガ、モネ、シスレーなど、本人の話では100人以上の芸術家の作品を偽造したという。

トム・キーティングと、ジョン・コンスタブルの作品として彼が描いた絵の1つ。

で発見され、3日後に死亡した。ヘボンの死は、1975年にローマ郊外で男娼に殺害されたイタリアの映画監督ピエル・パオロ・パゾリーニの死と重なるものがある。

"ガブナー"を偽造する

エリック・ヘボンより17歳年上のロンドンっ子、トム・キーティング（1917～84年）は、1965年に腰を痛め、しばらく安静にしていなければならなくなった。そこで、サセックス州のショア

ハムに住んでいた画家サミュエル・パーマー（1805～81年）の水彩画を描き始めた――彼はパーマーの絵を多数制作した経緯をそう語る。パーマーのことはいつも"ガブナー"（オヤジの意）と呼んでいた。

「画板と真新しい紙の束を用意すると、パーマーの作風で、ここに羊を2匹、あそこに羊飼い、それに月、木々、ショアハム教会などを、パパッと描いていきました。神聖なるキリストの姿を描き入れることもあれば、時には納屋を、ま

現代の贋作師

張大千（中国、1899～1983年）

長い人生において、山賊だったり仏僧だったりした書画家。制作した書画は3万点あまりに上るが、その大半が贋作であった。ワシントンD.C.のフリーア美術館、ボストン美術館、大英博物館など、中国美術の主要コレクションには張の手による贋作が含まれていると推定される。

ウィリアム・ブランデル（オーストラリア、1947年～）

4000点あまりの贋作を制作した罪で起訴された。ほとんどはオーストラリア出身の画家の贋作だが、モネ、ピカソ、ジャクソン・ポロックの贋作もある。

ギ・アン（フランス、1990年代に活動）

リュディエ鋳造所で合法的に製造されたオーギュスト・ロダン（1840～1917年）の彫刻のブロンズ鋳型を入手し、現代の鋳造者のサインを自分の祖父のサインに置き換え、ロダンの承認を得て鋳造したかのように見せかけた。1997年に服役したが、2000年に再逮捕されるまで、ほかの芸術家のブロンズ像も含め、贋作の制作を続けた。アンによる贋作は現在6000点が出回っていると推定される。

マーク・ランディス（米国、1955年～）

美術品贋作史の中でもマーク・ランディスは不思議な存在だ。バージニア州ノーフォークに生まれたランディスは、幼少期から精神的な問題を抱え、双極性障害を発症。17歳のときに父親を亡くすと、症状がさらに悪化する。とはいえ、ランディスは才能に恵まれた芸術家だった。時代や様式を問わず巨匠の作品を忠実に模写する独自の技能を磨き、1987年から2010年にかけて模写作品を50あまりの地域の美術館に寄贈した。その際には実際のプロブナンスを隠し、さまざまな人物を絡ませることで、本物らしさを演出した。2010年、オクラホマシティ美術館の登録係であるマシュー・ライニンガーの調査により、ランディスが贋作を行っていたことが発覚する。しかし、彼は贋作で金を稼ごうとはしておらず、また、彼の精神状態と今や尊敬の的となっている芸術的才能を考慮して、刑事責任は問われなかった。

たある時には三連アーチの橋を……」

「腰が悪くて横になっているとき、とても優しくしてくれた子どもたちに、描いた絵の一部をあげました。その何枚かは、地元のガラクタ屋にタダ同然で売ったと思いますよ。それでも、彼らが大人になった今でも、1枚か2枚は壁に飾ってあってほしいです。絵をあげるときは、パーマーの絵を描いた紙のまま。わざわざ額に入れることは滅多にしませんでした。絵を渡した相手も、メーターの検針に来たガス屋さんから、普通の知り合い、まったく見知らぬ人まで、それこそ誰にでもです。家族や友人にまでクリスマスカードとして送りました──でも十二夜にはゴミ箱に捨てられていたでしょうね」

1965年、キーティングはかつての教え子ジェーン・ケリーとともにノーフォークに移り住み、小さいながらも絵画のクリーニングと修復の仕事を始める。彼が描いたサミュエル・パーマーの偽物の中には、ジェーンによってロンドンの画商に売られたものもあったようだ。1976年、市場に出回っているサミュエル・パーマーの絵が怪しいという話を受け、『ロンドンタイムズ』紙の美術品販売担当記者であるジェラルディン・ノーマンが調査を始める。その中でジェーン・ケリーの関与が浮上し、最終的にキーティングにたどり着いた。キーティングは記者会見で告白するように説得を受け、多くの作品を偽造したと認めた。ロンドンの美術品市場に衝撃が走り、大混乱に陥った。

キーティングは一躍時の人となり、1977年に起こされた刑事告訴は、彼の健康状態を理由に取り下げられた。その後、偉大な芸術家とそのテクニックについて語るシリーズでテレビの賞を受賞し、次のシリーズを始めようとしていた矢先の1984年に亡くなった。死後に行われた彼の作品の販売では、予想販売額の約7倍にあたる27万4000ポンドが集まった。これだけの高値がついたのは、キーティング自身の人気によるものに違いない。というのも、彼が描いた絵は、サミュエル・パーマーを真似た一部の作品を除いて詳しい調査ができず、誰の作品を真似たものか特定できなかったのだ。

まんまと逃げおおせる

面白いことに、現代の美術品贋作師が正体を暴露され、自白したとしても、詐欺罪で起訴されるケースはほとんどない。たいていの場合、贋作師は自分に罪が及ばないよう、画商を通して贋作を売るからだ。法的な矢面に立つのは、誠実であろうとなかろうと、購入金額にかなり上乗せした価格を買い手に請求する画商だ。

評判の良い画商なら、自分が売った作品が偽物であると分かったら、商慣習としてそれを買い戻し、損失を受け入れる。あまり誠実でない画商は、買い手に対して「作品が贋作であることを証明しろ」などと難題をふりかけ、泣き寝

左ページ：紀元前6～5世紀の「エトルリアの戦士像」とされる3体のうちの1体。1915～21年にニューヨークのメトロポリタン美術館が購入したが、1960年に詳細な分析が行われ、贋作であることが判明した。

下：その贋作を作ったアルベルト・フィオラバンティは、当時まだ生きていた。自分の手による贋作であることを、像の1つに欠けている親指を作って証明した。

面目丸つぶれのエトルリア石棺事件

1871年、大英博物館はアレッサンドロ・カステラーニというイタリアの美術商から膨大な古代のコレクションを購入した。しかし、あとからその多くが偽物であることが判明し、大英博物館は大恥をかくことになる。

コレクションの最大の売りは、見たところ紀元前6世紀の実物大のテラコッタの石棺だった。これはカステラーニがピエトロ・ペンネッリから買い取ったもので、ペンネッリの話ではエトルリアのチェルベーテリで発掘したということだった。購入当時の石棺はバラバラだったため、美術館で2年を費やして地道に修復した。ところが1875年、ピエトロの弟エンリコが、この巨大な石棺を作ったのは自分だと言い出したのである。その真偽をめぐって、長い間論争が続いた。

石棺には、学芸員ならすぐにおかしいと思う点がいくつもあった。石棺の蓋には男女の像が載せられているが、裸体の男性像は非常に珍しく、そのポーズもこれまでに知られている像とは異なっていた。さらに女性像は、こともあろうに19世紀の下着を身に着けているように見えた。

蓋の内側の碑文は、ルーブル美術館にある金のブローチを模倣したものであることも分かった。だが、大英博物館はそれを60年もの間本物とし、1935年まで展示室から撤去することはなかった。残念ながら、この作品の写真はすでに、エトルリア美術を取り上げた多くの本に使われてしまっていたのである。

入りさせようとすることが多い。皮肉なことに、贋作と分かっていたり怪しいとされる作品が、再び市場に出回り、それでも相当な高値で取引されることも少なくない。

贋作の中心地、英国

20世紀後半に「贋作の達人」と呼ばれた人たちの何人かは英国人であった。それは、ロンドンが依然として美術品売買の中心地であり、ロンドンの有力画商が世界の主要都市にオークションハウスを構えていることが少なからず関係している。

ロンドンの画商が売りに出す作品には、高度な技術を持った職人による丁寧な修復が必要なものが多い。そして、修復の技術を身につけるには、過去の巨匠たちの手法やスタイルを学ぶことも必要だ。エリック・ヘボンもトム・キーティングもロンドンの修復師の下で働いていたが、2人とも、自分たちの贋作は画商が大儲けしていることへの抗議だと主張している。

ここまでの話から、ある事実がくっきりと浮かび上がってくる。贋作師が大金を手にすることは滅多にないということだ。贋作師は多くの場合、ほんのわずかな額で仕事をする。一方で画商は、本当に騙されていたにせよ、知っていて買い手を騙したにせよ、大きな利益を得る。20世紀を代表する贋作師と言われるエルミア・デ・ホーリーの経歴ほど、それを象徴するものはないだろう。

魅惑のプリンス、エルミア・デ・ホーリー

あまたの民族あれど、ハンガリー人ほど魅力的で、それを武器に生き残ってきた民族はそうはいない。美術品贋作師エルミア・デ・ホーリーはその代表だ。1906年に生まれ、本人の話では、家族はハンガリー中部に大きな屋敷を持っていたという。画才の片鱗をのぞかせていた彼は、まずブダペストの美術学校に入学し、18歳でミュンヘンのハインマン美術アカデミーに入学した。2年後、パリに渡り、画家フェルナン・レジェ（1881〜1955年）に師事する。貧しい

画家であったが、何とか売れる画家になりたくて、(本人いわく)自分の魅力を武器に、モンパルナス(芸術家や作家が集まる地区)のあらゆる芸術家や作家と知り合いになろうとした。1938年、何らかの理由でブダペストに戻ると、1941年にドイツの強制収容所に収監され、そこでゲシュタポの拷問を受けて、最後はベルリン郊外の病院に入院する。

　ある日、病院の門が開いているのに気づき、悠々と外に出た。そしてさまざまな波乱を乗り越え、1945年、第二次世界大戦の終結と同時に再びパリへ向かう。そこでまた絵を描き始め、裕福な知人たちに売れるものは何でも売り始めた。1946年4月、英国のレーシングドライバーだったマルコム・キャンベル卿の未亡人が、デ・ホーリーの安っぽい小さな部屋にやって来ると、彼が描いた少女の頭部の線画を目ざとく見つけ、「これはピカソじゃないの?」とたずねた。彼は辛そうなため息をつき、しぶしぶ売ることに同意した。そして、キャンベル夫人が彼の部屋から出たとたん、同じような絵をさっと7枚描き上げた。

金になるパートナー

　ここに来て幸運の女神が彼に微笑み始める。終戦直後、コレクターの間でパブロ・ピカソ(1881〜1973年)の人気が白熱していた。ピカソは特徴的な絵を、デ・ホーリーと同じくらい素早く描くことができ、しかも多作であった。デ・ホーリーが親友のジュール・シャンベルランにピカソの模写ができると打ち明けると、父親が著名な美術コレクターであったシャンベルランは、2人で手を組み、デ・ホーリーが描いたものを父の遺産のコレクションとして販売しようと持ちかけた。

　"ピカソ"の人物画の習作2枚がベルギーのブリュッセル美術館の館長に売れ、その他の作品もヨーロッパ各地で売りさばくことができた。しかし、シャンベルランとの間で利益の取り分をめぐっていざこざが起こり、2人は袂を分かった。

　その後、デ・ホーリーはリオデジャネイロに

姿を現し、そこで優れた肖像画家としての地位を瞬く間に確立する。だが、すぐにブラジルに飽きて、米国に3カ月間滞在できるビザを取得し、ニューヨークへ渡った。

　その後、ハリウッドへ移ると、デ・ホーリー男爵という名を使って、ピカソの偽物を次々と売り始める。そしてピカソに飽きると、マティスやルノワールの絵画にも手を出した。「マティスの

エルミア・デ・ホーリー(1906〜76年)。おそらく20世紀で最も有名で多作な美術品贋作師だ。

自分は贋作師だと公表したあと、デ・ホーリーは名が知れて絵が売れると思った。だが当てが外れ、生前はほとんど成功しなかった。

デ・ホーリーの持ち込んだ絵画が偽物だと確信した画商のフランク・パールズは、デ・ホーリーを自分の画廊から追い出す。おかげでデ・ホーリーは、あわててロサンゼルスを離れる羽目になった。

ペン画3枚をその場（ビバリーヒルズのお洒落なギャラリー）で売った……それからというもの、オーナーは当たり前のように、僕が出したものをすべて買い取った。オーナーはそこに500％の利益を上乗せして、映画業界に流したんだ」

　しかし、デ・ホーリーの持ち込んだ絵画が偽物だと確信した画商のフランク・パールズは、デ・ホーリーを自分の画廊から追い出す。おかげでデ・ホーリーは、あわててロサンゼルスを離れる羽目になった。ニューヨークに戻ったデ・ホーリーは老いが目立つようになり、髪を染め始め、そして（何よりも重要なことだが）身分を証明する書類がない状態になっていた。

　彼の魅力にも陰りが見え始める。デ・ホーリーのニューヨークの知人の1人は、のちにこう語っている。「彼の性生活はどちらかというと破天荒でしたが、それも少し飽きられてきました。そのうえ、自分があたかも有名人を知っているかのようにしゃべることも。パリやカンヌやキッツビューエルで寝たこの男爵がどうだとか、あの若い王子がこうだとか、どうでもいい話を10回は挟まないと、話ができなくなっていました」

　1952年末、デ・ホーリーはロサンゼルスに戻り、贋作をやめて自分の絵を売ろうと考えた。だが、それも束の間、すぐに現金が必要になる。現金が手に入る手段は1つしかない。彼は仲間1人を連れて再びニュー

ヨークへ行き、ちょうど同地を訪れていたフランスの画商に3枚の"マティス"を1枚500ドルで売った。その後2人でマイアミに移ると、L・E・レイナルという名前を使い、米国中のギャラリーや美術館に手紙を出して、マティス、ピカソ、ブラック、ドラン、ボナール、ドガ、ブラマンク、モディリアーニ、ルノワールの素描、ガッシュ、水彩、小さな油彩画などを売りに出すと知らせた。それから2年も経たないうちに、ニューヨーク、フィラデルフィア、セントルイス、シカゴ、シアトル、ボルチモア、ワシントンD.C.、ボストン、クリーブランド、デトロイト、ダラス、サンフランシスコで70点ほどの素描と絵を売って16万ドル以上を稼いだ、と本人は言っている。

狭まる捜査網

　FBIと画商のフランク・パールズが自分について調べていることを知ったデ・ホーリーは、L・E・レイナルの名前でパスポートを取得し、メキシコシティに逃亡した。しかし、そこで警察とトラブルになり、再びニューヨークへ戻ってくる。そして、彼の性分から早速パーティーを開いた。招待客の中にはマリリン・モンローもいたと、のちに語っている。だが、そこにもう1人、彼に一生迷惑をかけ続けることになる客が来ていた。彼の名はフェルディナン・ルグロ。フランス人とギリシャ人のハーフで、みすぼらしい服装の痩せこけた青年であった。

　ルグロは「手を組まないか」とデ・ホーリー

デ・ホーリーは、アンリ・マティスの線画に見える贋作を10秒で描けるが、作品を本物らしく見せることに問題があったと言っている。マティスはモデルを見るのにイーゼルを離れるので、線が途切れてしまう。それに対し、デ・ホーリーは想像だけで描いているので、線が連続する傾向があった。

に持ちかける。デ・ホーリーの描いた贋作をルグロがさばき、売上の40%を自分が取り、60%をデ・ホーリーに渡すと言った。だが実際に蓋を開けてみると、デ・ホーリーは二流のホテルに住まわされてひたすら贋作を描かされる一方、ルグロはレアル・レッサールという住所不定無職のフランス系カナダ人と一緒に、ニューヨークでも指折りの高級ホテルで豪勢な暮らしを満喫していた。6カ月後、当然のように激しい口論となり、デ・ホーリーはヨーロッパに渡ることを決意する。ローマに腰を落ち着けると、再び絵を描くようになった。ジョセフ・ブータンという名前で、ミラノで個展を開き、そこそこ成功を収めた。

デ・ホーリーが世界中に売りさばいた数千点の美術品がもしも本物だったら、その市場価値は推定6000万ドルを下らない。

しかし、昔を懐かしんでパリを訪れていた1960年のこと、あのみすぼらしい姿の男が姿を現した。ルグロが彼を追ってきたのだ。そして、今売れる贋作はないかとたずねる。デ・ホーリーは、ニューヨークのホテル・ウィンスローのトランクに全部しまってあると答えた。ルグロはすぐにその場を離れると、エルミア・デ・ホーリーのふりをしてホテルに電話をかけ、「フェルディナン・ルグロという青年が1週間以内にトランクを引き取りにいく」と告げた。

一方、そんなことになっているとは思いも寄らぬまま、デ・ホーリーはローマに戻った。しかし、自分の作品を売るだけでは生計を立てられず、1カ月もしないうちにルノワールやドガのパステル画、シャガールやドランの水彩画、マティスの線画のリストをまとめて、車でスイス、ドイツ、オランダへ売り込みに出かけた。そして最後に、スペイン東岸沖のバレアレス諸島にあ

るイビサ島に居を構えることにする。イビサ島当局の書類上は、ジョセフ・エルミア・ドリー＝ブーティンという名前になっている。

しかしパリの魅力には抗えず、すぐにパリへ戻り、そこで再びルグロとレッサールに出くわした。以前と打って変わって身なりも良く、見るからに裕福そうだった。デ・ホーリーは知らなかったが、ルグロは彼のトランクの中身を売りさばき、画商として成功していたのだ。そして、デ・ホーリーにもう一度手を組もうと持ちかける。条件は、デ・ホーリーがすぐにイビサ島へ戻り、ルグロは定期的にデ・ホーリーへ手当を払い、贋作が売れたら、その代金がいくらでも、決まった割合の分け前を渡すというものであった。1963年、ルグロはさらに気前のいいところを見せる。デ・ホーリーのために、イビサ島の海の上に広いアトリエ付きの立派な家を建てたのである。

ルグロとレッサールにとって、これくらいのことは余裕でできることだったのだろう。2人はそれくらい金持ちになっていた。20世紀後半は空前の美術品ブームに沸いていた。米国は特に金持ちが大勢いるようで、そうした金持ちは美術品が値上がりを続けると知っていることもあり、税金対策として美術品は良い投資先になるという話を簡単に信じた。ルグロにとって最大の顧客は、テキサスの大富豪でゼネラル・アメリカン・オイル社の社長アルジャー・ハートル・メドウズであった。彼はすでにマドリードで、約100万ドルをかけて怪しげなゴヤやエル・グレコの作品を多数購入していた。1964年から1966年にかけてルグロから46点の作品を買うが、すべてデ・ホーリーの作品で、そのうち少なくとも半分は油彩画であった。

しかし、ルグロとレッサールがダラス滞在中に激しい言い争いをしたことで、メドウズはこの2人に不信感を覚え始める。すでにデ・ホーリーを疑っていた2人を含む数人の専門家を招き、コレクションを鑑定してもらうことにした。鑑定の結果、全員揃って偽物だと断言した。

ルグロはパリに逃げると、すぐにデ・ホーリーにもっと絵を求め、ポントワーズという小さな

町のオークションに出品した。1906年にモーリス・ブラマンク（1876〜1958年）が描いたとされる絵が、少し汚れているように見えたので、オークション会社の従業員がクリーニングを始めた。すると、布の上に青空の色がついてきて、彼は少なからず驚いた。絵具がまだ軟らかかったのだ。このニュースが流れ、美術界はパニックになった。ルグロが売った作品と、デ・ホーリー自身が売った作品はすべて偽物なのではないか？

イビサ島にこもる

ルグロは手持ちの作品を集められるだけ集めてエジプトに逃げたが、1968年4月にスイスで逮捕される。デ・ホーリーも逃亡していたが、ルグロの逮捕を知り、イビサ島に戻った。広く自分の贋作と知られてしまったものはどれもスペイン国外で作られたものであり、スペインで売られたものはないから、同国の法律では何の罪も犯していない──そう考えたのだ。

ただイビサ島に戻る途中、いくつかの比較的軽い罪で逮捕され、地元の刑務所で2カ月を過ごした。服役中にもかかわらず、自分のデッキチェア、本、睡眠薬、衣服を持ち込めるなど、快適な生活が許され、隣の町役場にある冷蔵庫に飲み物を置いていたとさえ伝えられている。1968年10月に釈放されたが、スペイン領からの退去を命じられ、1年間はスペイン領

に入ってこられないことから、ポルトガルで過ごすことにした。

その間に、イビサ島の住人だったクリフォード・アービング（第3章で詳述）が、デ・ホーリーと交わした多くの対話をもとに『贋作』という本を出版している。その後、オーソン・ウェルズによって映画『オーソン・ウェルズのフェイク』が制作される。この映画にアービングとデ・ホーリーの両名が登場したことから、デ・ホーリーの名前と評判は、世界中に知れわたることになった。

エルミア・デ・ホーリーの贋作は現在、2万ドルの高値で取引されている。そればかりか、彼が描いた贋作を真似た偽物さえ出回っているのだ。

涙のプロブナンス

本物だという証明があれば、贋作は売りさばきやすくなる。ある日、レアル・レッサールが年老いた画家キース・ファン・ドンゲン（1877〜1968年）を訪ねた。ドンゲンが60年前に描いた女性の肖像画をエルミア・デ・ホーリーが偽造したのだが、この贋作を本人が描いたものだと認めてもらおうとしたのだ。当時80歳だった画家は、その肖像画をひと目見るや、目に涙を浮かべながら、その女性がいかに美しく、肖像画を描いている間に何度口説いたことか、とレッサールに語ったという。

20世紀最大の美術品贋作事件に関与して投獄された英国の画家ジョン・マイアットが、2015年にスタフォードの自宅で、フィンセント・ファン・ゴッホの偽自画像とともにポーズをとっている。警察が押収したのは、彼が描いた200点以上の贋作のうち80点だけだと明かしている。

その後8年間、イビサ島に住み続けたデ・ホーリーは、外国人コミュニティーの中でパーティーを開く人気者として、根無し草の生活を送っていた。そして1976年、スイスからブラジルに逃亡したルグロがアルジャー・メドウズへの詐欺罪でフランスに送還され、懲役2年の刑を受けたことを知る。デ・ホーリーも送還されそうになると、12月に睡眠薬の過剰摂取により自宅で死亡した。

文書偽造師、ジョン・ドリュー

ジョン・ドリューは文書偽造師だ。ただし、ドリューが偽造したのは贋作画家ジョン・マイアットの絵画のプロブナンスなので、彼の経歴を語るのには本章が最もふさわしい。

1948年、英国南東部のサセックスでジョン・

コケットとして生まれた彼は、1965年にドリューと改名する。すでに子どもの頃から、自分で作り上げた空想の世界に住んでいた。ドイツのキール大学で6年間物理学を学んだとのちに言っているが、大学に在籍した記録も卒業した記録もない。さらにサセックス大学で1年間教鞭を執ったとも語っている。1980年以前の彼の経歴ではっきりしているのは、短期間ながら英国原子力公社の事務職に就いていたことだけだ。1980年代前半はロンドンの私立学校で物理学を教えていた。

そして1986年、ジョン・マイアットが出した広告を見て電話をかけ、原子物理学者の"ドリュー教授"と名乗って、マイアットに"正真正銘の偽物"を何枚か描いてほしいと依頼した。それからまもなくして、クリスティーズがマイアット

狡猾なパートナー、ベレンソンとデュビーン

　バーナード・ベレンソン（1865～1959年）はリトアニアで生まれたが、育ったのは米国のボストンだ。イタリア・ルネサンス絵画の専門家として知られるようになり、多くのルネサンス絵画を自費で購入している。誰もがうらやむ「真贋鑑定人（フェイクバスター）」と評判になり、英国の画商ジョセフ・デュビーン（1869～1939年）の顧問となった。デュビーンはロンドンのテート・ギャラリーや大英博物館の展示室増設に助力し、のちに貴族に叙される人物だ。

　デュビーンのモットーは「ヨーロッパには美術があり、米国には金がある」であった。デュビーンはベレンソンの鑑定をもとに、アンドリュー・メロン、J・P・モルガン、ロックフェラー、ニューヨークのメトロポリタン美術館をはじめとする、米国の名だたるコレクションに数百点の美術品を売り込むことに成功した。

　だがそれも、作家のコリン・シンプソンが『Artful Partners（狡猾なパートナー）』という本を出版した1986年までのことだった。それまで閲覧が叶わなかった書庫にシンプソンが出入りできるようになり、調査の結果、ベレンソンとデュビーンの間に密約があったことが明らかになる。それはとても簡単な取り決めだった。ベレンソンが絵画に専門家としてのお墨付きを与え、それが売れるたびに多額の手数料を受け取る。こうしてベレンソンは大金持ちになった。

　ベレンソンは人生の大半をイタリアで過ごしていたことから、イタリア中の贋作師や偽造師を知り尽くしていた。ルネサンス期の著名な芸術家であるロレンツォ・ギベルティ（1378～1455年）やアントニオ・ロッセリーノ（1427～79年）の作とされる多くの彫刻を本物だと鑑定しているが、実際はそ

裕福な英国の美術商ジョセフ・デュビーン。ロンドンにある美術館に寄付をしたことで、デュビーンは男爵に叙された。

れらがジョバンニ・バスティアニーニ（49ページ参照）による贋作と完全に分かっていたはずだ、とシンプソンは主張している。

　シンプソンは、作品の価値を高めるために"手直し"された例も数多く挙げている。たとえば、セバスティアーノ・マイナルディ（1466～1513年）の作とされる喪服姿の中年女性の絵が、"修復"されてお洒落なドレスを着た若い女性の絵に変わっている。また、ジョルジョーネの肖像画とされるものは、彼の友人である修復師ルイジ・グラッシの手からベレンソンに渡ってきたものである。美術界では今、ベレンソンが鑑定しデュビーンが販売した作品の1つ1つに疑いの目が向けられている。

バーナード・ベレンソンは、生涯を通じてイタリア・ルネサンス美術の専門家として名を馳せ、イタリアのフィレンツェ近郊に美しいビラ（田園住宅）を持っていた。1959年に彼が死去すると、素晴らしい美術品コレクションと壮大な図書館を備えたこのビラはハーバード大学に遺贈され、現在はイタリア・ルネサンス文化センターとして運営されている。

の絵を引き受けたことを明かし、無一文に近いマイアットは美術品詐欺の片棒を担がされることになる。ドリューに言われるまま、すごい勢いでジャコメッティ、ニコラ・ド・スタール、ブラック、ベン・ニコルソン、マティスなど、さまざまなスタイルの作品の制作を始めた。「おだてられて自分が重要な人物であるかのように錯覚

した」と、のちにマイアットは語っている。

　当初、ドリューは売りに出す偽物に付けるプロブナンスを作るために、実在しない所有者からの手紙を偽造したり、知人を口説き落として売り手を装わせたりしていた。そのうち、ある仕掛けを思いついた。それがロンドンに保管される美術史料に大混乱をもたらすことになる。

ドリューは第二次世界大戦中にナチスに奪われた美術品を研究する専門家のふりをして、現代美術研究所、テート・ギャラリー、ビクトリア＆アルバート博物館の図書館に潜り込むと、マイアットが描いた贋作のプロブナンスが正しいと納得させるアリバイ作りのために、何百枚もの資料を改竄・捏造したのだ。

ロンドンのテート・ギャラリーの元館長で、英国人画家ベン・ニコルソンの義理の息子であるアラン・ボウネスはまんまと騙されて、マイアットの"ニコルソン"作品2点に本物のお墨付きを与えてしまった。それは、マイアットの贋作の中で特に優れていたからではなく、ドリューがプロブナンスについて疑う余地のない資料を用意してきたからだ、とボウネスは言っている。

マイアットの"ジャコメッティ"は17万5000ドルで落札されたが、その前にドリューは、英国国立美術図書館の書庫に保管される1955年の展覧会のカタログに、この絵の写真を挿入しておいた。サザビーズの現代美術部門の責任者であるメラニー・クロアは、こう言っている。「テート・ギャラリーの書庫に行き、50年代にロンドンで最も評判の良かったギャラリーのストックブックに目を通すと、モノクロで再現されたその絵の写真があるのです。これほどの念の入れようはないでしょう」

テート・ギャラリーとビクトリア＆アルバート博物館の両館長は、自分たちの書庫がドリューによってどの程度まで改変されたのか、永遠に分からないかもしれない、と認めるしかなかっ

アルベルト・ジャコメッティ（1901〜66年）は、スイスの彫刻家、画家、素描家、版画家である。

た。ニューヨーク近代美術館では、絵画と資料の綿密な再調査が始められた。広報担当は「すべて終わるまでには、おそらく何年もかかるでしょう」と語っている。

CHAPTER 3
偽書 FALSE PAPERS

文書の偽造・捏造は、
犯罪の中でも最古の部類に属する。
たいていは誰かをペテンにかける目的で行われるが、
犯罪と呼ぶほどではない、単なるいたずらの場合もある。

こ れまでに見つかっている最古の「文書」の1つは、古代エジプトの貴族たちが己の墓の壁に刻んだ生前の事績の記録である。こうした壁画の多くは、好意的に見ても多かれ少なかれ誇張されているし、中には真っ赤な嘘もある。翻って、今の世の中で偽造・捏造されうるものといえば、個人の血統を証明する書類だ。相続の問題が生じていればなおさらで、そうなると当然、遺言状も偽造・捏造の対象

になる。ほかにも、信用状、借用書、領収書、運送証券、芸術作品のプロブナンス（来歴）、サイン、資格証明書……数え上げればきりがない。もっとも、ほとんどの偽造・捏造はありふれた詐欺事件の1つでしかない。それよりも面白いのは、「偽書」の歴史である。

左ページ：アメリカ合衆国憲法（1787年）の原本は羽根ペンで書かれた。金属のペン先で書かれた後世の写本は、低倍率の顕微鏡で見ても容易にそれと判別できる。

左：1790年代にシェイクスピアの贋作で一世を風靡したウィリアム・アイアランド（1775〜1835年）。

カエサレアのエウセビオスが著した初期キリスト教会史には、キリストが「死後100年以上経ってから」したためた手紙の文章が引用されている。

EUSEBIUS
BISHOP OF
CÆSAREA in PALÆSTINE.

EUSEBIUS CÆSARIENSIS.

捏造された手紙のうち、これまでに知られている最古の例は、カエサレアのエウセビオス（263頃～339年）が著した初期キリスト教会史で言及されている。それはエデッサのアグバル王とイエス・キリストの間で交わされた書簡ということになっているが、この説明には小さな瑕疵がある。アグバル王がエデッサを治める頃、キリストの死からすでに100年以上の月日が経過していたからだ。

中世キリスト教会の方針も、実は「コンスタンティヌスの寄進状」と呼ばれる偽書を根拠としていた。8世紀にローマで捏造されたとおぼしいこの偽書は、コンスタンティヌス帝（272～337年）が教皇シルウェステル1世（在位314～335年）に対して、ローマ教会がほかのすべての教会に優越することを認めたものとされた。この偽書は何百年もの間、教皇権を正当化するために利用され、16世紀になるまで疑問の声ひとつ上がらなかった。

フォルモサから来た男

偽書の最も興味深い例のいくつかは、18世紀のイングランドに現れた。その1つが、1704年にロンドンで出版された『An Historical and Geographical Description of Formosa（フォルモサの歴史と地理に関する記述）』と題する書物である。

著者は"ジョージ・サルマナザール"と名乗ったが、もちろん本名ではない。本の扉に「日本国皇帝の支配下にある島」と書かれたフォルモサは実在の島（現在の台湾）だが、出版当時は一部のオランダ人商人を除き、西欧諸国ではほとんど誰も知らない場所だった。

この本はよく売れた。内容は島の風俗や習慣、作物や家屋、それに金鉱についてであり、十数枚の巧みな版画が挿絵として添えられていた。また、「フォルモサ語」についても詳しく書かれており、右から左に読む象形文字のアルファベットの一覧が載っていた。さらには、著者がキリスト教に改宗した経緯や、極東におけるイエズス会宣教師の活動に対する批判も綴られていた。

中世キリスト教会の方針も、実は「コンスタンティヌスの寄進状」と呼ばれる偽書を根拠としていた。

それにしても、この"サルマナザール"とはいったい何者だったのだろうか？　どうやら1679年にフランスで生まれ、「フォルモサ語」のほかにフランス語、ラテン語、英語を話したようだ。本人いわく、ずっとフォルモサで過ごしていたが、22歳を迎える頃には、偽造した日本の旅券を携えてヨーロッパを放浪していたという。そして1702年、フランドル（現在のベルギー）に駐屯するスコットランド連隊に入隊し、すぐに従軍牧師ウィリアム・イネスの目にとまった。この2人で"サルマナザール"の旅と見聞をまとめた梗概をでっち上げると、イネスがそれをロンド

フォルモサ島（現在の台湾）に詳しいと自称し、「フォルモサ語」まででっち上げたジョージ・サルマナザール。

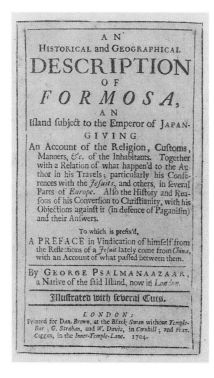

『フォルモサの歴史と地理に関する記述』の扉。「挿絵版画多数掲載」と謳う本書は、1704年にロンドンで出版されると、多くの人々の関心を集めた。

AN
HISTORICAL and GEOGRAPHICAL
DESCRIPTION
OF
FORMOSA,
AN
Island subject to the Emperor of JAPAN.
GIVING
An Account of the Religion, Customs,
Manners, &c. of the Inhabitants. Together
with a Relation of what happen'd to the Au-
thor in his Travels; particularly his Confe-
rences with the Jesuits, and others, in several
Parts of Europe. Also the History and Rea-
sons of his Conversion to Christianity, with his
Objections against it (in defence of Paganism)
and their Answers.

To which is prefix'd,
A PREFACE in Vindication of himself from
the Reflections of a Jesuit lately come from China,
with an Account of what passed between them.

By GEORGE PSALMANAAZAAR,
a Native of the said Island, now in London.

Illustrated with several Cuts.

LONDON:
Printed for Dan. Brown, at the Black Swan without Temple-
Bar; G. Strahan, and W. Davis, in Cornhill; and Fran.
Coggan, in the Inner-Temple-Lane. 1704.

ン主教ヘンリー・コンプトンに送りつける。「その青年をイングランドに連れてくるように」という指示がイネスに下ったのは、それからまもなくのことだった。

イングランドにやってきた2人の共謀者は、ロンドン主教に「カテキズム（公会問答）」のフォルモサ語訳と称するものを奉呈した。主教は喜ぶとともに、いたく感服する。やがてカンタベリー大主教までもがころりと騙され、王立協会の名士ハンス・スローンもその列に加わった。オックスフォード大学クライストチャーチ・カレッジの学生監が半年間の宿を提供してくれるというので、サルマナザールは大学に寄宿して偽書を書き上げた。

この偽書は大いに人気を博したが、批判も招いた。最も遠慮のない言葉を浴びせた1人が、当時英国を訪れていたイエズス会宣教師フォントネー神父である。この本に偽りのない情報がいくらかでも書かれているとすれば、それらはおそらくカンディディウスというオランダ人宣教師の記述から剽窃したものだろう、というのが神父の指摘だった。それでもサルマナザールは1〜2年の間、ロンドンの社交界でもてはやされ、1707年には『A Dialogue between a Japanese and a Formosan（ある日本人とフォルモサ人の対話）』と題する2冊目の著書を上梓した。

一方、ウィリアム・イネスはというと、彼もまたサルマナザールの余光にあずかって名声を獲得し、ポルトガル駐留英軍の従軍牧師長に栄進していた。イネスがイングランドを去ると、若いサルマナザールはそのままペテンを続けることが難しいと感じる。そして案の定、1710年を迎える頃には、「人を騙して喜ぶ愉快犯でペテン師」という認識が広く共有されるようになっていた。彼は架空の言語やありもしない冒険譚をでっち上げることを諦め、三文文士に身を落とした。その後は『ユニバーサル・ヒストリー』誌（1745年）で長文の記事を執筆し、『General History of Printing（印刷史）』を著すなどしたが、1763年に死去。没後1年経って、遺作となった回想録が出版された。

晩年のサルマナザールは、ロンドンの人気者になっていた。作家トバイアス・スモレットは『Humphry Clinker（ハンフリー・クリンカー）』（1711年）という小説に彼を登場させているし、サミュエル・ジョンソン博士に至っては、サルマナザールを「私の知る限り最良の人物」と絶賛したと言われている。ジョンソン博士はサルマナザールと何度も対話をしたが、その都度相手の話を傾聴し、決して口を挟まなかった。「そんなことは、主教の言葉に反駁するのと同じくらい滅相もないことだ」と彼は述べている。

古代詩の捏造

ジョルジュ・サルマナザールがまだ存命の頃、英国の文壇では新たなセンセーションが巻き起こった。ジェームズ・マクファーソン（1736〜96年）が、3世紀のケルト人詩人オシアンの作と称する翻訳詩を発表したのである。王位継承権を主張する"いとしのチャールズ王子"ことチャールズ・エドワード・スチュアートを担い

で失敗に終わった1745年のジャコバイト蜂起以来、英国では古代スコットランドの習俗に対する関心が高まっていた。やがて、小説家ウォルター・スコットの後押しによるハイランド地方の伝統衣装の復権と、それに続くビクトリア女王の王配アルバートのスコットランド贔屓によって、それは最高潮を迎える。

マクファーソンはスコットランド北西部の町インバネス近郊の農家に生まれた。ゲール語方言を話すマクファーソンは、スコットランドの著述家で劇作家のジョン・ホームが採集したオシアンの詩を翻訳するよう依頼される。マクファーソンは単にゲール語の原詩を英語に訳すだけでは不十分だとして渋り、代わりに15編のサンプルを作ってエディンバラ大学の文学教授ヒュー・ブレアに送りつけた。それらは『Fragments of Ancient Poetry Collected in the Highlands（ハイランド地方で採集された古代詩の断章）』として1760年に出版され、ブレアは「もし十分な奨励がなされるならば」（序文より）さらなる翻訳も可能だろう、と表明した。

その甲斐あって寄付が集まり、マクファーソンは1761年に叙事詩『フィンガル』を、1763年には『テモラ』を発表する。この2作にはすでに出版された断章も含まれていたが、残りはおおむねマクファーソンの想像力の産物だった。にもかかわらず、当時「高貴な野蛮人」に対する郷愁がヨーロッパ文壇を席捲し始めていたこともあり、これらの詩集はロマン主義を奉ずる人々の心の琴線に触れ、1763年にはイタリア語版が、その翌年にはドイツ語版がお目見えする。ナポレオンもこれらを愛読したと言われ、デンマーク語、オランダ語、ポーランド語、ロシア語、スペイン語、デモティキ（現代ギリシャの公用語）にも翻訳された。

問題は、誰ひとりゲール語の原詩を見ていないということだった。サミュエル・ジョンソン博士が1773年、伝記作家ジェームズ・ボズウェルを連れてハイランドおよび島嶼地方を旅した動機の1つは、オシアンの原詩を見つけることだった。博士は次のように結論づけている。「編者というか著者は、原本を一度たりとも提示できなかったし、ほかの誰も示すことができない。

スコットランドの農家に生まれたジェームズ・マクファーソンは、3世紀の詩人オシアンの作だというゲール語の詩の英訳を発表した。

アイルランドの詩人で伝説的戦士でもあるオシアン。フィン・マックールの息子で、3世紀半ばの人と言われる。1760年から1763年にかけて、ジェームズ・マクファーソンが、のちに自作だと判明する散文詩をオシアンの叙事詩の英訳と称して出版したことから、その名がよく知られるようになった。

いったい出所はどこなのか。暗記するには長すぎるし、そもそもゲール語で書かれたまともな文書は残っていない。編者あるいは著者が俗世間に流布しているさまざまな固有名詞を挿入したことは間違いないし、ひょっとしたら吟遊詩を翻訳したのかもしれない」

「ゲール語で書かれたまともな文書は残っていない」と断言したのは誤りだが、ジョンソン博士はマクファーソンの"訳詩"を「傲岸不遜」かつ「頑なな尊大さ」の表れと切り捨てている。

訳詩を読んだ人々の一部から疑義が呈されたにもかかわらず、マクファーソンは原詩が存在すると言い張り続けた。彼がオシアンの詩を捏造したという認識が広く世間に共有されるのは、長い歳月が経ってからである。マクファーソンはやがて政治家に転身し、1764年には米国

フロリダ州の測量総監に就任している。1780年には英国議会に議席を得、1796年にインバネス近郊の自宅で死去。その亡骸は（自費で）ウェストミンスター寺院に埋葬された。

早すぎた天才

1762年、マクファーソンよりもさらに若い詩人が現れた。当時10歳のトマス・チャタトン（1752～70年）である。トマスはイングランド西部の都市ブリストルで、私塾の教師だった父親の死後に生まれた。早くから優れた詩才を示したが、やがて、"トマス・ローリー"なる聖職者の作だと称して、15世紀の文書を捏造するようになる。おじが寺男を務めていたことから、ブリストルにあるセント・メアリー・レッドクリフ教会が所蔵する数々の古文書に触れることが

我、乏しい才知を振りしぼり、たった今こしらえし渾身の一作をここに献上せん

—"トマス・ローリー"作
「ジョン・リドゲートに捧げる詩」より

できたチャタトンは、それらの文体や文字の綴りを思うままに使うことができたのである。

15歳のとき、チャタトンはブリストルの法律事務所に見習いとして奉職する。そして暇を見つけては、地元誌に寄稿したり、オリジナルの詩を書いたり、"ローリー"が残したとする原稿をさらに捏造したりした。これらがブリストルの好事家3人に気に入られ、チャタトンはそのうちの1人の歓心を買うために偽の家系図をでっち上げて渡している。

1770年4月、チャタトンはロンドン文壇での成功を夢見て上京するが、首都ではすでに「ローリー詩篇は偽物だ」という告発が文筆家たちによってなされていた。絶望したチャタトンは同年8月24日、ホルボーン地区に借りた屋根裏部屋で砒素を仰いで自殺する。彼の才能が認められたのは、後続の詩人たちによってである。たとえばウィリアム・ワーズワースはチャタトンを「驚異の少年」と呼び、ジョン・キーツは物語詩『エンディミオン』をこの早熟の天才詩人に捧げている。

ほら吹き男爵

18世紀のイングランドで、さらにもう1冊の偽書が出版された。『The Adventures of Baron Munchausen（マンチョーゼン男爵の冒険）』（1785年）である。マンチョーゼン男爵ことミュンヒハウゼン男爵は、カール・フリードリヒ・ヒエロニュムス・ヒュライヒャー・フォン・ミュンヒハウゼン（1720～97年）という実在の人

1770年、17歳の若さで自ら命を絶ったトマス・チャタトン。この絵は、画家のヘンリー・ウォリスが1856年、チャタトンが自殺したロンドン、ホルボーン地区の下宿の屋根裏部屋で描いたもの。

鴨の群れを操って空を飛ぶミュンヒハウゼン男爵。『ほら吹き男爵の冒険』の典型的な挿絵だが、この物語集、実は文無しの地質学者ルドルフ・エーリヒ・ラスペの創作だった。ラスペの語り口には科学的なところがあり、それが現実離れした話をもっともらしく見せていた。

物なので、この本もやはり偽書と見なすことができる。もっとも、ミュンヒハウゼン自身がこの偽書によって何か経済的な損失を被ったわけではない。1738年から1740年にかけて、ミュンヒハウゼンはほかの多くのドイツ人と同様、トルコと戦うロシア軍に士官として加わった。狩りをこよなく愛したミュンヒハウゼンは、1760年に引退して所領に引っ込むと、軍人として、またスポーツマンとして過ごした半生を面白おかしく話す語り部として地元で有名になった。

この冒険譚をでっち上げたルドルフ・エーリヒ・ラスペ（1736~94年）は、おそらく男爵と面識があったのだろうし、少なくとも、男爵が披露した数々のエピソードに親しんでいたことは確かである。実際、ラスペはミュンヒハウゼン邸にほど近い場所で生まれている。大学卒業後に地質学の本を書き、これがたちまち古典になるほどの名著だったのだが、本人は人生の大半を借金漬けで過ごした。1767年、ヘッセン＝カッセル方伯フリードリヒ2世の貴金属コレクションの管理人に任命されるも、借金返済のためコレクションから横領を働き、それが発覚して国外逃亡を余儀なくされる。彼が英国に渡ってきたのは1775年のことだった。

地質学の本が評判になったおかげで王立協会への加入が認められたラスペは、鉱山採掘技術を向上させる革新的工夫を数多く考案した。ちなみにラスペは、ジェームズ・マクファーソンによるオシアンの訳詩を真っ先に擁護した人々の1人でもある。また、戯曲を翻訳し、油絵の歴史を本にまとめるなど、自身も多才ぶりを発揮している。

しかし、ドイツで逮捕状が出されると、その知らせはすぐにロンドンに届き、結果、ラスペは王立協会を除名された。生活の糧を得るため、やむなく彼はミュンヒハウゼンを主人公とする架空の物語を匿名で発表し始める。それらをまとめた作品集の1786年版には、『ガリバーの再来：ミュンヒハウゼンの慣用読みであるところのミュニックハウゼン男爵による2つとない旅と遠征と航海と冒険を、男爵が一杯機嫌で仲間たちに語り聞かせたそのままに綴った物語』*

という長い題名が付けられた。

ラスペと複数の版元が本にまとめた数々の奇譚の中で、ミュンヒハウゼン自身が語ったものはごく一部に過ぎない。ほかは、ラスペがかつて読んだ、ドイツの雑誌に載っていた過去数世紀の有名な言い伝えの焼き直しである。それでも、その他の物語は本物の旅行記から拾ってきたものであり、また、男爵が月へ旅するエピソードは、1783年にモンゴルフィエ兄弟が熱気球による有人飛行を成功させたという実話に基づいている。もっとも、文体はラスペ独自のものだった。その乾いた、科学的と言えなくもない筆致は、彼の綴る非日常的な出来事に信憑性を与えていた。この作品は何度も加筆され、世紀の終わりまでに8度版を重ねた。

本はやがてドイツ語に翻訳され、その結果、実在の男爵に実害が及ぶ。奇想天外な話をもっと聞きたいと願う観光客が、彼の所領に詰めかけたのである。男爵は愛妻を亡くし、陽気な座談の名手から独りを好む気難しい人間に変わってしまった。晩年に後妻を迎えているが、

＊原題は Gulliver Reviv'd: The Singular Travels, Campaigns, Voyages and Sporting Adventures of Baron Munnikhousen, commonly pronounced Munchausen; as he related them over a bottle when surrounded by his friends

Baron Munchausen

架空の男爵を描いた架空の肖像画。ラスペ作品の数ある版の1つで、扉を飾ったもの。実在のミュンヒハウゼンは冒険譚の執筆に関わっておらず、それが出版されたことでむしろ迷惑を被った。

忠実な友といえば昔なじみの猟師ぐらいしかおらず、1797年には孤独のうちに生涯を閉じている。その頃にはラスペも他界しており、彼がミュンヒハウゼン男爵の冒険譚の著者だという事実は、1847年になるまで明かされなかった。

シェイクスピアの未発表原稿

　ウィリアム・ヘンリー・アイアランド（1775～1835年）をその気にさせたのはジェームズ・

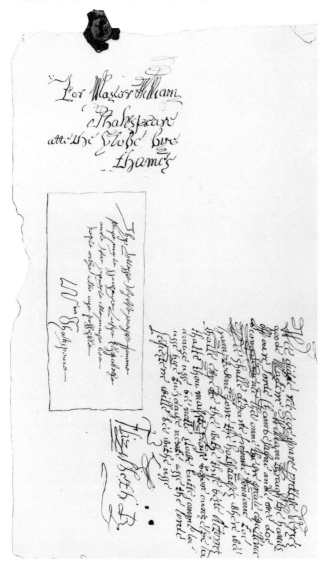

女王エリザベス1世がシェイクスピアに宛てたという手紙。1794年にウィリアム・アイアランドが捏造したもので、劇作家の肉筆と称するメモ書きまで添えられている。

マクファーソンが得た名声だったかもしれないし、チャタトンに死後与えられた称賛だったのかもしれない。彼の父サミュエルはロンドンで古文書と稀覯本を取り扱う専門商で、ウィリアム・シェイクスピアの作品をこよなく愛する人物だった。1794年早々、父親に連れられてシェイクスピアの生まれ故郷ストラトフォード＝アポン＝エイボンを訪れたアイアランドは、詩人を自称するジョン・ジョーダンという地元住民から、同郷の偉大な劇作家に関する嘘とも本当ともつかない逸話をさんざん聞かされた。

　アイアランドはロンドンに戻ると、ある事務弁護士のもとへ徒弟に出される。その事務弁護士というのが、羊皮紙の古文書を大量に所有している人物だった。アイアランドは古文書の山から古い賃貸契約書を選び出し、蠟の印章を剝がし取るとともに17世紀初頭の証書の筆跡を写し取った。こうして、シェイクスピアとジョン・ヘミングなる実在の俳優の間で交わされたように見せかける賃貸借契約証書を捏造したのだ。シェイクスピアの署名は、父親の蔵書に印刷されていた本物を見て模倣した。紋章院はこの偽造書類に手もなく騙され、それが真正なものだと認めてしまう。

　その後の数カ月で、アイアランドは数多くの文書を捏造した。"新たに発見された"歴史劇が2編、いくつかの戯曲の改訂版、女王エリザベス1世からシェイクスピアに宛てた私信、シェイクスピアとサウサンプトン伯の間で交わされた書簡、シェイクスピアが妻アン・ハサウェイに送った手紙と愛の詩……。アイアランドは200年前の書物の白紙ページ（遊び紙）を切り取ってそれらをでっち上げたのだが、いずれも、素性を明かしたくない"ミスターH"の屋敷で古文書を整理していた際に見つけたものだと説明した。

　アイアランドの父サミュエルは、こうした息子の発見の数々を披露する展示会を1795年の年初に催した。それらを見物しようと、ロンドン社交界の名士たちが続々とやってくる。サミュエル・ジョンソン博士の伝記執筆者として知られるジェームズ・ボズウェルなどは、感極まって

謎に包まれた"ミスターH"

　自らの贋作を"ミスターH"所蔵の古文書から見つけたと説明した点に、ウィリアム・ヘンリー・アイアランドの意外な洒落心が垣間見える。シェイクスピアがソネット集で献辞を捧げ、その正体について何世紀も議論が続いている「ミスターW・H」をもじったものと思われるからだ。

シェイクスピアを想像して描いた肖像画の1つ。

ひざまずき、"遺物"に口づけまでしたという。しかし、このときすでに学者たちから疑問の声が上がっており、同年の暮れには茶番劇が終わりを迎える。俳優ジョン・ヘミングの本物の署名が見つかり、それが例の賃貸借契約証書の署名とは似ても似つかない筆跡だったのである。

　マスコミは「無様で恥知らずな詐欺」を働いたとして、いっせいにアイアランドを叩き始めた。一方、アイアランド自身はシェイクスピアの"未発表"戯曲の1つと称する台本をでっち上

げる。『ボーティガン』と題されたこの悲劇は1796年4月2日、ドルリー・レーン劇場で初舞台にかけられたが、このときを最後に二度と上演されることはなかった。満員の観客は込み入った筋立てとお粗末な台本に野次を飛ばし、終幕で主演俳優のジョン・ケンブルが「このもったいぶった猿芝居が終わるとき……」という台詞をさも意味ありげに朗誦すると、大喜びする始末だった。シェイクスピア学者のエドモンド・マローンがアイアランドのペテンを詳細に暴く

ジョン・ペイン・コリアーは本物の史料にシェイクスピアの名前を書き加えるなどして、長年にわたってシェイクスピア学者を欺いていた。

大英博物館の古文書学者
フレデリック・マデンが
"パーキンズ"によって改竄された
とする手稿を仔細に改め、
変更箇所には多くの場合、
インクの下に鉛筆による下書きの
跡が見つかることを明らかにした。

本を出したのも、ちょうど同じ時期である。それからまもなく、アイアランドは『An Authentic Account of the Shakespearian Manuscripts（シェイクスピア手稿に関する真相）』という小冊子を出してすべてを認めた。そして、ほとぼりが冷めた頃、ロンドンの出版社にまっとうな職を得て、1835年4月17日に世を去っている。

専門家による捏造

アイアランドによる贋作は取るに足らないものとして一笑に付すこともできるが、その約15年後に出回り始めたシェイクスピアの贋作は、深刻さの度合いが違っていた。それらを手がけたのが、シェイクスピア研究家、評論家として知られるジョン・ペイン・コリアー（1789～1883年）だったからである。10代でシェイクスピア劇の17世紀版を買い求めたコリアーは、のちに中世英文学の専門家になった。1831年には『A History of English Dramatic Poetry to the Time of Shakespeare（英国演劇詩の歴史～シェイクスピアの時代まで）』を出版。これは貴重な文献資料をふんだんに盛り込んだ本だったが、コリアーはでっち上げで細部を肉付けせずにいられなかった。その1つが、ロンドンの芝居小屋の改築を許可してほしいという劇団の要請と思われる書状に、シェイクスピアの名前を付け加えたことである。その要請書に記された日付は、シェイクスピアに言及している既知のどの文書よりも7年早かった。

4年後、コリアーは『New Facts Regarding the Life of Shakespeare（シェイクスピアの生涯に関する新事実）』という本を上梓し、その中でさらに多くの細部を捏造した。1604年の初演と推定される『オセロー』が実は1602年にエリザベス女王の御前で上演されていたことを示す証拠や、シェイクスピアが『テンペスト』の着想を得たと思われる同時代のバラッド（物語歌）など、コリアーはこの著作でさらに刺激的な"発見"をしたのである。そのうちにコリアーは捏造だけでは飽き足らず、手紙や証文にシェイクスピアの名前を書き足すなど、既存の史料にまで手を加えるようになった。そしてシェイクスピア協会を設立し、そのような"発見"を活字にして発表した。

コリアーは、初期版の加筆原稿に基づくとする戯曲の注釈版や、さらに多くのでっち上げをちりばめた『A Life of Shakespeare（シェイクスピアの生涯）』（1844年）を世に送り出す。これらの仕事は広く称賛されたが、同業者からは疑問の声が上がり始めた。公文書館館長を務めるジョセフ・ハンターは特に批判的だったし、シェイクスピア協会のある会員などは、コリアーを贋作者とまで断定している。

1852年、コリアーは最大の"発見"として古

い戯曲集を発表する。そこに収められた戯曲には、句読点や舞台の演出が変えられたり、台詞が消されたり変更されたり、ところどころに都合9行もの台詞が加えられたりと、手稿段階で無数の修正が加えられていた。これらについてコリアーは、トマス・パーキンズという俳優がシェイクスピアの指示を勝手に改変したのだと説明している。さらにコリアーは、詩人サミュエル・テイラー・コールリッジ（1772～1834年）がシェイクスピアについて講義したときの、長らく失われていたメモを見つけたとも主張した。

結局は、そうしたやり過ぎがコリアーにとって仇となった。1859年、大英博物館の古文書学者フレデリック・マデンが"パーキンズ"によって改竄されたとする手稿を仔細に改め、変更箇所には多くの場合、鉛筆による下書きの跡が見つかることを明らかにしたのだ。それでもコリアーは捏造を認めなかった。彼が「苦く真摯なる悔恨」とともに自身の罪を告白したのは、1883年9月、臨終の床に伏してからである。

あまりにも大胆な捏造

偽造師というのは、ときに驚くほど大胆な捏造をやってのけるものだ。コンスタンティノス・シモニデス（1820～67年）もそんな偽造師の1人である。彼はギリシャのシミ島に生まれ、若い頃にアトス山の古い修道院で学んだ。この修道院には大昔の古文書が数多く所蔵されていたため、シモニデスはそれらを模写し、優れた模造品をこしらえる技術を習得する。そして1845年前後、原本のコピーや完全な偽物を織り交ぜた大量の古文書を携えてアテネに向かった。

シモニデスはアテネで、古代ギリシャやビザンツ帝国の作者による未発表の、それどころか存在すらまったく知られていない手稿を見つけたと発表する。さらに彼は、『イーリアス』や『オデュッセイア』で知られる詩人ホメロスの作品の写本まで持っていると言い出した。ホメロスといえば、いつ頃生きていたのか、あるいは実在したのかどうかさえ、学者たちの間で意見が

コリアーは無実だった？

デューイ・ガンゼル教授は、コリアーに関する著書『Fortune and Men's Eyes（ツキにも世間にも見放され）』の中で、"パーキンズ"が改竄したとする手稿から見つかった鉛筆の跡はフレデリック・マデン自身によるものであり、コリアーは無実だったことを示唆している。教授は戯曲集に見られる書き込みのいくつかを、マデンが日記に書いた同じ言葉と比較した。

パーキンズ手稿の余白に書かれた"begging"という単語。

マデンの1856年の日記に見られる"begging"という単語。

パーキンズ手稿の2カ所に記された"God"という単語。

マデンの日記に出てくる"God"という単語。

分かれる存在だ。写本がもし本物だとすれば、少なくとも2400年前のものでなければならない。シモニデスはこれをギリシャの王に売りつけることに成功した。

1849年から1850年にかけて、シモニデスは完全なでっち上げに基づく本を2冊出版する。1つは"エウリュルス・ピラウス"なる人物が著したとする書物で、もう1つは架空の哲学、"シミのアポロニアド学派"についての記述だった。だが、2人のギリシャ人学者がすぐに、それらを捏造と断定する論文を発表したため、シモニデスは祖国を追われる羽目になった。

悪事千里を走る

シモニデスはドイツ、英国と渡り歩き、捏造した古文書をお人好しの学者連中に売りつけた。また英国では、『Facsimiles of Certain Portions of the Gospel of St. Matthew, and of the Epistles of SS. James and Jude（聖マタイ福音書、ヤコブ書およびユダ書の断片）』と題する本を刊行している。そこに掲載された福音書や使徒書簡はいずれも「1世紀にパピルスに書かれたもの」であり、リバプールの個人コレクションから見つかったという触れ込みだった。シモニデスの悪評はすでに英国にも届いていたため、この本はすぐに非難の的となったが、それが捏造だという決定的な証拠は今に至るも示されていない。

またしても逃亡を余儀なくされたシモニデスは、今度はエジプトのアレクサンドリアに渡り、そこで1867年に死ぬまで観光客相手に古文書を売って過ごした。

祖国フランスのために

シモニデスとほぼ同時代の人物がさらに大胆な挙に及んだ。ドゥニ・ブラン＝リュカ（1818〜82年）というフランス人である。シャトーダンの農民の息子だったリュカは、弁護士事務所で働いたのちにパリへ渡り、珍しい古文書を専門に扱う商人に雇われる。そこで一流の写本師になるすべを学んだリュカは、雇い主が他界するとその在庫の一部を手に入れ、たとえ偽造した古文書でも本物と同様、簡単に売ることができると知った。

ちょうどその頃、アカデミー・フランセーズに新しい司書としてミシェル・シャール（1793〜1880年）が赴任してくる。科学者として著名なシャールは、図書館の蔵書を充実させることに意欲を燃やしていた。そのシャールが1861年、同僚の勧めでリュカに接触したのは、運命のいたずらと言えるかもしれない。これを好機と捉えたリュカは、適当な話をでっち上げてシャールに持ちかける。「18世紀の伯爵の血筋に連なるある老人から、よんどころない事情で手放さなければならなくなった先祖伝来の古文書を買い取った」というのである。

これも私の作品だ!

シモニデスは厚顔無恥な主張を繰り返したが、その最たるものは、捏造師の正体が暴かれたあとにぶち上げたものだろう。1844年、シナイ山の聖カタリナ修道院で4世紀の古文書が見つかった。これはギリシャ語で書かれた聖書の一部を含む写本で、今では「シナイ写本」として知られている。この写本を発見したドイツの聖書学者コンスタンティン・フォン・ティッシェンドルフはその複製を出版したが、どこで原本を見つけたかまでは明らかにしなかった。それからまもなく、シモニデスはこの写本も自分の捏造だと主張したのである。

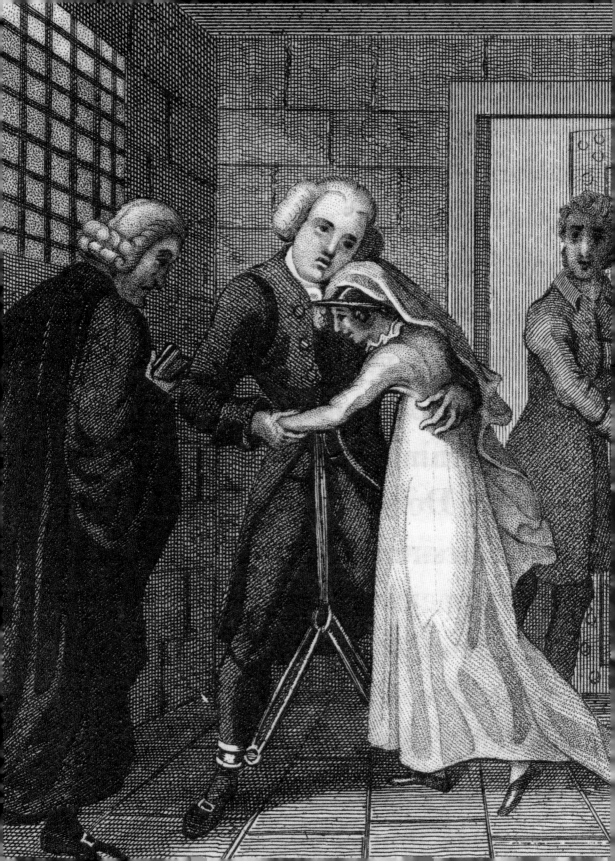

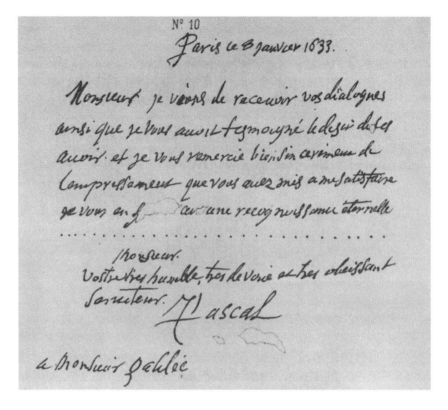

No 10
Paris le 8 janvier 1633.

Monsieur je viens de recevoir vos dialogues ainsi que je vous avoit tesmoigné le desir de les avoir, et je vous remercie bien si extrémem de l'empressement que vous avés mis a me satisfaire je vous en f ... av une recognoissance éternelle

. . . .

Monsieur,
Vostre très humble, tres devoüé et tres obeissant
Serviteur. Pascal

a Monsieur Galilée

ドゥニ・ブラン=リュカがフランスのパリで捏造した2万7320点の史料の1つ。「フランスの数学者ブレーズ・パスカルがイタリアの老天文学者ガリレオ・ガリレイに書き送った手紙」という体裁をとっている。1633年の日付があり、もし本物ならば、パスカルがまだ10歳のときに書いたものになる。

　果たして1867年、シャールは大きな発表をする。フランスの数学者パスカル（1623～62年）がロンドンの王立協会の主要メンバーだった科学者ロバート・ボイル（1627～91年）に宛てて書いた手紙を入手したというのである。その内容は、パスカルが万有引力の法則を発見したことを証明するものだった。もし本当なら、1687年に『プリンキピア』を世に問うたアイザック・ニュートンよりも30年ほど早いことになる。アカデミーの科学者の中には、同胞が英国の天才に1世代も先行していたと喜ぶ者もいた。しかし、老練な科学者たちは、パスカルの著作の中に彼が万有引力に関係する数学を理解していたことを示すものは何もない、と指摘した。もちろん英国でも、シャールの主張はきっぱりと否定された。やがて、手紙の文中に不自然な点が多々発見されると、シャールも「捏造ではないかとずっと疑っていた」と告白した。

古代人が文通？

　1870年2月、パリ。リュカは偽の史料2万7320点を販売した罪に問われた。その結果明らかになったのは、当初の成功に気を良くしたリュカが、明らかにインチキと分かる文書を量産するようになったという事実である。その中には、アレクサンドロス大王（前356～前323年）が哲学者アリストテレスに宛てた手紙や、クレオパトラがユリウス・カエサルに書き送った手紙のほかに、ラザロ、シャルルマーニュ、ガリレオが書いた手紙も含まれていた。マグダラのマリアからの手紙まであって、そこには「以前お話しした手紙は、イエス・キリストが受難の数日前に私に送ってきたものです」とあった。こうした手紙が本物ならば確かに面白いが、すべてフランス語で綴られているうえ、14世紀になるまでヨーロッパでは使われていなかったはずの「紙」にしたためられている点が、どう見てもお

かしかった。裁判の結果、リュカは2年の刑を言いわたされた。

シャールはこの捏造師に約17万フランもの大金を支払ったことを認めたが、リュカからは「最古の原本は8世紀にトゥールの修道院に集められ、のちに作家のフランソワ・ラブレー（1494～1553年）がフランス語に翻訳した」と聞いたと主張。彼は詐欺罪には問われず、10年後、尊敬されたまま世を去っている。

初版本を偽造する

19世紀の初頭までは、希少な古書も含めて、人々は「珍しいかどうか」よりも内容で本を買っていた。しかし、1870年頃には本に対する大衆の見方が変わってきて、初版本の蒐集に興味が持たれるようになった。初版本は出版社が売れ行きを読むために刷ることが多く、おのずと印刷部数も少なめになる。そのため、希少になるのも早い。今や現代の大衆小説さえ、

デ・ルナ・バイロン

ジョージ・ゴードン・デ・ルナ・バイロン少佐（～1882年）は、詩人バイロン卿（1788～1824年）とスペインのさる伯爵夫人との間に生まれた私生児を自称した人物である。かつてはインド駐留英軍の士官だったが、1841年には米国のペンシルベニア州ウィルクス＝バリで農業を営んで暮らしていた。そんな彼がロンドンにやってきて、"父親"が書いた手紙を何通も手に入れる一方、ほかの詩人たちが書いた手紙の複製も作成する。

そのうえで、全3巻のバイロン伝を準備中だと発表したが、1849年にはシェリーやキーツが書いたと称するほかの手紙とともに多くの手紙を売却し、ニューヨークへ渡った。そこでもやはりバイロンの息子を名乗り、書簡集の出版を実現しようとするも、果たせずに終わる。

1852年、ロンドンでデ・ルナの "シェリー" 書簡集が出版され、すぐにインチキだと暴かれた。ある読者が、数年前に自分の父親が書いた論文とほとんど同じくだりがあることに気づいたのである。捏造本であると告発された結果、この書簡集の在庫はすべて回収された。デ・ルナは再び英国を離れたが、その後も自分の出生に関する主張を取り下げることはなかった。今日に至るまで、デ・ルナが売り払ったバイロンの手紙のうち、どれが本物でどれが偽物なのか、論争が続いている。

デ・ルナ・バイロンが捏造したとされる数多くの手紙のうちの1通。1822年にバイロンがイタリアのピサからヘイ船長に宛ててしたためたとするこの手紙は、いかにもバイロンらしい文体で書かれている。「2万ポンドの収入がある人のために2000ポンドも弁済することに同意するぐらいなら、ローマ法王のつま先にキスするほうがましです……」

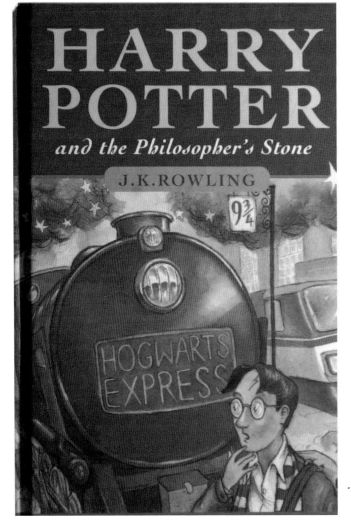

J・K・ローリング著『ハリー・ポッターと賢者の石』（1997年）の初版本。米国では『Harry Potter and the Sorcerer's Stone（ハリー・ポッターと魔法使いの石）』の題名で発売されたが、これが稀覯本となり、2021年には限定版装丁のものが47万1000ドルで落札された。

初版本はオークションで非常に高い値段がつくことがある。たとえばイアン・フレミングのジェームズ・ボンド・シリーズの劈頭を飾る『カジノ・ロワイヤル』は1953年の出版だが、これなども初版本が高値で取引されている本の1つだ。

もっとも、最初期の初版本コレクターには、作品の文学的価値に重きを置こうとする姿勢がまだ残っていた。そのようなコレクターは1人の作家に特化した協会に属していることが多く、そうした協会では、会員がほかでは購入できないような初期の版の翻刻書を作ることがよくあった。詩人パーシー・ビッシュ・シェリー（1792〜1822年）の著作を専門とする協会もその1つであり、1886年頃、この協会で翻刻版の制作を担当することになったのがトマス・ジェームズ・ワイズ（1859〜1937年）である。

ワイズが仕事を頼んだ印刷会社は、イングランド東部のサフォーク州バンゲイにあるリチャード・クレイ＆サンズ社という。当初、ワイズの手口は単純なものだった。シェリー協会が注文した詩人の作品の翻刻版に加えて、より質の高い紙で余分な部数を刷らせ、それらを売っては利益を懐に入れたのである。印刷会社が何の疑いも抱かないのをいいことに、ワイズは実際よりも早い出版年を扉に記載するよう指示した。つまり、ワイズがやっていたのは、ありもしない"初版本"の捏造だった。1887年の1年間だけで、彼はシェリーの本や小冊子を合わせて33冊も翻刻した。その中には、実際には存在しない米国の文学協会が出版したとする、未発表の詩を集めた作品集もあった。

まさかそのような裏の顔があるとは誰も疑わず、ワイズは胸躍らせる"発見"を連発する古書コレクターとして、たちまち評判になった。そしてすぐに、H・バクストン・フォーマン（1842〜1917年）という共犯者が現れる。経験豊かな文芸編集者だったフォーマンは、ワイズに多くの有益な助言を与え、自分自身もテニスンの詩集の贋作を多数制作した。2人で偽造した初版本の著者には、ジョージ・エリオット、エリザベス・ブラウニングとロバート・ブラウニング、スウィンバーン、ラスキンといった錚々たる顔ぶれが並ぶ。

スウィンバーンは1888年4月、ワイズに手紙を出し、『Cleopatra（クレオパトラ）』と題する1866年発行の小冊子を見せてもらったが、これについて著者であるはずの自分は何もあずかり知らないと主張している。贋作である以上、当然と言えば当然だが、ワイズはこのことをおおやけにしなかったし、スウィンバーンも彼を疑わなかった。

ワイズとフォーマンは12年間一緒に仕事をし

19世紀の初版本を常習的に偽造したH・バクストン・フォーマン（左）とトマス・ジェームズ・ワイズ。

た。1890年にはウィリアム・モリスの『The Two Sides of the River（川の両岸）』を1876年版と偽って印刷し、1896年にはテニスンの『The Last Tournament（最後の馬上槍試合）』を1871年版と称して印刷している。知られている限り最後の共作はラドヤード・キップリングの『The White Man's Burden（白人の重荷）』で、これは『タイムズ』紙に掲載された原詩を無断で借用したものだった。

　ワイズはいつしか、自宅に「アシュリー文庫」という膨大な古書コレクションを所蔵するまでになっていた。商売は順調で、特に米国ではハーバート・ゴルフィンというディーラーを通じてコレクターを見つけては売買を繰り返し、その名声はもはや揺るぎないもののように見えた。しかし、本人が他界する3年前の1934年になってようやく、ジョン・カーターとグラハム・ポラードという2人の英国人書籍商が疑念を抱く。ワイズの販売カタログを眺めていた2人は、1920年代に入ってから「非常に珍しい」作品がやたらと出品されていることに気づいたのである。

カーターとポラードによる調査

　2人の書籍商は1冊の小冊子に注目することにした。それは、ロバート・ブラウニングの妻、

エリザベス・バレット・ブラウニングが書いた44編のソネットをまとめたものだった。この小冊子の来歴というのが、なかなかに魅力的である。ある朝、エリザベスが夫のポケットに紙を忍ばせた。ロバートはそれが自分に捧げられた愛の詩であることを知り、自費出版の手配をする。この詩集が日の目を見るのは1850年、エリザベスのほかの作品とともにまとめられてからなのだが、ワイズの小冊子には1847年の日付が記されていた。

　カーターとポラードの調査によって、この小冊子が印刷された紙には、1861年に初めて使われたエスパルト（イネ科の植物で、英国の重要な製紙原料）と、1874年まで導入されていなかった化学木材パルプが含まれていることがすぐに示された。また、使用されている活字は、1876年に印刷会社が購入した「クレイズNo.3ロングプライマー」であることも判明する。カーターとポラードはほかの本も調べてみたが、ところどころに初版と異なる部分があり、それらが実はあとの版から引用したものであることが分かった。どうやら、フォーマンがうっかりミスをしてしまったようだ。

　カーターとポラードはこうした成果を『An Enquiry into the Nature of Certain

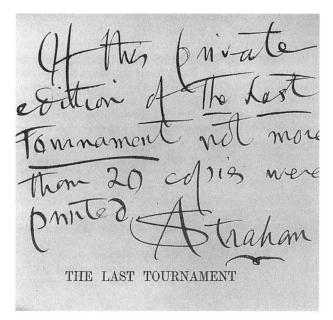

THE LAST TOURNAMENT

1896年、テニスンの『最後の馬上槍試合』の「私家版」と称するものがフォーマンとワイズによって捏造され、発行年は1871年と記された。

Nineteenth Century Pamphlets（19世紀に発行されたいくつかの小冊子の性質に関する調査）』（1934年）と題して発表した。彼らはワイズを直接非難しないように注意を払っていたが、そこに示された証拠はワイズを指弾するものだった。しかし、この時点では、アシュリー文庫にワイズの手になる偽書が含まれていることは示唆されていなかった。むしろ本人の死後、ワイズ未亡人が亡き夫の蔵書を大英博物館に

売却したことから、気になる事実が発覚している。高名な古書蒐集家であるワイズには、大英博物館の古書棚を自由に利用することが許されていた。彼はそれをいいことに、貴重な書物のページを盗み出しては、自分の蔵書にページの欠けているものがあれば補完していたのである。

ビンランドの地図

北米を最初に訪れたヨーロッパ人が誰だったかという問題には、いまだ結論が出ていない。アイスランドに伝わる2つの物語（サーガ）には、紀元後1000年頃にバイキングの船乗りが「ビンランド」と呼ばれる海岸に到達したことが記されている。その正確な位置については研究者の間で長年議論が続いたが、1965年、イェール大学出版局が、同大付属のバイネッケ稀覯本・手稿図書館に最近寄贈された羊皮紙の古地図を紹介する本を出版した。それによると、この地図は1430年代にスイス、バーゼルの修道士が描いたもので、しかも写しに過ぎず、原本はさらに古いという。地図の左上の隅にはラテン語で、ビンランドに渡ってきたバイキングの航海について簡単に書かれている。

無関係な文書と一緒にされていたその地図には、ヨーロッパ大陸、北アフリカ、アジア、極東、そしてアイスランドとグリーンランドが、比較的正確に描かれていた。地図の左端に描か

大統領のサイン

米国史上、エイブラハム・リンカーンほどサインを偽造された著名人はいないと思われる。ジョージ・ワシントン、ベンジャミン・フランクリン、アンドリュー・ジャクソンらのサインもさんざん偽造されたが、リンカーンには及ばない。下は、そのリンカーンがしたためた本物のサイン。

れている島がビンランドで、その東岸には大きな入り江があり、また、広い湖から流れ出した川が東の海に注いでいた。

間髪を入れず、学界から批判の声が上がった。地図は最近描かれた偽物というのである。確かに出所は曖昧で、コネチカット州ニューヘイブンのディーラーがイタリアの書籍商から買い入れたということぐらいしか分かっていなかった。

しかし、もしこれが本物だとしたら、ジョン・カボットによる1497年の航海より半世紀早く、北米東海岸について記録していたことになる。ジョバンニ・ダ・ベラッツァーノやジャック・カルティエに比べると、まる1世紀も先んじている（前者は1524年、後者は1534〜42年に北米を探検したとされる）。

1966年、スミソニアン協会がこの地図の真偽を検討する会議を開いたが、出席した専門

米国の歴史的文書を偽造した者たち

ロバート・スプリング（1813〜76年）は英国生まれ。米国に渡ってフィラデルフィアに書店を開くと、まもなくジョージ・ワシントンの手紙を捏造し始め、そのコピーを何百枚も売った。1869年、偽造の罪で有罪になっている。

ジョセフ・コージー（1887〜1950年代前半）はニューヨーク州シラキュースでマーティン・コニーリーとして生まれた。数回の有罪判決を受け、カリフォルニア州のサン・クエンティン刑務所に収監されたが、出所後の1929年からフランクリンのサインを偽造するようになった。コージーはまた、ジョン・アダムズ、ジェームズ・モンロー、パトリック・ヘンリー、ジョージ・ワシントン、エイブラハム・リンカーン、エドガー・アラン・ポー、マーク・トウェイン、ウォルト・ホイットマンなど、多くの有名人のサインを偽造している。中でも最も大胆な偽造は、トマス・ジェファーソンの筆跡を真似た独立宣言の草稿だった。1937年に逮捕され、1年間服役したが、死ぬまで文書の偽造を続けた。

ヘンリー・ウッドハウス（1884〜1970年）はイタリアのトリノ生まれ。本名をマリオ・カサレーニョといった。1905年に祖国を離れて米国に渡り、1910年頃に航空雑誌『FLYING』を創刊して成功を収め

る。富豪となった1920年代に希少な文書の蒐集を始め、やがて偽造に手を染めた。専門家が見れば、ウッドハウスの偽物とリンカーンの本物のサインは容易に見分けがつくが、そういう鑑識眼をもたないコレクターが大勢騙された。しかし、ウッドハウスは生涯有罪判決を受けていない。

チャールズ・ワイズバーグ（〜1945年）は、リンカーンの偽造ならこの男と言われるほどの名人だった。何度も服役し、刑務所で最期を迎えている。

ジョン・ラフリン（〜1970年）はネブラスカ州生まれ。20世紀で最も多くの文書を偽造した人物の1人に数えられる。よく知られているのはホセ・エンリケ・デ・ラ・ペーニャが書いたと称する『Personal Narrative with Santa Ana（サンタ・アナとの個人的な物語）』で、これは長い間、アラモの戦い（1836年）を記録した貴重な史料と考えられていた。アラモ砦の守備隊員アイザック・ミルサップスが書いたという手紙（ヒューストン大学所蔵）もラフリンが捏造したものであることが、ごく最近示唆されたばかりだ。リンカーンの筆跡を真似た捏造文書も多く、中には、どういうわけかリンカーンに馴染みのないドイツ語で書かれたものもある。ラフリンが服役したかどうかは不明。

ロバート・スプリングがで
っち上げたベンジャミン・
フランクリンからの手紙。
スプリングはジョージ・ワ
シントンの手紙を数多く
捏造したことで知られる。

Passy, April 22, 1779

My Dear Sir,

will you call upon me this afternoon,
I have just received my letters from Boston, among
them one from Mr Quincy, mentioning you in the
kindest manner;— I am sorry a very severe attack of
the gravel prevented my accompanying you, and the
Marquis de la Fayette yesterday to Versailles, but do not
imagine the old mans company was greatly missed;— I
regreted my sickness for I have always met with the
kindest reception from their Majesties, and feel great pleasure
in paying my respects to them, but disease and
pain, are better away, tho' some would endure more,
for a less friendly reception than I should have
received;— come if you can. —

Yours affectionately,
B Franklin

Mr Bradford

家たちにはそれぞれ独自の見解があり、意見
の一致を見なかった。そこでイェール大学は、
当時「微量分析の世界的権威」と呼ばれたウ
ォルター・マクローンに鑑定を依頼した。すると、
地図の描線は、黄色っぽいインクの上を黒いイ
ンクでなぞってあることが判明する。マクローン
によれば、古びた感じを出すための細工ではな

いかという。このインクの微小サンプルを分析
したところ、アナターゼの痕跡が検出された。
アナターゼは、1920年頃に米国のチタニウム
社が初めて製造した白色顔料、チタニウムホワ
イト（チタン白）の型の1つである。
　イェール大学の専門家たちもこの結果を受
け入れ、地図は紛い物だと断定した。しかし、

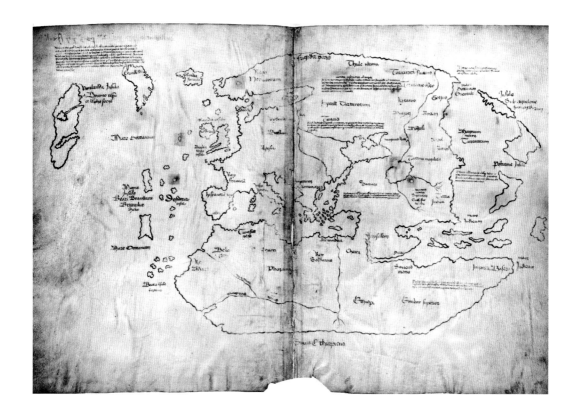

ビンランドの地図が
本物だとしたら、
ジョン・カボットによる
1497年の航海より半世紀早く、
北米東海岸について
記録していたことになる。

論争はそれで終わらなかった。1986年、カリフォルニア大学デービス校の物理学者たちが粒子線励起X線分析（PIXE）という技術を用いた分析を行い、「このインクに天然由来のアナターゼが含まれていたとしても何ら不思議はない」という結論を導いたからだ。これは、スミソニアン・センターの素材研究部門に所属する某専門家の見解でもある。

2002年には、さらなる調査結果が報告され

た。『Radiocarbon』誌に掲載された論文は、炭素年代測定により、地図に使われている羊皮紙が1434年頃のものと判明したと発表。一方、英国の研究者グループが『Analytical Chemistry』誌に寄稿した論文では、インクは現代のものだという主張が繰り返された。

2018年、数十年にわたる論争を経て、ビンランドの地図をめぐる物語は解決したようだ。同年開催されたシンポジウムで地図の新たな化学分析の結果が公表され、地図の描線には現代のインクにしか見られない成分が含まれていることが明らかになったのである。その1年後、イェール大学のバイネッケ図書館の古書・手稿担当司書であるレイモンド・クレメンスが、この地図が実は1782年に作成された復刻版に基づいていると説明する記事を発表した。結局、いかに興味深いものであっても、ビンランドの地図はやはり紛い物だったのである。

ビンランドの地図（と呼ばれる世界地図）。左端の島が北米大陸東岸の一部を表していると思われ、オンタリオ湖を発してロングアイランド湾に注ぐセントローレンス川が描かれているようにも見える。島の上に記されたラテン語の文章は、バイキングの航海を要約したもの。

切り裂きジャックの日記

　1888年秋の3カ月間、ロンドンのイーストエンドはほとんどパニック状態に陥った。1人の連続殺人犯が、夜な夜な街を徘徊していたからである。8月から11月にかけて5人の娼婦が次々に殺され、死体を無残に切り刻まれた。赤いインクでしたためられた犯行声明が、"ジャック・ザ・リッパー（切り裂きジャック）"と名乗る人物から警察へ送りつけられた。ところが5人目を最後に凶行は途絶え、犯人と断定できる容疑者も見つからず、事件は迷宮入りとなる。以後、1世紀以上にもわたって、この事件を研究するいわゆる"リッパロロジスト（切り裂き魔研究家）"たちから、ビクトリア女王の孫にあたるクラレンス公爵や画家のウォルター・シッカート（1860～1942年）など、さまざまな真犯人像が提示されてきた。

　1991年、リバプールで細々と屑鉄屋を営んでいたマイケル・バレットなる人物が、「この事件を解決し、凶行がぴたりと止んだ理由まで説明してくれる1冊の日記を入手した」と発表する。ビクトリア朝時代のスクラップブックに63ページにわたって綴られたその日記を、バレットは死んだ友人から譲り受けたのだという。

　肝心なのは、この発見がビクトリア朝時代に起きたもう1つの有名な殺人事件に絡んでいたことだ。1889年5月11日、リバプールで米国相手の木綿商を営むジェームズ・メイブリックが、数週間苦しんだ末に死亡した。殺人と断定されたこの事件の容疑者は、メイブリックの妻で、夫より23歳年下の米国人女性フローレンスだった。彼女は夫に砒素を盛った罪で終身刑を言いわたされたが、収監後も無実を主張し続け、15年後に釈放されている。フローレン

近年"発見された"ジェームズ・メイブリックの日記の1ページ。1888年にロンドンで起きた有名な「切り裂きジャック」連続殺人事件の犯人を自称している。切り裂きジャックの正体は公式には判明しておらず、ほとんどの専門家はこの日記を捏造と断じている。

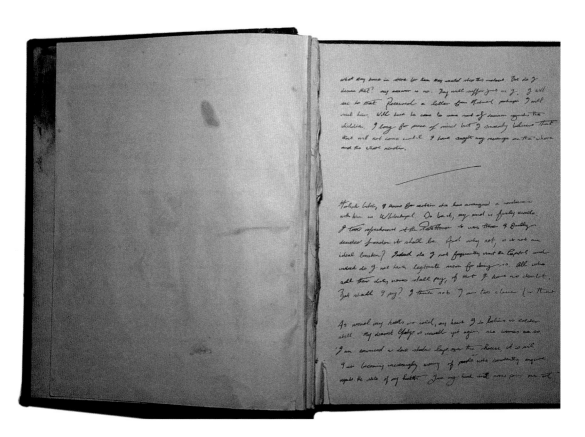

19世紀のロンドンで起きた "切り裂きジャック" 連続殺人事件の実行犯と目されるジェームズ・メイブリック。裕福な木綿商だった彼が犯行を認めているとする日記が1993年に出版されたが、これはのちに捏造だと判明した。

スは1941年に米国で亡くなった。

　メイブリックは媚薬として砒素を常用していたことが知られていた。そして1887年、フローレンスは夫に愛人がいることに気づく。彼女は傷心を癒すため、夫の友人であるアルフレッド・ブライアリーに身を任せるのだが、この不貞行為は1889年の3月にメイブリックの知るところとなる。検察がフローレンスを有罪と主張した根拠は、浮気の発覚後に砒素入りの蠅取り紙を購入していることと、彼女の部屋から「猫除けの砒素」というラベルが貼られた包みが見つかっていることだった。

　さて、問題の日記によってなされた驚くべき主張は、このジェームズ・メイブリックこそが "切り裂き魔" であり、ロンドンへ出かけるたびに娼婦を惨殺することで、妻の浮気を知って傷ついた心の憂さを晴らしていたというものである。本人が1889年の5月に死亡していることは凶行が不意に途絶えたことと符合するし、彼自身が（耐えがたい苦しみから逃れるため）フローレンスに致死量の砒素を投与するよう頼んだのではないかいうことまで示唆された。

　バレットが見つけたという日記は、作家シャーリー・ハリソンが日記以外の文章と構成を担当

し、『切り裂きジャックの日記』と題して1993年に刊行された。その序文には、複数の専門家に評価を依頼するなど、日記が本物であるとの確証を得るために版元が踏んだ手続きについて書かれている。たとえば、ロンドンのモーズリー精神科病院に勤務するデイビッド・フォーショウ医師は、日記の内容が精神を病んだ連続殺人犯の心理にぴったり当てはまると太鼓判を押した。一方、インクを分析したニコラス・イーストホー博士は、インクの成分が現代のものであることを示す証拠はないと報告するにとどめている。

**問題の日記によってなされた
驚くべき主張は、
このジェームズ・メイブリックこそが
"切り裂き魔"であり、
ロンドンへ出かけるたびに
娼婦を惨殺することで、
妻の浮気を知って傷ついた
心の憂さを晴らしていた
というものである。**

　多くのリッパロロジストが意見を求められたが、切り裂きジャックの正体についてはそれぞれ独自の見解があり、本の評価はまとまらなかった。日記には警察と犯人以外知り得ないことが書かれているとも指摘されたが、それらは1987年には開示されており、もはや秘密とは言えなかった。特に疑わしいのは、文法や綴りの明らかな間違いと、筆跡が当時のものには見えないという事実である。もっと言えば、日記の筆跡は、結婚証明書と遺言書に残っていたメイブリック本人の筆跡サンプルとも似ていなかった。これについては、版元が「偽造されたのは遺言書のほうだ」と主張している。
　米国での出版に先立って、日記は2人の専門家による筆跡鑑定を受けた。1人は25年にわたってシカゴ市警の文書鑑識官を務めたモ

ーリーン・ケイシー・オーエンズで、彼女は日記を偽物と断定している。
　1994年、マイケル・バレットは日記の捏造を白状した。ガレージセールで古いスクラップブックを買い、インクは画材店で仕入れたものを使ったという。彼はあとからこの自白を撤回し、さらなる混乱を招いた。
　やがて、日記を書くのに使われたインクは、ジアミンブラックという万年筆用のインクである可能性が高いことが判明した。このインクには、保存料として少量のクロロアセトアミドが含まれる。その後に提出された複数の分析報告書は相矛盾する内容だったが、ある研究室はこの化学物質の陽性所見を計6つ報告した。さらにややこしいのは、インクの広がり具合から年代を推定できると主張する米国人の某専門家が、日記が書かれたのは1921年プラスマイナス12年としたことである。もしこの見立てが正しければ日記は明らかに捏造品だが、同時に、バレットの仕業ではないということにもなる。しかし、筆跡鑑定や化学分析の結果からは、彼の関与は間違いないように思える。

疑わしい文書を精査する

　捏造・偽造文書にはさまざまな種類があり、文書鑑定の有資格者はその作成方法について幅広い知見を持っていなければならない。もし、そういった文書の真贋が法廷で吟味される場合、鑑定士は科学捜査の専門家が法廷に証拠を提出する際に求められる要件をすべて満たす必要がある。疑わしい文書と真正な文書の類似点または相違点を1つ立証するだけで事足りるケースはまれにしかなく、鑑定結果に説得力を持たせるためには、多くの点を比較してみせなければならない。
　美術品の贋造と同様、考慮すべき基準は「出所」と「様式」の2つである。問題の文書の出所をたずねられた偽造師というのは、たいてい、ほかの古い文書に混じっていたと答えるだろう。したがって、その文書が誰のものかとか、もともとはどこから来たのかといった来歴の検証は、せいぜい疑わしいものでしかない。次

に、その文書を書いたとされる人物がどのように表現したかを分析する必要がある。しかし最も重要なのは、前章で述べたような多くの技術を駆使して、紙やインクといった素材を科学的に検証することである。

　問題となる文書はたいていインクで書かれているが、鉛筆の場合もある。媒体は羊皮紙、ベラム（上質皮紙）、あるいは紙と、さまざまに異なる。古い文書や特定の日付が入った文書であれば、インクを分析する必要が出てくる。顕微鏡で観察するだけで済むこともあるが、多くの場合、インクの小さなサンプルを削り取り、分光分析法、炭素年代測定法、中性子放射化分析法などで詳細に調べなければならない。

初期のインク

　ごく初期のインクは、油煙や煤といったカーボン（炭素）をゴムと水で練ったものだった。カーボンは時間が経っても色褪せず、化学薬品で漂白することもできないので、何世紀にもわたって黒色を保つことができる。しかし、カーボンは媒体の表面にしか残らないため、偶然にしろ故意にしろ、削り落とすことが可能だ。

　2世紀には新しいタイプのインクが開発され、19世紀後半まで使われた。没食子（ブナ科植物の若芽が変形して瘤になったもの）からの抽出液と硫酸第一鉄の溶液を混ぜ合わせたものである。このインクはわずかに腐食性があり、徐々に羊皮紙に"食い込む"ため、一度定着してしまうと削り取るのが困難だった。他方、鉄分を含むので時間とともに酸化し、やがて錆びたような茶色に変わる。この変色を防ぐため、のちに藍などの染料が加えられた。

ペンに使われるインク

　1856年以降、合成アニリン染料が開発され、すぐにインクにも使われるようになった。現在では、ほとんどのインクが合成物質でできて

オーストリアはズーベンの旧修道院で見つかった挿絵付き詩篇集の一部。1200年頃のもので、媒体にはベラム（上質皮紙）が使われている。

いる。ボールペンにはプリンター用インクのような濃厚で油分を多く含むものが、サインペンには石油製品を元とするものが使われる。

尖筆、羽根ペン、金属のペン先

　文書鑑定の専門家は、インクの分析だけでなく、どのような種類のペンが使われていたかも調べる。古代人は尖筆や筆、あるいは葦のペンを使っていた。やがて羽根ペンが主流となり、それが18世紀の後半まで続く。羽根ペンの先はもともと鑿（のみ）のように広かったが、のちに尖らせるようになった。1780年には鋼鉄のペン先がお目見えするものの、本格的に普及するのは50年以上経ってからである。やがて、金のペン先や万年筆など、さまざまな種類の筆記具が次々に登場した。文字を顕微鏡で拡大すると、使用されているペンの種類が分かることが多い。その時代にはまだ使われていなかったペンで書かれていることから、文書の偽造が判明するケースも少なくない。

　本物の古文書というのは唯一無二のものであり、その価値は極めて高い。しかしときには、それが本物であることを確かめるために、文書自体に多少の傷がつくことは覚悟のうえで、細心の注意を払いつつ、インクなどの素材をごく少量採取しなければならない場合もある。羊皮

文書を書くのに使われたペンの種類を特定することが、偽造の発見に役立つことがある。万年筆など、金属のペン先を持つ現代のペンは、昔の羽根ペンに比べて引っ掛かりが多く、ムラが出やすいため、書かれた文字を顕微鏡で観察すれば、それと分かることが多い。

使われているインクが本当に古いものかどうか、見分ける方法がある。まっさらな上質紙にインクを乗せると、くっきりとした印象になる。

紙やベラムの検査には炭素年代測定法が用いられ、紙の場合は、その特性を分析して紙の種類まで特定することも可能だ。

　問題の文書に紫外線を当てるだけで、使われている紙が最近製造されたものであり、本物と呼ぶには新しすぎると証明できる場合もある。それは第2章でも述べたし、後述する「ヒトラーの日記」のケースでも詳述する。また、カーターとポラードがワイズの小冊子を調べたときのように（107ページ参照）、さまざまなサンプルが入手できる場合、それらが全体として偽物であることを確認するために1つのサンプルを部分的に損傷することもやむなしとされる場合もある。

　使われているインクが本当に古いものかどうか、見分ける方法がある。まっさらな上質紙にインクを乗せると、くっきりとした印象になる。しかし、古く見せるための処理をあらかじめ施した場合、紙は液体を吸収しやすくなる。そのため、表面に乗せたインクはわずかに広がり、顕微鏡で見ると「ぼやけた」印象を与えるのである。また、書かれたあとに余分なインクが吸い取られたかどうか、そしてそのためにどのような手段が用いられたかも見逃せない。たとえば、吸い取り紙が登場する以前は細かい砂が使われており、その時代の文書には砂の微粒子が残っていることが多い。他方、吸い取り紙を使用した痕跡としては、文書の始めから終わりに向かうにつれて徐々に文字が薄くなることが挙げられる。これは、新鮮なインクのほうが乾燥し始めたインクよりも多く吸収されるからだ。また、新鮮なインクのほうが若干にじむ傾向もある。

2つと同じものはない

　文書の筆跡を調べると、多くの手がかりが得られる。ジョン・ペイン・コリアーがそうであったように、多くの偽造者は——特に署名を偽造する場合——まず鉛筆で下書きをする。その場合、鉛筆の跡が完全に消されることはほとんどなく、跡などないように見えても、顕微鏡検査で消去の痕跡が見つかることもある。また、下書きをする代わりに

ライトボックスの上で署名をなぞるという偽造法もあるが、この場合、ペンの運びにわずかなためらいが認められることが少なくない。しかし、署名が偽造であることを示す何よりも確かなしるしは、それが本物と寸分たがわないことだ。たとえ同一人物が書いたものでも、2つの署名がまったく同じということはあり得ないからである。

1. *Abraham Lincoln*
2. *Abraham Lincoln*
3. *A. Lincoln*
4. *A. Lincoln*
5. *A. Lincoln*
6. *A. Lincoln*
7. *A. Lincoln.*
8. *Yours truly A. Lincoln*
9. *A. Lincoln.*
10. *Abe Lincoln*
11. *'A. Lincoln*
12. *A. Lincoln*
13. *A. Lincoln*
14. *A. Lincoln.*
15. *very truly A. Lincoln*
16. *A. Lincoln*

リンカーン大統領のサインは、今なお偽造師たちを惹きつけてやまない。上のサインの中で、本物は1番と13番だけである。残りも本物に酷似しているが、それこそがまさに偽造のしるしにほかならない。

今日、手書きの文書が偽物かどうかを見極めるには、筆跡の専門家に鑑定を任せれば事足りる場合が多い。彼らは、問題の文書の文字構造と真正な文書の文字構造との間に存在するわずかな差異を見抜くことができるからだ。容疑者がいる場合は普通、その人物の普段の筆跡を調べれば、そうした差異は明らかになる。しかし、クリフォード・アービングのケース（121ページ以降参照）では、多くの手紙が偽造され、億万長者ハワード・ヒューズの伝記を書く許可を得たとする契約書まで捏造されたにもかかわらず、2組の専門家チームが騙され、それらが本物であると認めさせられてしまった。

リクエスト・スタンダード

　他人の筆跡を偽造した疑いのある者を取り調べる際には、評価のため、そして証拠として法廷で提示するために、容疑者自身の筆跡サンプルを入手することが重要になる。これは合衆国憲法修正第5条に定められた自己負罪拒否特権（自分に不利益となる協力を強いられない権利）の対象とならず、したがって容疑者は捜査官への協力を拒否することができない。

　警察の捜査では、このようなサンプルを「リクエスト・スタンダード（採取サンプル）」と呼んでいる。警察署によっては、この目的のために特別な用紙を使っており、被疑者の住所、氏名、生年月日を記入する欄と、本人の署名に加えて Albert Johnson、Charles Quinn、U. X. Zimmerman といったいくつもの名前を書き写す欄が設けられている。これらは大文字と小文字全部、そしてよくある文字の組み合わせのサンプルを得るためのものだ。用紙の裏面にはいくつか住所が印刷されており、逐一書き写すようになっているが、こちらは数字のサンプルを採るためのものである。締めくくりとして書き取りをさせるのは、それによって特徴的なスペルや句読点、余白の使い方、単語と単語の間のスペース、各行の書き方などが、はっきりと分かるからだ。

偽造されたアドルフ・ヒトラーの手紙。偽造師はヒトラーのサインをでっち上げ、レターヘッドと一緒に印刷した。そのうえで、ヒトラー存命当時の古いタイプライターを使って文面を打った。

118

覆面作家の正体

『プライマリー・カラーズ　小説アメリカ大統領選』(1996年) は贋作ではなかったが、作者が「アノニマス (匿名)」とされ、書いたことを誰も認めなかった。そこで、バッサー大学のドン・フォスター教授がコンピューターを駆使し、作中に出てくる普段使われない言葉を、著者と目されていた35人のジャーナリストが書いたものと比較して、覆面作家の正体がコラムニストのジョー・クラインであることを見事に見抜いた。これに感心したFBIは、その後、数々の刑事事件でフォスターに意見を求めている。

報道陣の前で自分が著者だと認めたコラムニストのジョー・クライン。

「ロンドン・ビジネス・レター」

専用の書式が用意できない場合、偽造・捏造の容疑者には「ロンドン・ビジネス・レター」と呼ばれる次のような文面を3回書き取ることが求められる。(欄外に対訳を付した)

Our London business is good, but Vienna and Berlin are quiet. Mr. D. Lloyd has gone to Switzerland and I hope for good news. He will be there for a week at Zermatt Street and then goes to Turin and Rome and will join Col. Parry and arrive at Athens, Greece, Nov. 27th or Dec. 2nd. Letters there should be addressed: King James Blvd. 3580. We expect Chas. E. Fuller Tuesday. Dr. L. McQuaid and Robt. Unger, Esq., left on the "Y .X." Express tonight.

先述したリクエスト・スタンダードには1つ欠点がある。筆跡の専門家は通常、隠そうとして

(対訳) ロンドンは好調ながら、ウィーンとベルリンでは動きが鈍い。D・ロイド氏がスイスに発ったので、吉報を期待している。同氏はツェルマット・ストリートに1週間滞在したあと、トリノとローマに移動し、バリー大佐と合流してから、11月27日か12月2日にギリシャのアテネに到着する予定。同氏宛ての郵便物は、キング・ジェームズ大通り3580まで送られたし。なお、火曜日にはチャールズ・E・フラーが訪ねてくる。また、L・マクウェイド博士とロバート・ウンガー氏は今晩、「Y・X」急行で発つことになっている。

Mr. Ramsey,

Listen carefully! We are a group of individuals that represent a small foreign faction. We respect your bussiness but not the country that it serves. At this time we have your daughter in our possession. She is safe and unharmed and if you want her to see 1997, you must follow our instructions to the letter.

You will withdraw $118,000.00 from your account. $100,000 will be in $100 bills and the remaining $18,000 in $20 bills. Make sure that you bring an adequate size attache to the bank. When you get home you will put the money in a brown paper bag. I will call you between 8 and 10 am tomorrow to instruct you on delivery. The delivery will be exhausting so I advise you to be rested. If we monitor you getting the money early, we might call you early to arrange an earlier delivery of the

money and hence a earlier pick-up of your daughter. Any deviation of my instructions will result in the immediate execution of your daughter. You will also be denied her remains for proper burial. The two gentlemen watching over your daughter do particularly like you so I advise you not to provoke them. Speaking to anyone about your situation, such as Police, F.B.I., etc., will result in your daughter being beheaded. If we catch you talking to a stray dog, she dies. If you alert bank authorities, she dies. If the money is in any way marked or tampered with, she dies. You will be scanned for electronic devices and if any are found, she dies. You can try to deceive us but be warned that we are familiar with Law enforcement countermeasures and tactics. You stand a 99% chance of killing your daughter if you try to out smart us. Follow our instructions

and you stand a 100% chance of getting her back. You and your family are under constant scrutiny as well as the authorit[ies] Don't try to grow a brain John. You are not the only fat cat around so don't think that killing will be difficult. Don't underestimate us John. Use that good southern common sense of yours. It is up to you now John!

Victory!
S.B.T.C

殺害された6歳の少女ジョンベネ・ラムジーの母親が自宅の階段の下で見つけたという身代金要求書。用箋3枚に書かれたこの手紙を捏造されたものだと断言する専門家もいる。

も隠しきれない些細な特徴を見つけ出すが、筆跡をごまかそうとする容疑者の試みまでは止められない。それゆえ、捜査関係者は念のため「コレクテッド・スタンダード（採集サンプル）」も確保しておく。採集源は手紙でも何かの申込書でも、容疑者が自筆で記入したり署名したりしたものならば、何でもよい。

タイプライターによる偽造の場合、偽造だという確証が得られるかどうかは、文書作成に使われたタイプライターが特定できるかにかかっている。タイプライターはブランドごとに特徴があるうえ、同じ機種でも摩耗した文字や損傷した文字に違いがあり、それらは簡単に見つけることができる。しかし、ワープロやパソコンなど、デジタルな手段で作成された文書は、偽造と見抜くのが難しい。コンピューターには、タイプライターのような1台ずつ異なる個性が見られないからだ。

最後に、専門家は手書きの文書や印刷物の文章を吟味して、その文体を書き手とされる人物のものと比較することができる。あまりにも現代的すぎる言葉や言い回しがあったり、その文書や印刷物が書かれたとされる年代よりあとに起こった出来事への言及があったりすれば、

それはインチキということになる。文中でよく使われている言葉の種類や言い回しは、その書き手の既知の文章や、容疑者が以前に書いたものと比較することが可能だ。

ジョンベネ・ラムジー殺害事件

1996年12月26日、6歳の少女ジョンベネ・ラムジーの遺体が、コロラド州ボールダーにある自宅の地下室で発見された。母親は、遺体発見の数時間前に階段の下で見つけたという用箋3枚にわたる身代金要求書を警察に見せる。要求書の筆跡と文体は偽装されており、詳しい検査に付された。内容を吟味したアンドリュー・G・ホッジズ博士は、「思考プリント」という説を提唱しており、「私はそれぞれの単語から1つだけでなく2つの意味を読み取る」と書いている。そして、2つ目の意味には意識下で暗号化されたメッセージが込められているのだという。この考え方に基づき、ホッジズ博士は、身代金要求書に使われているいくつかの単語や言い回しは、殺害犯が母親である可能性を示していると主張した。

被害者家族はその仮説に異議を唱えたし、時間が経つにつれて、「外部の者による犯行」

とする見方が優勢になっていった。2008年から2010年にかけて、新たなDNA証拠によってこの見方は裏付けられたようにも見え、実際、何人かの容疑者が浮かび上がった。ところが2016年、事件を特集したドキュメンタリー番組が2本放送され、その1つは正体不明の侵入者説を支持したものの、もう1つの番組は、事件当時9歳だったジョンベネの兄バークが真犯人であり、身代金要求書はその事実を隠蔽するために家族がでっち上げたものだと主張した。その後も捜査は続けられたが、混迷は深まるばかりで、思い込みの激しい変わり者が犯行を"自白"することはあっても、事件はいまだに解決していない。

静電気検出装置

ある文書が今の時代に偽造・捏造されたものではないかと疑われる場合、静電気検出装置（ESDA）と呼ばれる新しくて簡単な装置を試すことができる。紙を2枚重ね、その上から書き込みを行うと、紙には必ず凹みが生じる。ESDAは、紙の凹んだ部分が静電気を保持しやすいという性質を利用して、このかすかな凹みを検知するのだ。

ESDAではまず、多孔質金属でできた平らな台の上に問題の文書を置き、薄い透明なマイラーシート（ポリエステルの絶縁材）をかぶせる。次に、金属台の下から真空吸引をかけ、文書とシートを密着させる。すると、この「2枚重ね」の間のわずかに凹んだ部分が静電気を帯びる。そこでコピー機のトナー粉と細かいガラスビーズを混ぜ合わせたものをマイラーシートの上でふるいにかけると、帯電した像が浮かび上がるという仕組みだ。

ハワード・ヒューズの"自伝"

ヒューズ詐欺事件は冗談半分に始めたことだ――クリフォード・アービング（1930～2017年）は生前、そう言い続けていた。1970年12月のある朝、彼は家族と暮らすスペイン領バレ

「隠遁する億万長者ハワード・ヒューズの架空の自伝」というアイデアを思いついた作家クリフォード・アービング。この「いたずら」はやがて制御不能になり、アービングは詐欺罪で有罪となった。

晩年のハワード・ヒューズは莫大な財産の管理をファミリー企業のヒューズ工具会社に任せ、ほとんど世捨て人のような生活を送った。

で"姿の見えない億万長者"ことハワード・ロバード・ヒューズに関する記事を読んだばかりだった。"世界一の大富豪"を自認するヒューズは、ラスベガスに所有するホテル「デザート・イン」の最上階に引きこもり、24時間、モルモン教徒の"近衛兵団"に囲まれて過ごしているという。もう15年というものおおやけの場に姿を現さず、電話とメモによる指示だけで巨大なビジネス帝国を動かしているらしい。ヒューズはバハマのナッソー沖に浮かぶ島にも隠れ家を持っていて、アービングとサスキンドがマヨルカ島で旧交を温めていたときは、そこに滞在していると考えられていた。

「"姿が見えない"だって?」とサスキンドは言った。「奴さんが実は死んでいたとしても、俺は驚かないね」。アービングが突如としてインスピレーションを得たのは、このときである。「なあ、僕がどこかの出版社……そうだな、付き合いのあるマグロウヒル社にでも持ちかけて、ヒューズ本人から伝記を書いてほしいと頼まれたっていう与太話をでっち上げるのはどうだろう?」

アービングの最初の考えは「あくまでもいたずら。言うなれば出版社と作家がぐるになって仕掛ける華麗な文学的悪ふざけ」だったが、そんなことは無理な相談だと思い至る。代わりに、彼はマグロウヒル社の担当編集者ビバリー・ルーに次のような内容の手紙を書き送った。「『贋作』をハワード・ヒューズに送ったところ、驚いたことに、本人から作品を絶賛する礼状が届いた」。それからアービングは、ヒューズが愛用しているという黄色い法律用箋を机に広げ、『ニューズウィーク』誌に載っていたヒューズ直筆の手紙の写真を手本にして、3通の手紙をでっち上げた。

最初の1通は1970年12月10日の日付で、『贋作』を送った際に返ってきたという体裁の礼状だった。2通目は1971年1月8日の日付で、次のような短い文面のものだった。「貴簡落掌。ご提案に興味をそそられたので、真剣に検討させていただく所存」。3通目は1月20日の日付で、もっと長い内容だった。一部を抜粋しよう。「誤解を正し、わが生涯に関する真実を明らか

アレス諸島のイビサ島に戻る船の上にいた。最新作の『贋作』(本書の第2章で取り上げたエルミア・デ・ホーリーの生涯を描いた伝記)を執筆したのも、このイビサ島である。アービングは経由地のマヨルカ島で、作家仲間のディック・サスキンドと少し会って話でもする約束をしていた。

アービングはちょうど、『ニューズウィーク』誌

にすることなく死ぬとしたら、それは私の本意ではない……いつ、どのようにして伝記の執筆に取りかかるのが貴殿のご都合に適うのか、ご教示願えればありがたい……」

後戻りのきかない道

数日後、アービングはニューヨークに飛び、ビバリー・ルーとマグロウヒル社の副社長アルバート・レベンサールにこれらの手紙を見せた。ルーとレベンサールはすぐに条件を提示する。それは、契約段階で10万ドル、導入部の原稿をもらった時点でさらに10万ドル、そして完成原稿と引き換えに30万ドルを支払うというものだった。アービングはもはや単純ないたずらなどではなく、大がかりな詐欺に手を染めていた。

アービングはかつてのフォークデュオ「ニーナとフレデリック」のニーナ・バン・パラントと数年来不倫関係にあり、時折密かな情事を楽しんでいた。アービングとニーナはニューヨークで落ち合い、ナッソーで週末を一緒に過ごす約束をする。マグロウヒル社には、そこでヒューズと話し合うのだと言ってあった。ところが、あいにく2人はナッソー行きの便を手配できず、やむなく行き先をメキシコに変更した。

メキシコシティの空港で、アービングはイースタン航空の旅客機から降りるところを偶然写真に撮られた。ニューヨークに戻ると、彼は1冊のノートをこしらえる。それに、"セニョール・オクタビオ"（ヒューズが使ったとする偽名）との2度にわたる会見の内容を記録してあるとい

ハワード・ヒューズの自伝と称するもう1冊の偽書『My Life and Opinions（わが生涯と持論）』（ロバート・P・イートン編）。一緒に写っているのは、この本を出版したベスト・ブックス社の社長ジョージ・ブラゴウィドウ。1972年1月、ニューヨークのブレンターノ書店にて。

う体裁だった。空港で撮られた写真については、ヒューズの部下が身元照会のために撮影したのだと説明した。また、ヒューズと交わしたという偽の契約書の写しも持参した。

マグロウヒル社の顧問弁護士は契約書に特に問題はないとしつつも、ヒューズに公証人の前で署名させるよう求めてきた。もちろん、そんなことは不可能だ。「いたずら」もここまでかと思われたが、数日後ビバリー・ルーから連絡があり、署名はアービングの目の前で書かれたものだろうから公証人は必要ないと告げられ、胸をなで下ろした。

12月、伝記の刊行が発表されると、ヒューズ工具会社はただちにそれが偽物だとする声明を出した。

ところで、秘密厳守を求めるこの契約書には、次のような条項があった。「対価はH・R・ヒューズが口頭または文書で指定した通り、H・R・ヒューズ名義の口座のいずれかに振り込むこと」。アービングの妻イーディスはスイス国籍の持ち主で、たまたま余分なパスポートを1通所持していた。アービングは妻にかつらをかぶせて写真を撮り、パスポートの写真をそれに貼り換えたうえで、サインを消し、イーディス自身に「H・R・ヒューズ」と書き加えさせた。イーディスはチューリヒに赴き、クレディスイス銀行にH・R・ヒューズ名義の口座を開設する。

一方、"ヒューズ"が伝記の二次使用権について法外な取り分を要求してきたことに恐れをなしたマグロウヒル社の役員たちは、『ライフ』誌にヒューズの伝記を連載しないかと持ちかけた。権料は25万ドル。この話がまとまった結果、アービングは同誌が保有する資料を閲覧する許可を得、ヒューズに関する詳細で未発表の特派員レポート300本以上をこっそり撮影することに成功する。1971年の暑い夏、アービングはサスキンドとともに、引きこもりの大富豪への架空のインタビュー記録を捏造する作業に

汗を流した。

8月の終わり、前途に再び暗雲が立ち込める。別の出版社にハワード・ヒューズの自伝の売り込みがあったと、ビバリー・ルーが電話で伝えてきたのだ。何でも「ロバート・イートンが本人からの聞き取りで」書いた原稿だという。イートンは女優ラナ・ターナーの元夫だった。アービングとサスキンドはこの際、攻撃こそが最良の戦略だと肚を決める。2人はフロリダ州パームビーチ（ヒューズがヘリを飛ばしてくるには十分に近い場所）に飛び、そこからニューヨークに2本の電報を打った。最初の1本は、『ライフ』誌との連載契約について聞き及んだヒューズが、対価の総額を100万ドルに引き上げるよう求めてきたという内容だった。

2本目は、イートンの本を承認した覚えなどないというヒューズ本人の言葉を伝えるものだった。9月半ば、アービングとサスキンドは999ページのタイプ原稿をマグロウヒル社に見せ、同社は「それ以上は1セントたりとも払えない」と念押ししつつも、当初の金額から大幅にアップした75万ドルを提示した。

専門家さえ欺くも……

11月、アービングとサスキンドがようやく原稿を完成させようとする頃、またもやビバリー・ルーから電話が入った。今度は半狂乱の様子だ。聞けば、『レディーズ・ホーム・ジャーナル』誌がイートンによるヒューズの自伝の抜粋を翌年の1月号に掲載する計画を立てているという。こうなったら、「ヒューズ本人の許諾を得た伝記を出版できるのはマグロウヒル社だけだ」という事実を公表したいので、すぐにヒューズの了解を取ってほしい、とルーは言った。アービングはマグロウヒル社の無能ぶりを口汚く罵りつつも、伝記刊行を公表する許可を与える"ヒューズ"からの長い手紙を捏造する。『ライフ』誌が念のためにそれを筆跡の専門家に見せたところ、ヒューズ直筆の手紙と偽手紙を比較したその専門家は、次のように述べて太鼓判を押した。「2つの筆跡サンプルは同一人物によって書かれたと見て差し支えないでしょう。別

人がそっくりに真似て書くことができる可能性は万に一つもありません」

　12月、伝記の刊行が発表されると、ヒューズ工具会社はただちにそれが偽物だとする声明を出した。さらには、1950年代にヒューズにインタビューしたことがある『ライフ』誌の記者フランク・マカロックによれば、その夜ヒューズ本人から直接電話がかかってくるという。マグロウヒル社および『ライフ』誌の代表団がアービングも交えてマカロックと面談したのは、その翌朝のことである。マカロックはほぼひと晩かけてアービングの原稿に目を通したと前置きしたうえで、次のように述べた。「もし私が法廷に立たされたなら、自分の知る限り、原稿に書かれていることはハワードからクリフォード（・アービング）に直接伝えられたものでしかあり得ないと言わねばなりません」。マグロウヒル社と『ライフ』誌は、"ヒューズ"の手紙を改めて別の筆

跡専門家グループに精査させたが、答えはやはり、「本物だと思う」というものだった。

　アービングは、不本意ながら嘘発見器によるテストを受けることになった。当日、クリスマスを家族と過ごすためイビザ島に帰る予定になっていたアービングは、無理に昼食を詰め込んだあと、飛行機の時間を気にしながらテストを受けた。そんな精神状態だったことが機械を欺いたようで、結果は検査官いわく「どちらとも言えない」と出た。

　やがてヒューズは15年ぶりに記者会見を行うと発表した。ロサンゼルスのテレビ局のスタジオに集まった記者たちと電話でやり取りをするのだという。この記者会見の模様が放映された翌朝、アービングは声の主がヒューズかどうか疑わしいという意見を表明した。のちに「声紋」の発案者であるローレンス・カースタが、このときのヒューズの声を録音したテープと、

クリフォード・アービングとその妻イーディスにディック・サスキンドを加えた3人は、郵便詐欺から偽造に至るもろもろの容疑で正式に逮捕された。

30年前にヒューズが上院小委員会で行った演説の録音とを聴き比べたうえで、声は間違いなくハワード・ヒューズのものだと言い切っている。

一方、ハワード・ヒューズの私設調査機関「インターテル」に説き伏せられたクレディスイス銀行が、スイスの法律に背いて、「H・R・ヒューズ」が女性であることを明かしてしまう。その女性がイビサ島に住むイーディス・アービングだと判明するまで、長い時間はかからなかった。1972年2月、アービング夫妻とサスキンドは、ニューヨークで開かれた2つの大陪審に出席した。ナッソーで実際にヒューズと会ったと主張するアービングは、ニーナ・バン・パラントが口裏を合わせてくれることに一縷の望みを託したが、彼女は不倫相手とはメキシコで2人きりだったと証言し、最後の希望を打ち砕いた。ペテン師たちはもはやこれまでと観念し、洗いざらい白状することにした。

1972年6月16日、アービングには2年半、サスキンドには半年の実刑判決が下った。イーディスは2年の刑を宣告され、そのうちの2カ月を除いて執行猶予が付いたものの、その後チューリヒで開かれた裁判で2年の実刑判決を受けた。アービングは仮釈放となって出所したあとも執筆活動を続け、事件の顛末を綴った『ザ・ホークス　世界を騙した世紀の詐欺事件』を上梓している。

ヒトラーの日記

アドルフ・ヒトラーは1945年、瓦礫の街と化したベルリンで死亡し、その残党も多くは翌年にニュルンベルクで処刑された。しかし、ナチス時代の記念品は今なお、国際的なマーケットで売り買いされている。この需要に目をつけて収益を上げ、20世紀最大の文書偽造にもう少しで成功しかけたのが"コニー"ことコンラー

第二次世界大戦終結から70年以上経っても、ナチス時代の記念品はコレクターを魅了してやまず、また偽造師に刺激を与え続けている。

ト・クーヤウである。

クーヤウはナチス政権下のザクセン州ルーバウで生まれた。第二次世界大戦終結後の1946年から1991年まで、ドイツ民主共和国（東ドイツ）に所属することになる町である。1957年、そのルーバウから国境を越えて西ドイツに亡命したクーヤウは、数年というもの生活が安定せず、短期間の服役を繰り返すが、やがて妻のエーディトとともにシュツットガルトで窓の清掃を請け負うビジネスを立ち上げた。そんな彼がナチス遺物の売買を思いついたのは、1969年のことである。

クーヤウは東ドイツに住む親族を通じて新聞に広告を出した。「求む、研究資料──古い玩具、鉄兜、水差し、パイプ、人形など」。東ドイツ政府はナチスに関連する物品の取引を規制するため、1945年以前に製造されたその種の品々の輸出を禁じていた。それでも、西ドイツに密輸入されたナチス遺物が次から次に入荷し、クーヤウ自身の言葉を借りれば、それらに「溺れそうに」なるまで長くはかからなかった。

1974年になると、クーヤウの店には、銃や刀剣、ナチスの勲章一式、鉄兜150個、制服50着、ハーケンクロイツ旗30枚などの商品が、それこそ所狭しと並べられていた。高値で売るために、彼はそれらが本物だと証明する文書を偽造するようになる。たとえば、第一次世界大戦で使われた錆びついた古い鉄兜に、ヒトラーの副官ルドルフ・ヘスの署名を入れた偽のラベルを貼り付けた。そのラベルには、ヒトラーが1917年に着用したものだと書いてあった。

やがてクーヤウは、ヒトラーの筆跡だけでなく絵画も偽造できることに気づく。シュツットガルトで機械工場を経営する裕福な実業家フリッツ・シュティーフェルは、1975年から1980年にかけて、デッサンと油絵・水彩画、合わせて160点に加え、手書きの詩、演説原稿、手紙など80点をクーヤウから購入している。いずれも、ヒトラーの真筆という触れ込みだった。

1978年、クーヤウは1935年のナチ党年鑑を開き、ある日の総統のスケジュールを書き出した。それから東ベルリンで買っておいた学習

東ドイツに生まれた"コニー"・クーヤウは、偽造したナチス遺物で小遣い稼ぎをしていたが、やがて"ヒトラーの日記"を捏造したことが明らかになった。

用ノートを1冊おろして、ヒトラーの筆跡をそれらしく真似ながら、内容を記入していった。シュティーフェルは目の色を変えてそのノートに飛びついた。

ここで、ゲルト・ハイデマンというジャーナリストが登場する。彼はハンブルクで『シュテルン』という雑誌の記者をしており、元ナチ党員に何人も知り合いがいた。1980年1月、ハイデマンはシュティーフェルに会い、"ヒトラーの日記"を見せられたうえ、続きが26冊あるらしいと聞かされる。彼が日記の購入先の電話番号を突きとめ、シュツットガルトのクーヤウに電話をかけてきたのは、翌1981年の1月だった。

1983年の『シュテルン』誌。表紙にはナチス遺物の銃を構えるクーヤウの写真とともに、「『ヒトラーの日記』の提供者」という文字が躍る。

やがてクーヤウは、ヒトラーの筆跡だけでなく絵画も偽造できることに気づく。

ちはその場で支払いを承認した。日記1冊につき8万5000マルクに加え、『我が闘争』の原稿に20万マルク、さらには、クーヤウの残りのコレクションに50万マルク出すという。

　ハイデマンはその日のうちにシュツットガルトに飛び、クーヤウに現金20万マルクを渡している。その際、ゲーリングの礼装を進呈し、クーヤウを現金以上に興奮させた。クーヤウはそれから2週間で、捏造日記の続き3冊を完成させる。表紙には赤い蠟でドイツの国章である鷲の紋章を刻印し、日記が総統の所有であることを保証する"ルドルフ・ヘス"の署名入りラベルも偽造した。古さを演出するため、日記をあえて乱暴に取り扱い、いくつかのページには茶をこぼすことまでした。そして、今度はクーヤウのほうからハンブルクに赴き、日記をハイデマンに手渡した。グルーナー・ウント・ヤール社の上層部は日記を本物と確信し、関係者に秘密厳守を誓わせた。

退屈な中身で大金をせしめる

　クーヤウはそれから2年がかりで残りの日記を書き上げた。事実関係の確認さえ済めば、1冊埋めるのに数時間しかかからない。その多くは総統の公務の退屈な一覧であり、残りは歴史的な興趣に乏しい些末なメモや所感だった。グルーナー・ウント・ヤール社がそれらに支払っていた金額を単語数で割ると、1単語あたり200マルクになる。

　典型的な記述を2カ所挙げておこう。「バイエルンで突撃隊の指導者たちと面会し、メダルを授与せよ」「エーファにオリンピックの入場券を手配してやること」

　クーヤウは数週間おきにハイデマンに電話をかけ、東ドイツから──しばしばピアノの内部に隠されて──ブツが入荷したと伝えた。その都度、ハイデマンは多額の現金をかき集めてシ

クーヤウは日記なら確かに存在すると請け合い、絵や原稿もまだたくさんあると告げた。その中には、全2巻とされる『我が闘争』(ヒトラーの半生を綴った自伝)の第3巻や、ヒトラーが若気の至りで書いたオペラの台本まで含まれているという。クーヤウによれば、いずれも東ドイツ在住のさる退役将軍が所有しているが、西側に密輸出することは可能とのことだった。

　興奮冷めやらないハイデマンは『シュテルン』誌の歴史部長トーマス・ワルデの協力を仰ぎ、残りの日記を200万マルクで買い取るという提案を行った。そのうえで、ワルデと2人でこの発見の詳細を企画書にまとめ、『シュテルン』誌の親会社グルーナー・ウント・ヤール社の上層部との極秘会合の席で提示する。幹部た

ュツットガルトに飛び、日記を受け取った。ただし、クーヤウには日記1冊につき5万マルクしか渡さず、残りの3万5000マルクはこっそり自分の懐に入れていた。しばらくしてから、ハイデマンは「日記1冊の値段が突然10万マルクに吊り上がった」と出版社に伝える。例の将軍が東ドイツの政治家に賄賂を支払わなければならないからだという。欲に囚われたグルーナー・ウント・ヤール社は、この値上げをのんだ。

偽日記の連載

　グルーナー・ウント・ヤール社は当初、ヒトラー政権誕生からちょうど50年が経つ1983

年の1月から、日記の抜粋を『シュテルン』に連載するつもりだった。ところが、シンジケート権（連載権）の販売という誘惑には抗えず、1983年の2月、『ニューズウィーク』と『タイム』の両誌に加え、フランスの『パリ・マッチ』誌、スペインの『エル・パイス』紙にも日記掲載の話を極秘裏に持ちかけた。

最初の手がかり

　それまでのところ、文書の真贋を確認する作業はほとんど行われていなかった。ワルデが1982年の7月に若干のサンプルを警察の法科学部門に送っていたが、結果の報告はまだ

1983年4月24日付の『サンデー・タイムズ』の1面。日記はすでに捏造の疑いをかけられていたが、掲載は強行され、当然ながら、各誌の売上は大幅な伸びを記録した。

なかった。ところが、翌年3月の末、警察の鑑識官から発表があった。9つのサンプルを精査したところ、そのうちの少なくとも6つから、1946年まで使われていなかった紙面漂白剤が検出されたというのである。ハイデマンから電話を受けたクーヤウは、その漂白剤は1915年から使われていると理解していると答えて突っぱねた。ワルデもハイデマンも、この鑑識結果を『シュテルン』に伝えていない。

そんな中、ロンドンのタイムズ新聞グループに日記掲載の打診があった。4月1日（あとで分かるのだが、この日は重要な日だった）、『タイムズ』紙の編集局次長が独立制作顧問の1人であるデイカー侯ヒュー・トレバー＝ローパーに電話をかける。『ヒトラー最期の日』の著者として名高いこの歴史学者に、日記を見て意見を聞かせてほしいというのである。日記はスイスの銀行に厳重に保管されていたため、トレバー＝ローパーはわざわざチューリヒまで出向き、現物を見たうえで、日記は本物だと太鼓判を押した。

情報漏洩

タイムズ新聞グループのオーナー、ルパート・マードックは、日記の公表日程を次のように決めた。まず、4月24日の『サンデー・タイムズ』に載せ、翌日に『シュテルン』、翌々日に『ニューズウィーク』、そのまた翌日に『パリ・マッチ』に掲載する。しかし、公開間近という情報は、どうしても外部に漏れてしまうものだ。4月22日の夕刻、過激なヒトラー擁護派として知られる歴史家デイビッド・アービングがBBCのテレビ番組に出演し、日記は紛い物だと公言する。

一度は日記が本物だと請け合ったトレバー＝ローパーも考え直し、『タイムズ』の副編集長に電話で懸念を伝えてきた。しかし、米国でこの知らせを聞いたマードックの反応は、いかにも彼らしいものだった。「デイカー侯がなんだ。構わんから発行しろ！」

そんなわけで、英国、ドイツ、米国、フランスで、"ヒトラーの日記"の第1弾が予定通り新聞・雑誌の紙面を飾った。ところが5月2日、『シュテルン』にベルリンの連邦材料検査局からようやく詳しい鑑定結果が送られてくる。それによると、日記からは、1943年にはまだ製造されていなかった合成繊維と、1953年以降に作られるようになったポリエステルが検出されたという。また、『ニューズウィーク』が鑑定を依頼した筆跡の専門家は、日記が捏造されたものであるかもしれないと強く疑っていた。

この知らせを聞いたクーヤウはシュツットガルトから逃げ出すが、1週間後には自ら警察に出頭した。グルーナー・ウント・ヤール社が支払った930万マルクはすべてクーヤウに渡したとハイデマンが主張していることを知り、クーヤウは犯行を自白し、「ハイデマンは日記が捏造であることを初めからずっと知っていた」と断言した。

偽造・捏造ファイル **FORGER'S FILE**

ムッソリーニの日記

ファシストの独裁者がつけた日記が売りに出されたのは、ヒトラーが最初というわけではない。1957年、アマリア・パンビーニというイタリア人の女が、84歳の母親とともに、ベニート・ムッソリーニのものだと称する日記30冊を世に送り出した。ムッソリーニの息子も騙されたようで、日記を鑑定した専門家すら、次のように断言している。「30冊もの手稿が1人の人間による偽造だなどということはあり得ない。これは天才の仕事だ」

　クーヤウは偽造・捏造によって150万マル
クを騙し取った罪に問われ、4年半の実刑を言
いわたされた。一方、ハイデマンの容疑は横領
で、検察はその額を460万マルクと推計した
が、起訴されたのは170万マルクについての
みで、刑期は4年と8カ月に落ち着いた。結局、
500万マルクを超える金の行方が分からなかっ
た。ちなみに、グルーナー・ウント・ヤール社

が見積もった自社の被害総額は、1900万マル
クに上る。

　日記を掲載した『サンデー・タイムズ』は発
行部数を6万部伸ばした。ルパート・マードッ
クは事件を次のような言葉で総括している。
「なんだかんだ言っても、これは娯楽産業なん
だ。部数は伸びたし、その後も下がらなかった。
我々は損をしていない」

モルモン教徒の爆弾魔

マーク・ホフマンは1954年、ソルトレイクシティーの敬虔なモルモン教徒の家庭に生まれた。オリンパス高校では目立った生徒ではなく、学業よりもモルモン教徒の古銭を集めることに熱を上げていた。ところが、1973年の卒業後まもなく、イングランド南西部の都市ブリストルに伝道師として派遣されたことが転機となる。町に古書店が充実していることを知ったホフマンは、モルモン信仰に関する古い書物を買い集めるようになったのである。

マーク・ホフマン。1984年の撮影当時、モルモン教関連文書のディーラーおよびコレクターとして絶頂期にあった。手に持っているのは『モルモン書』の初版本。

ソルトレイクシティーに戻ったホフマンはユタ州立大学の医学コース予科に入学する。それから半年ほど経った1980年の4月、彼は知人に1688年版の欽定訳聖書を見せ、その中に挟んであったのを見つけたと言って、折り畳んで糊で貼られた1枚の紙を差し出した。紙の裏側には、相当にかすれたインクで次のように書かれていた。「これらの文字は、私自身が黄金の板からこつこつ書き写し、マーティン・ハリスに与えたものである――ジョセフ・スミスJr.」

糊を剥がして広げると、紙には記号と線画がびっしりと描かれていた。それは、マーティン・ハリス（右ページのコラムを参照）が専門家に見せるため1828年にニューヨークに携えていったという紙の描写と一致している。モルモン教会の長老たちは文書を本物と認め、ホフマンには褒賞として『モルモン書』の初版本と2万ドル超相当の古いモルモン通貨を与えた。ホフマンは大学を中退し、今後は稀覯本のディーラーとしてやっていくと公言した。

1981年初頭、ホフマンは初期のモルモン教文献をさらに2点発掘し、教会からまたもや2万ドル超相当の褒賞を受け取った。その翌年、今度は罫線入りの紙に鉛筆で書かれた書簡を売りに出す。マーティン・ハリスの署名が入ったそれは、「ジョセフ・スミスJr.が天使から金版のありかを示された」とする従来の教会の教えを覆すものだった。それからまもなく、ホフマンは1829年の日付が入った、おそらくジョセフ・スミスJr.の実母が書いたと思われる手紙を見つけたと主張。いずれも教会が真筆と認め、マスコミはホフマンを「古文書界のインディ・ジョーンズ」と呼ぶようになった。

"失われた"モルモン書

稀覯本のディーラーとして商売を始めてから3年も経たないうちに、ホフマンは書物や肉筆文書を幅広く取り扱うようになっていた。内容ではなく古い消印目当てで手紙を集めているコレクターから買い取ったものが多い――本人はそう説明している。月に1度か2度はニューヨークに飛び、サザビーズやクリスティーズのオ

『モルモン書』

　ジョセフ・スミスJr.（1805〜44年）はニューイングランド地方の貧しい家庭の三男坊として生まれた。一家はその後、ニューヨーク州のファイエットに移ってくる。スミスJr.はのちに、モルモン教会（正式には末日聖徒イエス・キリスト教会）を創設した。この教会の教えは、聖書に加え、1823年9月に天使から授けられたとスミス・Jr.自身が主張する『モルモン書』に基づいていた。モロナイと名乗るこの天使は、「改良エジプト文字」が刻まれた多数の金版をスミスに見せる。それは、スミス家が営む農場にほど近い丘に隠されていた。モロナイによれば、金版はその場所に1400年もの間埋められていたのだという。それから4年経った1827年の9月22日、天使はようやくスミスJr.に金版の一時的な所有権を与え、刻まれた文章を解読するのに必要な魔法の石、「ウリムとトンミム」もスミスJr.の手に委ねた。

　1830年3月26日、スミスJr.は金版の内容を翻訳した『モルモン書』を出版する。それには、紀元前600年頃、リーハイという預言者に率いられたヘブライ人の一団が、イスラエルの地を離れて米国に渡ってきた経緯が綴られていた。米国に到着した一団は、2つのグループに分かれて敵対する。1つはリーハイの息子ニーファイに付き従う者たち、もう1つはニーファイの兄レーマンの支持者たちだった。レーマン派の人々（レーマン人）は邪な行いの

野外天幕集会でモルモン信仰を説くジョセフ・スミスJr.。

ため神に呪われ、肌の色を浅黒く変えられてしまい、その後何世紀にもわたってニーファイ派（ニーファイ人）と争った。やがて、第421年、ニーファイ派が戦いに敗れて一掃されてしまう。唯一生き残ったのが、モルモンという名の父を持ち、聖なる金版に文字を刻んだ預言者モロナイだった。

　『モルモン書』の冒頭から116ページまでの部分は「リーハイ書」と呼ばれるが、その原稿はスミスJr.から一番弟子のマーティン・ハリスに委ねられて以来、行方知れずになってしまい、いまだに見つかっていない。

ークションに顔を出す。掘り出し物を競り落とす資金が必要なときは、モルモン教徒の仲間から裕福な投資家を見つけることができた。挙句の果てには、マーティン・ハリスが紛失したという『モルモン書』の冒頭116ページ分の行方を追っているとさえ豪語した。そんなホフマンは1985年、ひと握りの近しい知人たちに、米国史上最も有名な行方不明文書を発見したと打ち明ける。

　それはマサチューセッツに最初に入植した人々が誓い合った『自由民の誓詞』と呼ばれる小ぶりな一枚紙で、1639年発行という新世界最古の印刷物だった。50部ほどしか刷られず、そのすべてが逸失したが、内容だけは伝わっている。ニューヨーク東59丁目のアルゴシー書店で古紙を何点か買った際に混じっていた、と

右：古文書ディーラーとして成功したかに見えるマーク・ホフマン（ユタ州ソルトレイクシティーにあるモルモン教会本部の前で）。

右ページ：ホフマンが偽造した『自由民の誓詞』。西半球で初めて印刷された英語文書として、その存在だけが知られていた。

ホフマンは説明した。見てみると、同じ業者が1640年に印刷した『ベイ詩篇書』（ニューヨーク公共図書館所蔵）によく似ている。ホフマンはこの『自由民の誓詞』を100万ドルで米国議会図書館に売り込んだ。

　モルモン教会はホフマンの"発見"をせっせと買い取ったが、両者の仲立ちをした人々の中に、ソルトレイクシティーの財務コンサルタント会社、コーディネイテッド・フィナンシャル・サービシーズ（CFS）の重役2人がいた。J・ゲーリー・シーツとスティーブ・クリステンセンである。1985年、CFSは深刻な財政難に陥り、裁判所に破産を申し立てていた。ホフマンもまた金遣いの荒さがたたって多額の借金を抱えており、自分の問題から周囲の関心を逸らすための方法を考えていた。同年10月15日の朝7時、クリステンセンがオフィスの入り口で手にした小包が爆発する。

　同じ日の午前9時45分、同様の爆弾がシーツの妻を自宅で即死させた。警察は夫を狙った犯行と推定。標的が2人ともCFSの関係者

だったことから、アルコール・煙草・火器及び爆発物取締局（ATF）は、同社の経営不振のとばっちりを受けた恨みによる犯行の可能性を示唆した。翌10月16日の午後2時30分、ホフマンがモルモン教会本部にほど近いメイン・ストリートに停めた車のロックを解除しようとした瞬間、3つ目の爆弾が炸裂し、ホフマンは重傷を負った。

　瀕死の状態で病院のベッドに横たわるホフマンは、何も知らない犠牲者にしか見えなかった。しかし、爆弾の作り手を追う捜査官たちは、苦心の末、ホフマンが『自由民の誓詞』の製版を依頼した版画工房を突きとめる。証拠は決定的だった。1986年5月の予備審問を経て、ホフマンは殺人および詐欺の罪状で出廷を命じられた。1987年1月、ホフマンは郡検察局の検察官2人の前で犯行を自供し、同月23日、同じ内容を法廷で陳述した。裁判長は被告人に終身刑を言いわたした。

余罪

　ホフマンが売りつけた一見、本物に見える書物や文書のうち、どれほど多くが紛い物だったのか——今となっては誰にも確かなことは言えないだろう。1997年、それまで知られていなかったエミリー・ディキンソン（1830～86年）の詩の手稿がサザビーズで競売にかけられ、詩人の故郷マサチューセッツ州アマーストのジョーンズ図書館が落札した。これはのちに、マーク・ホフマンが捏造したものだったことが判明している。

偽造の手口

　偽造はどうやって暴かれたのか。『自由民の誓詞』を偽造することに決めると、ホフマンはまず、ちょっとした"仕込み"をした。彼はいかにも古そうな紙切れに、取るに足らないバラッド・シート（路上で歌いながら、その歌を印刷した紙を売るという、15世紀の英国で生まれた新しいスタイルのバラッド）を古めかしい活字で印刷し、それに『自由民の誓詞』というヘッダーをつけ、25ドルの値札を貼ると、アルゴシー

THE OATH OF A FREEMAN.

I·AB· being (by Gods providence) an Inhabitant, and Freeman, within the iurifdictiō of this Common-wealth, doe freely acknowledge my felfe to bee fubject to the governement thereof; and therefore doe heere fweare, by the great & dreadfull name of the Everliving-God, that I will be true & faithfull to the fame, & will accordingly yield affiftance & fupport therunto, with my perfon & eftate, as in equity I am bound: and will alfo truely indeavour to maintaine and preferve all the libertyes & privilidges thereof; fubmitting my felfe to the wholefome lawes, & ordres made & ftablifhed by the fame; and furrther, that I will not plot, nor practice any evill againft it, nor confent to any that fhall foe do, butt will timely difcover, & reveall the fame to lawefull authoritee nowe here ftablifhed, for the fpeedie preventing thereof. Moreover, I doe folemnly binde my felfe, in the fight of God, that when I fhalbe called, to give my voyce touching any fuch matter of this ftate, (in which freemen are to deale) I will give my vote & fuffrage as I fhall judge in myne owne confcience may beft conduce & tend to the publick weale of the body, without refpect of perfonnes, or favour of any man. Soe help mee God in the Lord Iefus Chrift.

書店の特売コーナーに紛れ込ませた。それを
ほかの特売品4点と一緒にレジに持っていき、
51ドル42セントの会計を済ませ、内訳を記し
た領収明細書を切ってもらった。こうしてホフ
マンは、偽造文書の"出所証明"を手に入れたの
である。

　ホフマンは次に、『ベイ詩篇書』の復刻版か
ら数ページをコピー機で複製し、文字を1つ1
つ切り抜いて貼り付けるというやり方で『自由
民の誓詞』の文章を作成、その文章を、同じく
『ベイ詩篇書』から複製した花柄の飾り枠で囲
った。

　完成した切り貼りを再度コピー機で複製し、
それをプロセス製版工に渡して凸版印刷用の
亜鉛製版木を作らせた。『自由民の誓詞』の原
本は、金属製の活字からそのまま印刷されたも
のだろうから、ホフマンはそれを踏まえ、版木
のさまざまな文字の角を丸くしたり表面を削っ

『ベイ詩篇書』の扉。ホフ
マンはその復刻版をコピー
して、『自由民の誓詞』
を偽造する際の活字見本
として使った。

たりすることで、微妙な凸凹をつけた。

　インクは、炭素年代測定法にかけられたとき
に300年以上前のものと判定されるように、
17世紀の書物の装丁から切り取った皮革を燃
やし、その灰を亜麻仁油と混ぜ合わせて作っ
た。紙にも、やはり17世紀の書物から切り取っ
た遊び紙を使った。古びた感じを出すため、紙
にあえてカビを生じさせ、「フォクシング」と呼
ばれる古書特有の茶色い染みを散らせるなど
の工夫も凝らした。仕上げに、ガラスケースを
利用した自作のスパーク発生装置に紙を入れ、
形成されたオゾンによるインクの酸化・退色を
起こさせて、やっと完成である。

　多くの歴史文献専門家が、真贋を判断する
のは不可能だと白旗を掲げたので、『自由民の
誓詞』はカリフォルニア大学デービス校に送ら
れた。巨大なサイクロトロンに入れて、インクを
中性子放射化分析にかけるためである。1986
年の春、『自由民の誓詞』と真正の『ベイ詩篇
書』を比較したところ、両者のインクは同一の
ように見えること、そして、『自由民の誓詞』が
偽造であることを示す要素は検知されなかった
ことが報告された。

　それでは、肉筆文書についてはどうか。ホフ
マンが売った肉筆文書にどれか1つでも偽造・
捏造したものがあるかどうか、アリゾナ州科学
捜査研究所の文書分析官ウィリアム・フリンに
意見が求められた。対象の文書を顕微鏡で改
めたフリンは、インクの表面にかすかなひび割
れがあることに気づき、頭をひねる。本物と判
明している文書のインクに、そのようなひび割
れは見られなかったからだ。また、インクが紙
に浸み込んだことを示す痕跡も複数見つかった。
まるで、紙を何かの溶液に浸してから乾かした
かのようである。

　フリンは古い製法に則ってインクを調合して
みた。しかし、それで書いた文字は滑らかつ
黒々としていて、ホフマンの古文書に見られる
ような茶変を呈さない。水酸化ナトリウム（苛性
ソーダ）の希薄溶液に浸しても、色合いは正し
く再現できたが、ひび割れは生じない。それで
はと、濃度を増してより早く乾くようにするため

にアラビア・ゴムを加えたインクを試してみた。それを水酸化ナトリウム溶液で処理すると、今度はインクの表面にひび割れが生じた。その結果フリンは、「ホフマンがモルモン教会に売った古文書79点中21点は本物かどうか疑わしい」とする報告を上げることができたのである。

殺人者の誤算

『自由民の誓詞』が偽造されたものに違いないと見抜いたのは、凸版印刷工として17年働いた経験を持つ異色の郡検察官セオドア・キャノンだった。そもそも、活字というのは土台となる「ボディ」の上に鋳造される。当然ながら、ボディのサイズ（縦の長さ）は、文字の最上部（アセンダ）と最下部（ディセンダ）の間の距離よりも大きい。したがって、ある行のディセンダが次の行のアセンダに、ボディのサイズによって生ずる距離よりも近づくことはあり得ない。ところがホフマンの印刷物には、肉眼で見てもそれが当てはまらない場所がいくつかあったのである。

もう1つ、文章を取り囲む花柄の飾り枠の問題もあった。1つ1つの活字が拾われて文章に組み上げられると、「ファニチャー（込め物）」と呼ばれる長い金属片で固定されてから、その周囲に枠が置かれる。ホフマンはそれを考慮しなかったので、文章と枠の間に十分な余白が作られなかった。このことは、問題の『自由民の誓詞』が活字に組まれたものではないということを決定的に証明していた。

本物の『ベイ詩篇書』の見開き。ここに見られる17世紀の活字書体を、ホフマンは『自由民の誓詞』の偽造に利用した。

CHAPTER 4
考古遺物の捏造
PHONY PREHISTORY

何世紀も前の遺物に見えるものを作ることには
抗しがたい魅力があるようだ。
その存在に言及する過去の記録が残っていないため、
プロブナンス（来歴）は疑問視されにくい。

先史時代の遺物を偽造・捏造する人々はたいてい、それらを（ときには本物の遺物とともに）"発掘"したと主張する。実際、金属探知器を手にした現代のアマチュア考古学者たちが示してきたように、最も胸躍らせる発見の中には、「まさかそんなところから」という予想外の場所でなされたものが珍しくないのだ。美術品の贋作者と同様、こうした捏造師たちは複雑な動機に突き動かされていることが多く、必ずしも金銭的な利益にこだわらない。ルホモフスキーや"フリント・ジャック"のケースのように、自分のスキルを生かせるという純粋な喜びから捏造に手を染める場合もある。また、芸術家として成功できず、やむなく贋作に走る者のように、専門家と言われる人々の鼻を明かすことを目的とする手合いもいる。さらには、名誉欲という動機が見られる反面、愉快犯も相当数いるように見受けられる。

左ページ：死海文書が出土したイスラエル、クムランの断崖絶壁。1883年にモーゼズ・シャピラが売りに出した同様の巻物は、捏造のそしりを免れなかった。

左：新聞に掲載されたカーディフの巨人の想像図。

「失われた環」を見つける

先史時代の捏造の例として最も有名なのは、ピルトダウン人の頭骨だろう。チャールズ・ダーウィン（1809~82年）は1871年、『人間の由来』を出版し、人類が猿に似た祖先から徐々に進化したとする自説を発表した。それよりも15年前、ドイツのデュッセルドルフからほど遠からぬネアンデルタール（ネアンデル谷）の洞窟で、人間のものに似た化石骨格がすでに発見されている。1886年にはベルギーのスピー洞窟で同様の骨格が2体出土したのを皮切りに、「ヒト科動物」の化石はほかにも、1891年にジャワ島で、1907年にはドイツでも見つかった。しかし、それらはいずれも現生人類に似た頭骨の特徴を備えていない。彼らと我々をつなぐ中間形態は、果たして存在するのか――20世紀初頭の人類学者たちは、進化論を裏付ける「失われた環（ミッシングリンク）」が見つかる可能性に取り憑かれた。

1908年、アマチュア地質学者で弁護士のチャールズ・ドーソン（1864~1916年）は、人間の頭骨の一部を手に入れた。イングランド南東部、サセックス州ピルトダウンの砂利採取場で掘り出されたものだという。1912年、ドーソンは大英博物館（ロンドン自然史博物館）の地質学部門門長を務めるアーサー・スミス・ウッドワードと共同で調査を行い、最初の発見現場の近くで、大臼歯が残った、猿のものとも取れる顎の骨を掘り出す。

1912年12月、2人はこの"ピルトダウン人"の頭骨をロンドン地質学界の会合で披露し、場内を騒然とさせた。頭骨は明らかに人間のものだとウッドワードは言う。顎は原始的で、猿のそれに似ているかもしれないが、大臼歯の咬合面が人間にしか見られない摩耗具合を呈しているとも。ドーソンとウッドワードは同じ発掘現場から石斧、骨角器（動物の骨を加工して作った道具）、動物の化石も見つけており、それらから、骨はおよそ50万年前のものと推定された。

この「失われた環」は"ドーソン原人"と名づけられ、化石の存在を世に知らしめたドーソンは一躍時の人となったが、ほかの人類学者た

ちは懐疑的で、「発見された頭骨の半分が、もう半分と異なる時代に生きた異なる種のものである」可能性を示唆した。しかし、1915年にピルトダウンから3キロほど離れた場所で同じような頭骨が新たに見つかると、懐疑派はほぼ沈黙する。ドーソンが他界したのは、それから数カ月後のことだった。

> この「失われた環」は
> "ドーソン原人"と名づけられ、
> 化石の存在を世に知らしめた
> ドーソンは一躍時の人となったが、
> ほかの人類学者たちは懐疑的で、
> 「発見された頭骨の半分が
> もう半分と異なる時代に生きた
> 異なる種のものである」可能性を
> 示唆した。

その後、世界各地で太古の頭骨が発見された。中にはピルトダウンで見つかった骨よりもはるかに古い年代のものもあり、それらから1つの事実が明白になった。100万年を超える歳月をかけて、ヒト科動物はまず現生人類に似た顎と歯を備えるようになったのであり、大きな頭骨を発達させたのはそのあとだったということである。これにより、"ピルトダウン人"がどのような存在であれ、「失われた環」でないことだけははっきりした。

人間ではなくオランウータン

1949年、すべてが明らかになる。標本が周囲の環境からどれだけフッ素を吸収しているかを調べる許可が、大英博物館のケネス・オークリーに与えられたのである。その結果、頭骨は一緒に見つかった動物の化石よりもはるかにあとの時代のものであることが分かった。再度の検査では、顎の骨は頭骨よりもさらに新しいことが判明。さらに分析を進めると、頭骨は古く見せるために硫酸鉄で着色されていること、顎の骨はオランウータンのもので、やはり古色

を出すために重クロム酸カリウムで着色されていること、そして大臼歯はやすりで削られていることが明らかになった。石斧も着色されており、骨角器には金属製の道具で手を加えられた痕跡があった。ここまで来ると、もはや疑う余地はない。"ピルトダウン人"など、はなから存在しなかったのである。すべてが捏造だったという事実が正式に公表されたのは、1953年のことだった。

1959年には、年代の偽装がどの程度だったのか、より詳しい調査結果が明かされた。炭素年代測定により、最初に発見された頭骨が従来考えられていたよりもさらに新しいものであることが判明したのである。それは先史時代どころか、ほんの600年前のものに過ぎなかった。さらに、骨が発見された砂利採取場のすぐ

後ろに伝染病死者を葬るための「プレイグ・ピット」があり、そこに、1348年から1350年にかけて猛威を振るった黒死病の犠牲者が埋葬されていることも分かった。"ピルトダウン人"は、そうした不幸な犠牲者たちの1人である可能性が高いように見えた。

捏造は誰の仕事だったのか

手を下したのはドーソン自身だというのが、長らく世間一般の見方だった。本人も、強度が増すと考えていくつかの骨片を重クロム酸塩に浸したことを大っぴらに認めている。しかし、それで決定的な証拠のすべてが説明されたわけではない。むしろドーソンは、このでっち上げ事件の最初の犠牲者だったのかもしれない。彼は確かに騙されやすいたちだった。自分のもと

フランスの若き古生物学者ピエール・テイヤール・ド・シャルダン(左端)とアーサー・スミス・ウッドワード(その隣)。1912年、ピルトダウンの発掘現場にて撮影。

解剖学者アーサー・キース（ロンドンの王立外科医師会付属博物館にて撮影）。人類学者でもあった彼はピルトダウン騒動にすっかり乗せられ、発見された骨は本物だという思い込みを生涯捨てなかった。

に持ち込まれた発見物をほかにもいろいろと地元の博物館に見せているのだが、それらは真っ赤な偽物だったことが判明している。

しばしば疑いの目を向けられるのが、フランスのイエズス会士で古生物学者でもあったピエール・テイヤール・ド・シャルダン（1881～1955年）である。ド・シャルダンは1912年から翌年にかけて、ドーソンとウッドワードを手伝っている。ピルトダウンの頭骨が人間のものであることを確信させる重要な手がかりとなったのが犬歯であるが、これを採取したのがド・シャルダンであり、彼の立場なら、それをあらかじめ発掘現場に仕込んでおくことは簡単だった。しかし、ド・シャルダンには古生物学者としての、また思想家としての立派な業績があり、この種のでっち上げにそれと知りながら関わったとは考えにくい。

1980年代になって、真犯人の可能性がある人物が2人浮上した。1人は、サセックス州の公的分析官で1941年に他界したサミュエ

ル・ウッドヘッド。もう1人は、ロンドン大学の化学教授ジョン・ヒューイットである。後者は事件から約40年後、昼食の席で2人の女性に「自分がやった」と打ち明けたという。ただし、これは冗談だったのかもしれない。ほかにも多くの名前が容疑者として挙がっており、その中には、あのアーサー・コナン・ドイルもいる。そう言えばドイルの著作には、南米のジャングルの奥地に今なお先史時代の生き物が生息しているという設定のSF小説『失われた世界』（1912年）がある。疑いをかけられた者の中には、真犯人が誰か知っていると語る者もいたが、彼らがその名を明かすことはなかった。

羊皮紙の断片

モーゼズ・ウィルヘルム・シャピラ（1830～84年）の経歴には謎めいた点が多い。彼はそうと知りながら古代陶器の捏造品を扱ったのだろうか？　それとも、彼自身何も知らないカモに過ぎなかったのだろうか？　彼が買い入れた羊

皮紙の断片の出所は、63年後に発見される死海文書の出所と同じだったのだろうか？　それとも、それらは捏造されたものだったのだろうか？　羊皮紙の断片はその後どうなったのか？　シャピラは現在のウクライナで、ポーランド系ユダヤ人の家庭に生まれた。25歳のとき父親のあとを追ってエルサレムにやってくると、キリスト教に改宗し、1861年には聖地を訪れる観光客相手の土産物屋を開いた。

　1868年、死海の東に位置するディーバンで、高さ1メートルあまりの黒色玄武岩の碑石が発見された。細かくして高値で売ろうとした地元民によって割られてしまったこの碑石を、パリのルーブル美術館が引き取って復元。碑石に刻まれた碑文は、紀元前9世紀頃シリアに古代王国を築いたモアブ人の実態を詳らかにするものだった。モアブ人に関しては従来、聖書ぐらいしか情報源がなかったのだから、非常に貴重な史料である。この碑石をもとに、モアブ人が使っていたアルファベットと言葉を再構築することができたのも大きい。

　この発見によってモアブ人に対する関心が高まる中、シャピラも1873年には、置物、頭像、水差し、エロチックな小物といった "モアブの陶器" を、碑石と同じ地域から出土したものだと称して売るようになっていた。それらの中には、モアブ語で文章が刻まれた物もあった。シャピラはそうした古代の工芸品約1700点をベルリン博物館（現・旧博物館）に売り、さらなる発掘作業の資金を得た。ところが、フランスの学者で外交官のシャルル・シモン・クレルモン＝ガノーが、それらの陶器はシャピラに雇われていた可能性のあるアラブ人の陶工サリム・アル＝カリの手になる捏造品であることを立証する。シャピラは潔白を主張し、すべては陶工が仕組んだことだと言い張った。

失った信用

　この一件が、シャピラのその後の人生に影を落とすことになる。シャピラ本人によると、彼は1878年頃、死海地方の峡谷にある洞窟から出土した羊皮紙の断片15枚を購入したとい

う。縦横の長さは平均すると8.9センチ×17.8センチ。各断片に綴られたヘブライ語は非常に古い時代のもので、紀元前6世紀よりも前までさかのぼると推定された。これは聖書の写本に違いないと踏んだシャピラは、現物をドイツ人の専門家に送って助言を求めた。ところが、そのドイツ人はシャピラが例の陶器捏造事件に関わっていたことを覚えていて、協力を拒んだ。

　そこでシャピラは自ら翻訳に取り組み、1883年にすべてを訳し終える。その結果、羊皮紙に綴られた文章は、聖書を構成する書物の1つである申命記の一部と分かった。しかも、紀元前3世紀に作成され、後世の聖書のほとんどがそれを参考にしたというギリシャ語訳聖書、「七十人訳聖書（セプトゥアギンタ）」より300

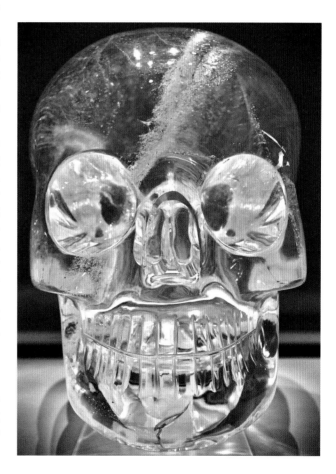

アステカの水晶髑髏とされる考古遺物（大英博物館所蔵）。30年以上、捏造品ではないかと疑われていたが、英国の専門家グループが2005年1月に電子顕微鏡で調べたところ、宝石研磨用のホイールで磨かれたものであることが判明した。

シャピラの巻物は
本当に偽物だったのだろうか？
聖書研究の貴重な資料が
永遠に失われてしまったとは
考えられないだろうか？
もしそうだとしたら、
無実の人間を絶望させ、
自殺に追いやったことになるのでは？

年から400年は古いもののようだ。内容は七十人訳聖書に似ていたが、細かな点で多くの違いが見られた。

巻物断片の精査

　シャピラは巻物を持ってロンドンに赴き、大英博物館に100万ポンドで売りつけた。博物館は専属の専門家クリスチャン・ギンズバーグに鑑定を依頼したが、その報告を待つ間に断片2点を展示したので、多くの見物客が詰めかけた。その中には、"モアブの陶器"が紛い物だと暴いたクレルモン＝ガノーもいた。彼は巻物断片を間近で見ることをシャピラに拒まれたが、それでも報告書を作成し、ギンズバーグよりも早く発表した。2人の結論は同じだった——羊皮紙は偽造されたものである。まず、巻物断片はいずれも上辺がきれいに裁断されているのがおかしい。そして、文字の綴りに誤りが散見されることから、古ヘブライ語に馴染みの薄い者に書き取らせた疑いがあった。クレルモン＝ガノーはのちに、羊皮紙の断片のうちの1枚は、シャピラが以前大英博物館に売ったイエメン出土の本物の巻物から切り取ったものだと断定している。

　借金で首が回らなくなり、今度こそ完全に信用を失ったシャピラは、1884年、オランダのロッテルダムにあるホテル・ブルーメンダールで自ら命を絶った。その2年後、羊皮紙はロンドンで競売にかけられ、わずか10ギニーで落札されている。1887年、持ち主の家の火災でお

そらく焼失したと思われるが、のちにオーストリアでその噂が聞かれたという話もある。

　一方、イスラエルのクムラン洞窟からは、1947年以来、羊皮紙の巻物が大量に出土し続けている。死海文書と呼ばれるそれらは、シャピラの巻物同様、古代の書体で文章がしたためられているだけでなく、多くは一辺がきれいに裁断されている。さらにはその内容も、現在普及している聖書とは細かい点で異同がある。にもかかわらず、専門家はそれらを本物と信じて疑わない。となると当然、次のような疑問が残る。シャピラの巻物は本当に偽物だったのだろうか？　聖書研究の貴重な資料が永遠に失われてしまったとは考えられないだろうか？もしそうだとしたら、無実の人間を絶望させ、自殺に追いやったことになるのでは？

サイタファルネスの王冠

　19世紀、ロシア南部の黒海北岸で、胸の躍るような考古学的発見が始まった。紀元前7世紀頃にその地方に定住していたスキタイ人の痕跡が見つかったのである。一帯にギリシャからの入植者がいたことは証拠によって裏付けられていたが、スキタイ人は従来、神話上の存在と考えられていた。しかし、そのスキタイ人が実在し、あまつさえギリシャ人から金細工を教わっていたことまで分かったのだ。発掘調査に立ち会った人々は、次々と掘り出される素晴らしい美術品を見て、スキタイの金細工師たちの技量に目をみはった。

　そして1895年、最も注目すべき"発見"が市場にもたらされる。それは豪華な装飾が施された純金の兜で、王冠として着用することを想定して作られたものだった。3層に分かれたこの頭飾りの中間層には、ホメロスの叙事詩『イーリアス』に登場する2つの場面が浮き彫りされ、一番下の層（帯状装飾部）には、狩猟や馬の調教、動物同士の闘いといった光景が描かれていた。王冠に刻まれたギリシャ文字の銘文によれば、オルビアという町の住民からスキタイ王サイタファルネスに献上されたものであるらしい。この王冠を売りに出したのは、シャプ

シェルレ・ホッホマンというロシアの雑穀商だった。彼はまずウィーンで高く売ろうとしたが、鑑定を任された考古学者たちから怪しまれ、本物だと認めてもらえない。それではと大英博物館に持ち込んだものの、やはり相手にされず、最後にパリのルーブル美術館に見せたところ、何と40万フランという目の飛び出るような金額で買い取ってくれた。

私が作った装飾棺を見てもらえば分かる！

　王冠が本物かどうかについて、多くの学者たちが意見を戦わせた。浮き彫りの中にはほかの古美術品から写し取ったように見えるものが混じっていること、また、装飾のモチーフのいくつかは、同じ古代でも異なる時期のものであることなどが指摘された。真贋論争は続いたが、1903年、パリのモンマルトルに住むフランス人画家が「王冠は自分が捏造したものだ」と告白したのをきっかけに事態が急展開する。このことを耳にした同じくパリに住むロシア人彫金師から『ル・マタン』紙に投書があり、それには「王冠をこしらえたのは親友のイズラエル・ルホモフスキーだ」と書いてあったのだ。ルホモフスキーはやはりロシア人の彫金師で、黒海沿岸の町オデッサに住んでいるという。

　ルホモフスキーはパリに召喚され、モーゼズ・シャピラの信用を失墜させたあのシャルル・クレルモン＝ガノーが委員長を務める調査委員会で審問を受けた。もっとも、シャピラと違い、ルホモフスキーはあっさり自分の仕業だと認める。くだんの王冠はホッホマンから注文を受け、本や骨董品を参考に作ったものだという。それを証明するため、彼は王冠を見ずにそのミニチュア・コピーをこしらえてみせた。捏造師は豪語する。「あんなのは芸術品じゃない。やっつけ仕事だよ。私が作った装飾棺を見てもらえば分かる！」この発言が評判になったのをいいことに、ルホモフスキーは自分の作品をサロン・ド・パリに多数出品し、賞までもらっている。展示された偽物の中には、その6年前に本物として市場に出回った角杯と胸甲も含まれていたとい

うから面白い。一方、ホッホマンについては、その後の消息は知れなかった。

グロゼルの謎

　1924年の3月、17歳のエミール・フラダンは、フランス中部のオーベルニュにあるグロゼルという小村の近くで父親の畑を耕していた。

サイタファルネスの王冠が現代の捏造品だと知れわたるや、盛んに風刺が行われた。これは、王冠をかぶった王が1896年に息を吹き返し、墓から出てきたところを描いた作品。

フラダン家はグロゼルに小さな博物館を建て、何年もかけて発掘された不思議な品々を展示した。

すると突然、犂を引いていた牛が足を取られ、窪み(の)に落ち込んでしまう。牛を助け上げ、土を取り除いてみると、窪みは縦がおよそ2.5メートルの卵型で、底は舗装されており、壺や粘土板、煉瓦、それにガラスの塊が置かれていた。煉瓦はガラスに似た薄い層に覆われている。どうやら牛は、図らずも中世のガラス窯を明るみに出してしまったようだ。その一帯では同様のガラス窯がいくつも見つかっていた。しかしフラダン一家は、エミールが発見したのは古代の墓だと確信する。

この発見の知らせは、グロゼルにほど近い都市ビシーに住む外科医でアマチュア考古学者のドクター・アルベール・モルレの耳にも届いた。モルレは現場を発掘調査する権利を購入する。ドクターとエミール・フラダンが特異な品々を大量に発見したのは、それからすぐのことだった。見つかったのは、壺、両性具有の人物像、粘土で採った手形、石鏃(せきぞく)などであり、小石や骨片には何世紀も前に絶滅した動物の姿が彫られていた。そして何より不可解だったのは、奇妙な表記体系で文章が刻まれた粘土板だっ

た。そこでは現代のラテン文字とそれ以外の記号が併用されており、文字の種類は全部で133個に及んだ。

出来すぎた発見？

ドクター・モルレの発掘した遺物には驚くほど一貫性がないこと、そして、それらに見られる様式が幅広い考古学年代にまたがっているという事実から、モルレかほかの誰か——多種多様な標本にモルレと同じような関心を持ち、しかもそれらを入手できる立場にある者——が発掘現場に"仕込んだ"可能性が取り沙汰された。しかしその一方で、フランスを代表する考古学者の1人であるサロモン・レーナックなどは、ドクター・モルレが1万年前のものと推定した粘土板こそ、「文字を書くという行為の起源はヨーロッパにある」という自説を裏付ける証拠だと確信した。

1927年、国際人類学会議が調査委員会を派遣して、グロゼルの発掘現場を検証させた。委員会の報告は否定的なものだった。小石と骨片には鋼鉄の工具が使われた形跡があり、

一部の陶器は水に浸ければ溶けてしまうほど軟らかい。どれひとつとっても太古の遺物であるはずがないというのである。それでもレーナックはくじけず、1928年に新たな発掘調査隊を組織する。手つかずに見える土を3日間かけて掘り返した結果、未発見の粘土板1枚を含むいくつかの遺物が出土した。それらに植物の根が絡みついていたという事実は、最近埋められたものではないことの証左と受けとめられた。ドクター・モルレも発掘を続け、フラダン家は彼の発見を展示する小さな博物館をオープンさせた。しかし、グロゼルの発掘現場に対する世間の関心は徐々に薄れていき、第二次世界大戦後の30年間というもの、議論はほとんど進まなかった。

やがて、大昔の陶器の年代を推定するのに、熱ルミネッセンス法（64ページ参照）という技術が広く使われるようになる。1974年、スコットランド、デンマーク、フランスの科学者たちが、この方法でグロゼルからの出土品を数次にわたってテストした結果、年代が紀元前700年から紀元後100年の間に絞り込まれた。これはドクター・モルレが提示した年代よりもはるかに新しく、また、骨片の1つを放射性炭素年代測定法にかけた結果とも一致していた。もっと古

グロゼルの畑に生じた窪み。ここで最初の出土品が見つかった。

い、紀元前1350年から同1200年のものと推定される遺物の破片もあったが、これはガラス窯から出た煉瓦の欠片とも考えられた。1983年、最初の発掘現場から約500メートル離れた場所で、厳重な警備のもと、改めて発掘調査が行われた。出土した遺物は数点にとどまったが、そのうちの何点かには例の謎めいた表記体系による銘文が刻まれていた。グロゼルの謎は、いまだに解き明かされていない。

捏造界の巨匠

その男はあだ名には事欠かなかった。いわく
"化石のウィリー""シャツなし""蛇のビリ

グロゼル事件の不可解な点

- 「グロゼル肯定派」は、熱ルミネッセンス法を用いたテストによって、石器時代の遺物ではないにせよ、発見物が大昔のものであることは証明されたと主張する。
- しかし、もし推定される年代が正しいのなら、当時すでに絶滅して久しい動物の絵が骨片に刻まれているのはなぜだろうか？
- ドクター・モルレはアマチュア考古学者であり、さまざまな時代のさまざまな標本を手に入れることができたのは間違いない。
- グロゼルで行われた最初の発掘は、文字通り「参加自由」だった。監視の目はなく、誰でも掘り出し物を——たとえそれが自分で持ち込んだものでも——見つけたと主張できた。

1927年国際人類学会議の決議によってグロゼルに派遣され、発掘現場を検証する調査委員会の面々。ドクター・モルレはここで、奇妙な表記体系で文字が刻まれた粘土板を見つけたとされる。

ー"骨"……。だが、いちばん通りが良かったのは、火打ち石という意味の"燧石男（フリント・ジャック）"である。この男、本名をエドワード・シンプソンという。シンプソンは1815年、イングランドはヨークシャーの港町ウィットビーにほど近い村スライツで生まれた。

　14歳のとき、シンプソンはアマチュア地質学者で歴史家のジョージ・ヤング博士に連れられ、化石探しに出かけている。のちに、やはり化石マニアだった地元医師の助手を務め、この医師が他界したのを機に自ら化石採集を開始、集めたものを業者に売るようになった。1843年、付き合いのある業者の1人から燧石の鏃を見せられ、複製を作ってもらえないかと頼まれる。"フリント・ジャック"はどうやら、燧石を薄く削いで鏃を作る方法を、誰に教わるでもなく理解していたようだ。完成した鏃は非常に出来が良かったので、すぐに次の注文が入り、気がつけば量産するようになっていた。ジャックの作った鏃は飛ぶように売れた。

　ジャックはまもなく活動の幅を広げる。"古代

の骨壺"を捏造し、高地の荒れ野に点在する埋葬塚で発掘したと称するようになった。また、"ローマ時代の一里塚"に碑文を刻み、それをいったん野に埋めておいてあとから掘り出し、誰かに売りつけるために荷車に乗せて運んだ。1867年、考古学の学術雑誌にある記事が掲載される。それは、ジャックの親しい知人が彼について書いたものだった。その中で、ジャックは「まさに捏造界の巨匠」と評されている。いわく、「セルト（鑿状の石製道具）、石鎚、古代の陶器、碑石、フィビュラ（留め金）、クワーン（碾き臼）、鎧……考え得る限りすべてのものを燧石で作ることができる。その作品は最も学識豊かな人々さえ欺き、世界中の蒐集家のキャビネットに飾られるのだ」

　もっとも、この評価は晩年のものだ。1846年以降ジャックは酒に溺れるようになり、イングランドのあちこちを根無し草のように転々とする放浪生活に入る。ロンドンに出てくる機会があれば、本物の化石と捏造した石器の両方を売った。あるとき「大英博物館を騙したのか」と

聞かれたジャックは、次のように答えている。「もちろん騙したとも！　あそこには私の作品がたくさんある。それも、良いものばかりがね」

さまよえるイカサマ師

　北部に帰ってきたジャックはいっときヨークの市立博物館に勤めるが、すぐにまた放浪生活に戻る。1852年、再びロンドンに出てくると、キングズ・カレッジの地質学教授ジェームズ・テナントのために教材用の標本セットを作ってやった。しかし、1カ所に落ち着くことができない性分は変わらず、酒代を得るために各地で商品を売り歩いた。彼が次にロンドンに姿を現したのは1861年のことである。そして翌年の1月6日、地質学会の会合に集まった出席者たちは、「薄汚れたぼろをまとい、頑丈そうな作業靴を履いた……45歳前後の日に焼けた男」が登壇したのを見て驚いた。その驚きは、ジャックが石器をこしらえる腕前を1時間超にわたって披露するに及んで、さらに大きくなったのである。

　やがてジャックはビールを買うために盗みを働くまでに落ちぶれ、1867年には1年の刑を宣告されてベッドフォード刑務所に収監された。捏造の腕が衰えるとともに救いようのないアルコール中毒患者と化したジャックは、少なくとももう一度刑期を務め、その数年後に救貧院で最期を迎えている。その全盛期から1世紀近く経った頃、ある考古学ライターがフリント・ジャックを称えて、現代の博物館助手の仕事に最適な資質の持ち主だったと書いた。「もし古代の遺物に対する世間の関心があれほどまでに高まっていなかったら、彼は自分の天稟（てんびん）に気づくことも、それを伸ばすこともなかったかもしれない。一方で、もし大半の古物商の態度が違っていたら、彼の意図が誤解されることも、彼の才能が悪用されることもなかっただろう」

太古の巨人

　1868年春、ニューヨーク州ビンガムトン出身の葉巻職人ジョージ・ハルは、アイオワ州アクリーに住む妹（あるいは姉）を訪ねていた。あ

る晩、彼は地獄の責め苦の恐ろしさを説く説教師が聖書を引用するのを聞いた。「当時、地上には巨人たちがいた」（創世記6章4節）。ハルはそのくだりが耳にこびりついて、当日の夜はほとんど一睡もできなかったという。実は彼の頭の中では、素晴らしいアイデアが形を成していたのである。

巨人を創造する

　ハルはフォート・ドッジ近くの採石場で長さ365センチ、幅120センチ、厚さ55センチの石膏の塊を見つけると、重さ2トンを超えるそれを、途中で荷馬車を数台駄目にしたり橋をい

1862年1月に開かれたロンドン地質学界の会合に現れた "フリント・ジャック"。そのときの様子を「薄汚れたぼろをまとい、頑丈そうな作業靴を履いた……日に焼けた男」と描写されている。

くつも傷つけたりしながら、どうにかシカゴまで運んできた。この石膏塊は、エドワード・バーグハートという石工の作業場で、1体の巨人像に生まれ変わる。像はまるで激しい苦痛の末に絶命した人のように身悶えていた。髪のない頭部に関しては、ハルが自らモデルを務めた。石膏に走る黒い筋は人間の血管のように見え、また、かがり針を植えた木のブロックで像を叩くことで、皮膚の毛穴が再現されていた。

仕上げに硫酸でエイジング（古色付け）を施してから、ハルは像を従兄弟のウィリアム・"スタビー"・ニューウェルが経営する農場に運んだ。ニューヨーク州シラキュースから20キロほど離れたカーディフという村の外れにあるこの農場の経営を立て直そうと、ニューウェルは数年来、悪戦苦闘していた。ハルとニューウェルは、固く口止めした手伝い2人とともに"巨人"を納屋の裏手に浅く掘った穴に埋め、分からないように偽装をしてから1年近く寝かせておいた。

計画では、ニューウェルが人手を頼んで井戸を掘らせ、偶然"遺骸"を発見させることになっていた。ところが、いよいよ計画を実行に移そうとした矢先、近くで本当の発見があった。ニューウェルの農場から2キロも離れていない畑を耕していた農夫が、古い骨を掘り出したのである。それらがコーネル大学の専門家たちから本物の化石と認められたことで、カーディフの巨人がお目見えする舞台装置が図らずも整えられたと言える。

1869年10月15日の金曜日、井戸を掘っていた作業員たちが像を見つけ、掘り出した。このニュースはたちまち一帯に知れわたる。ニューウェルはすぐに"墓"を覆うようにテントを張り、入場料50セントを取って像を見世物にした。1週間も経たないうちに、遠くニューヨーク市からも見物客が詰めかけるようになり、入場料は1ドルに吊り上がった。ニューウェルは野良着をモーニングコートに着替え、巨人を発見した経緯について語る講演を行うようになった。

魅せられた人々

　ある新聞記者は次のように書いている。「それを目にした瞬間、何か偉大で超越した存在を前にしているのだという感覚を覚えずにはいられなかった。周りに集まった人々は、まるで魅せられたかのように粛然として、静まり返った」。1カ月後、巨人はシラキュースに移され、展示されることになった。果たしてそれは化石化した人間の遺体なのか、それとも古代の彫像なのか──名だたる科学者たちが意見を戦わせる中、コーネル大学初代学長のアンドリュー・D・ホワイト博士は巨人の断片を分析させ、それがただの石膏像であることを知ったが、公表はしなかった。

偽物の偽物

　一方、ニューヨークから訪れた高名な彫刻家エラスタス・ダウ・パーマーは、巨人を見るなり何の迷いもなく言い切った──「イカサマだ！」。この知らせがやがて、ブロードウェイで

それを目にした瞬間、
何か偉大で超越した存在を
前にしているのだという感覚を
覚えずにはいられなかった。

　──カーディフの巨人について伝える新聞記事

博物館と動物園を運営する興行師フィニアス・テイラー・バーナムの耳に届く。彼は、偽物のそのまた偽物こそが、まさに自分が今必要としているものだと判断した。そんなわけで、クリスマスの買い物シーズンに合わせてカーディフの巨人がシラキュースからニューヨークに運ばれてきたとき、バーナムの博物館にはすでにそのレプリカが展示されていたのである。しかし、2ブロックしか離れていない場所にもう1体の巨人があることは、結果的には双方に利益をもたらした。

　その年の1月、オリジナルの像はボストンに

1948年5月、ニューヨーク州クーパーズタウンの農民博物館に展示されたカーディフの巨人。発掘時そのまま、土に掘った"墓穴"に横たわっている。

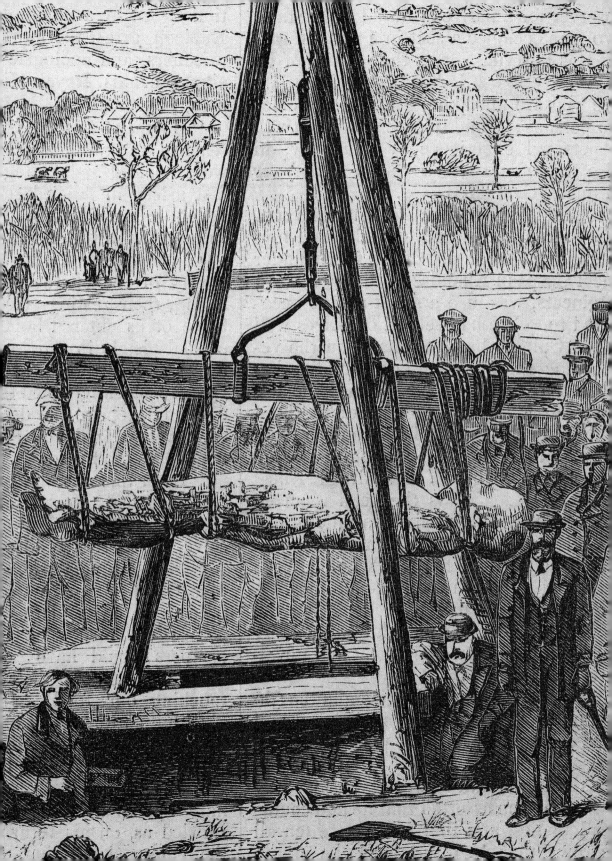

偽造工場

　2021年11月、美術商メヘルダード・サディグはマンハッタン区地方裁判所で審理を受け、詐欺の企て、重窃盗、偽物所持・販売など、一連の偽造・模造の容疑で有罪を宣告された。検察によると、サディグはニューヨーク五番街に構えたショールーム（写真）で、39年にわたり、疑うことを知らないコレクター相手に偽の骨董品数百点を売りつけていたという。1点の値段は1500ドルから、高いものになると9000ドルを超えていた。店内には古代エジプトや古代ローマ、あるいはシュメールのものと称する遺物が並べられていたが、店の奥は捏造品と、それらに古色を付けて説得力を増すための器具や化学薬品で一杯だった。目の前に証拠を山と積まれてはサディグとしても罪を認めるほかなく、その結果、5年の保護観察処分を言いわたされた。

左ページ：カーディフの巨人がいかに大きく重たかったかは、1869年にウィリアム・ニューウェルの農場で引き上げる様子を描いたこのイラストからうかがい知ることができる。

移された。エッセイストとして名高いラルフ・ウォルドー・エマーソンなどは当地で像を見て、「驚くべき……紛れもない本物、正真正銘の化石化した人間」と言い切っている。しかし、ボストンの著名な解剖学者オリバー・ウェンデル・ホームズ博士は、誰も思いつかなかった挙に及ぶ。巨人の左耳の後ろに穴を開け、中は硬い石で、化石化した脳の痕跡など一切見当たらないことを暴いたのである。

　カーディフの巨人はその後も各地を巡り、展示され続けた。もはやそれを人体の化石と信じる人はいなかったが、太古の彫像と考える人はまだいたからである。やがて、マスコミが巨人の来歴に従来よりも注意深い眼差しを向けるようになり、シカゴまでその足跡がたどられた。事実を突きつけられたジョージ・ハルは、笑ってすべてを認める。

　この騒動で大衆がいかに騙されやすいかを学び、味をしめたハルは、多少の金を自由にできたこともあって、2匹目のどじょうを狙うことにした。細かく砕いた石と土に骨と血と食肉を混ぜ合わせたもので人形を作り、それを数週間か

けてガラス窯で焼いたのである。1877年、ウィリアム・コナントという男の協力によって、人形はコロラド州プエブロにほど近いビューラーという村の近くに埋められた。数カ月後、コナントとその息子は地面から片足が突き出ているのを“発見”し、身の丈2.7メートルの石化した亡骸を掘り起こした。その頭部は猿のように小さく、両腕は異様に長かった。新聞各紙は当時の有名レスラーにちなんで、それを“ソリッド・マルドゥーン”と名づけている。

　「この化石が本物であることに疑問の余地はない」。同じコロラド州デンバーの『デイリー・タイムズ』紙はそのように報じた。「歳月による風化が見てとれるし、発見された状況からして、カーディフの巨人のような杜撰なペテンの二番煎じである可能性はあらかじめ除外される」。それがいかに間違った見立てであったかは、わずか5カ月後、遺骸がニューヨーク市で展示された際に明らかになる。ハルが金を借りていたある人物が『ニューヨーク・トリビューン』紙に知っていることを話した結果、ソリッド・マルドゥーンのインチキが暴かれたのである。

CHAPTER 5
詐称 BOGUS IDENTITY

自分以外の何者かになりすました人間は、
古今東西、枚挙にいとまがない。
聖書の最も古い物語の1つからして、
ヤコブが双子の兄エサウのふりをして
父イサクを欺く話なのだ。

人が自らを詐称する動機は千差万別だ。望む仕事に就くためには、資格証明書を偽造するか、異性のふりをするしかない場合がある。また、人生をやり直したい元受刑者や足取りを消したい詐欺師もまた、別人になりすまそうとするかもしれない。詐欺師の中には、身分詐称ではなく信用詐欺で大金を手に入れようとする者もいる。あるいは、いつも他人と間違われる者が、その間違いを悪用できることに気づいたとしても不思議はない。そして、ペテン師というものは、「他人を騙すのが愉快だから」という理由だけで身分を偽るときもある。ちなみに、異性になりきることを選択するか、あるいはそれを強いられるのは、多くの場合女性である。

左ページ：中をくり抜いた本に偽造パスポートと偽札を隠すなど、犯罪者はあの手この手で法の網をかいくぐろうとする。

左：1828年5月、ドイツのニュルンベルクに現れた、ほとんど口がきけない少年 "カスパー・ハウザー"。彼はいったい何者だったのか。その素性については、バーデン大公家との関わりがまことしやかに囁かれた。

若き "ジェームズ・バリー医師"。驚くほど早熟な才に恵まれ、わずか14歳で英国陸軍の軍医となったが、実は女性だった。

　若い女性が男性を装い、何ら怪しまれることなく陸軍や海軍で軍務をこなした例は少なくないが、"ジェームズ・バリー"（1799～1865年）のケースほど興味をそそられる話はないだろう。彼女は6歳のとき、いつも「叔母さん」と呼んでいた母親に連れられてアイルランドからロンドンに渡ってくる。早熟の天才だったバリーは、男の子の格好をしてスコットランドのエディンバラ大学に医学生として入学し、12歳で卒業した。

　"バリー医師"はロンドンの病院で一流の外科医に付いて働いたのち、軍医として英国陸軍に入営する。1813年のことだった。1816年には南アフリカに配属され、ケープ州知事の侍医に任命された。彼女はフローレンス・ナイチンゲールに先駆けて、陸軍病院の患者たちの待遇改善に熱心に取り組んだ。この2人の女傑はクリミア戦争（1853～56年）の最中、実際に会っている。ナイチンゲールはのちに、馬にまたがった "バリー医師" から大目玉を食った経験を次のように振り返った。「彼女は私が知る限り、陸軍で一番の強者だったと言わざるを得ません」

　バリーは1822年に陸軍軍医監に昇進するが、厳格な軍人という仮面のせいで敵には事欠かなかった。性別に関する悪意に満ちた噂も囁かれたものの、女性だとばれたのは生涯に一度きりである。それは1840年代のこと、う

っかり男装を解いた状態で寝入ってしまったところ、目が覚めると同僚士官が2人、ベッドサイドに立っていたのである。2人は決して他言しないことを誓わされた。

やがてバリーは病院総監としてカナダに赴任し、そこで軍歴を終えている。1865年、ロンドンで死去。同僚の軍医少佐が彼女の死亡を確認しているが、遺体を整えるために呼び入れられた雑役婦は驚いて叫んだ。「何てことでしょう──この方は女性です！」

女装したスパイ

男性が女性になりすますことに成功した珍しい例もある。騎士デオン（1728〜1810年）こ

彼女の手と腕は
男女の入れ替わりとは
無関係なようで、
扇子を持つよりは
椅子を運ぶのに適している。

──英国の作家ホレス・ウォルポール
（1717〜97年）

とシャルル・ジュヌビエーブ・ルイ・オーギュスト・アンドレ・ティモテ・デオン・ド・ボーモンがそれだ。フランスのトネールで弁護士の息子として生まれ、幼少期は母親から姉のお古ばかり着せられていた。それがまた、華奢な体つきや明るい色の柔らかい髪、碧い瞳によく似合っていたという。パリ大学のコレージュ・マザランでは語学に秀でたところを見せ、卒業後はパリ財務局に職を得た。

あるときデオンは友人たちと賭けをする──女装をして国王ルイ15世の公妾ポンパドゥール夫人の前に出、女性だと信じ込ませることができるかどうか。結果はデオンの勝利で、夫人のみならず国王までもが騙された。感心したルイ15世は、国王自ら各国に張り巡らせた私設諜報網にデオンを誘い入れる。

1755年、国際情勢に鑑みてロシアとの関係を改善したいと望んだルイ15世は、女帝エリザベータに近づこうとする。それからまもなく、2人の人物がロシア宮廷に伺候した。1人はスウェーデンから鉱業の視察に訪れたという騎士ダグラス。もう1人はその"姪"で可憐なリア・ド・ボーモンである。リアはモンテスキューの『法の精神』の豪華装丁版を携えていたが、二重になったその表紙の中には、ルイ15世から女帝に宛てた親書が忍ばせてあった。このリアこそ女装したデオンだったわけだが、彼は女帝にうまく取り入ったばかりか、宮廷の女官たちとのおしゃべりを通じて有益な情報を集めることができた。この訪問の結果、ロシアとフランスの関係は回復し、ロシアと英国の間で結ばれるはずだった協定は調印されなかった。

左：66歳で死去する少し前のバリー。亡くなって初めて女性であることが判明した。

私には
女の格好をした男にしか
見えなかった。

—英国の伝記作家ジェームズ・ボズウェル

ルイ15世は褒美としてデオンを騎士に取り立て、竜騎兵大尉の階級を与えたうえ、1763年にはロンドンのフランス大使館に一等書記官として赴任させた。そこでデオンは対英諜報活動を繰り広げるが、新任大使との確執から召還されそうになり、ついには新国王ルイ16世に脅迫まがいの要求を突きつけるに至る。脅しのネタは、彼が所持している機密情報書類に関することだった。しかし、この件は結局、デオンのほうが「一生女装をして過ごす」という条件をのまされて落着する。

その頃になると、ロンドンはデオンの本当の性別に関する話題で持ち切りになっていた。1775年11月11日の『モーニング・ポスト』

紙は次のように報じている。「騎士デオンの性別に関して、市は新たな方針を発表する。目下のオッズは男性説4に対して女性説7。この種の交渉事では定評のあるさる紳士が、15日以内の問題解決に向けて鋭意取り組んでいる」。しかし、この紳士はもちろん、ほかの誰にも、デオンの存命中に白黒をはっきりさせることはできなかった。

1777年、デオンは帰国し、多くの時間を母親と過ごしたが、1785年に再び英国に渡る。一流の剣士だった彼は、生活費を稼ぐ必要から、女装のままフェンシングの剣技を披露した。ときにはジャンヌ・ダルクに扮することもあったという。やがて腕が衰え、懸賞金付きの決闘で怪我を負ってからは立ち回りができなくなる。1810年5月21日、ロンドンで83年の生涯を閉じたときには、無一文に近い状態だった。検視を担当した医師によって、デオンが女性でも両性具有者でもなく、正真正銘の男性だったことがようやく明かされ、以来、彼は「異性装者の守護聖人」として崇められている。

左ページ：中年期の騎士デオン。胸に竜騎兵の勲章を着けているが、フランス国王から死ぬまで女装を解かないことを約束させられていた。

女教皇ヨハンナ

女教皇ヨハンナの伝説は13世紀に初めて記録に現れ、以後400年以上にわたりヨーロッパで広く信じられていた。それによると、ヨハンナはイングランド人を両親に持つドイツ人で、のちに修道僧姿でローマに現れ、男性名のヨハネス・アングリクスを名乗ったという。やがてその学識の豊かさが評判を呼び、ついには教皇に選出されヨハネ8世となったが、宗教行列の最中に産気づき、その場で子を産み落とすとともに落命したことから、女性であることが発覚したとされる。1647年、プロテスタントの学者ダビド・ブロンデルがこれらは史実でないと断定し、それから200年を経た1847年には、ついに民間伝承に過ぎないことが証明された。

女教皇ヨハンナの伝説は、タロットカードの「女教皇」（カード番号2）として永遠に息づいている。

偽の資格証

　20世紀で最も大胆なペテン師の1人に数えられるのが、さまざまな身分を詐称したスタンリー・クロフォード・ウェイマンだ。彼はたびたび米国軍の将校になりすまし、また弁護士やジャーナリストを名乗った。もっとも、本人にとって格別愉快だったのは、偽造した資格証を使って医者のふりをすることだった。そして、同じように医師を装い、もう少しでカナダの国民的英雄になりかけたのが、フェルディナンド・ウォルドー・デマラである。その犯罪歴が『おとぼけ先生』（原題はThe Great Impostor［偉大なる詐称師］。トニー・カーティス主演、1961年公開）のタイトルで映画化されたことにより、デマラの名は世界中に知れわたった。

　デマラは1921年12月、マサチューセッツ州ローレンスで生まれた。学校に上がるか上が

"グレート・インポスター（偉大なる詐称師）"ことフェルディナンド・デマラ（当時30歳）。カナダ海軍の制服に身を包み、二等軍医ジョセフ・シアーとして写真に収まっている。

らないかの頃、ローマ・カトリックの信仰に惹かれ、10代でトラピスト修道院の門をくぐる。しかし、トラピスト会の質朴な生活は元気を持てあます若者にはつらすぎたのか、2年後には推薦状をもらってボストンの愛徳修道士会に移り、そこで司祭になるための修行を積むことになった。トラピスト修道院に比べれば戒律は緩かったが、そこでもデマラは反抗し、再びお払い箱になってしまう。今度の行き先は合衆国陸軍だった。

　しかし、そこも長くは続かなかった。自由気ままにあちこちを転々とするデマラの生き方は、この頃すでに始まっていたのだろう。19歳のとき、彼は同僚兵士の個人記録と私物を盗み出し、アンソニー・インゴリアの名前で別のトラピスト修道院に潜り込んだ。ところが、旧悪が暴かれそうになり、修道院を出ざるを得なくなると、フレッド・W・デマラの名で今度は海軍に入隊する。1941年12月、折しも米国は第二次世界大戦に参戦したばかりだった。

　艦船に配属されるつもりなど毛頭なかったデマラは、すぐに病院付属学校での訓練コースに申し込む。うまいこと基礎課程を終えたものの、学歴が不十分だという理由でその先には進ませてもらえなかった。その代わり、バージニア州ノーフォーク近くに駐屯する海兵大隊に衛生兵として配属された。デマラはそこで、官給品の文具をごっそり盗んでいる。やがてデマラは、アイオワ州立大学の年鑑から適当な医療資格者を見つくろい、その名前で同大に資格証の写しを請求する。首尾よく届いたそれらを、デマラは自分のものであるかのように改竄し、コピー機で複製してから、軍医募集の応募書類に添えて出願した。

偽の肩書

　採否の結果が出るまでの数週間、デマラはこのやり方でいくらでも偽の資格証が手に入ることに気づく。彼は早速、「スタンフォード大学で心理学の博士号を取得し、イェール大学で特別研究員として働いた経歴を持つロバート・リントン・フレンチ博士」を名乗るための書類を

偽造した。そして休暇で故郷ローレンスに帰った際、教区の主任司祭から未記入の書類をひと束失敬し、さらにはボストンでオコーナー枢機卿の執務室からも同様の盗みを働いた。ノーフォークに戻ると、軍医に採用されたことを知らされる。セキュリティーチェックが済み次第任官してほしいとのことだったが、もはや本人にその気はない。「もうお役には立てないと思った」──のちに彼はそう認めている。デマラはその夜、波止場の突端に海軍の制服を畳んで置き、次のようなメモを残して兵舎を去った。「私は自分をごまかしていました。こうするしかないのです。許してください」

これで陸軍からも海軍からも逃げ出したことになるデマラは、ロバート・フレンチ博士と名乗ってケンタッキー州にある「ゲッセマネの聖母修道院」に現れ、修練士として入会する。しかし、トラピスト会の厳しい戒律に再び音を上げるのは思いのほか早く、アーカンソー州オザーク高原の町スビアコにあるベネディクト会の修道院に推薦状を書いてもらった。

しかしそこで、デマラはいささか調子に乗りすぎた。ほかの書類と一緒に、オコーナー枢機卿からの手紙とフランシス・J・スペルマン大司教（のちに枢機卿）の署名入り確認証を提示したのである。数週間後、それらが真っ赤な偽物であることを示す手紙がボストンから相次いで届き、"フレンチ博士"はまたしても路頭に迷うこととなった。

心理学へのこだわり

デマラはシカゴの教会付属学校で1年間心理学を教え、次いでミルウォーキーの別のカトリック修道院で数週間過ごしたのち、ペンシルベニア州エリーにあるギャノン大学の哲学部長に就任した。彼は「カトリックの若者を指導するための敬虔な一般信徒の組織」を立ち上げて「聖マルコ堅信会」と名づける計画を温めていたが、上役との言い争いで詐称がばれそうになったため、大学を去った。

付きまとう過去

　なりすましを暴かれたデマラは、『ライフ』誌に2500ドルでインタビュー記事を売ると、その後は無名の一個人として余生を送ろうとする。まずマサチューセッツ州の児童相談所にしばらく勤め、その後はベン・W・ジョーンズの偽名でテキサス州ハンツビルの刑務所に採用されると、最初は簿記係として、のちに看守長として働いた。しかし、どこに行こうと『ライフ』に載った写真から正体を知られ、そのたびにあわてて他所に移ることを繰り返す。フランク・キングストンとしてダウン症児たちの世話をし、ジェファーソン・ベアード・スローンとしてマサチューセッツ州ウィンチェンドンの学校で英語、フランス語、ラテン語を教え、マーティン・ゴッドガートとしてメイン州の沖に浮かぶ小さな島で補助教員を務めた。そんな彼の職歴も、最後は本名で就いた仕事で終わっている。それは、カリフォルニア州アナハイムの病院で死期の迫った患者を慰める聖職者の仕事だった。デマラ自身、その病院で心臓発作に倒れ、61年の生涯を閉じている。

　できるだけエリーから遠ざかろうとワシントン州オリンピアにやってきたデマラは、ベネディクト会のある修道院に「学生心理センター」を開設し、町の有力者たちに自分の名前を売り込んでいく。その甲斐あってまもなく名誉保安官助手と公証人に任命され、下級判事職にも応募したが、例によって旧悪の報いを受ける。各地に残してきた偽造書類から足がつき、FBIに逮捕されたのである。デマラは脱走兵として海軍の営倉に送られ、6年の刑を言いわたされた。

偽医者

　服役態度が良好だっため18カ月で仮釈放となったデマラは、癌研究を専門とする動物学者C・B・ハーマン博士を名乗り、メイン州のカトリック系学校に奉職する。そこで面識を得たジョセフ・シアー医師の資格証を残らずくすねることに成功したものの、またしても身分詐称が露見しそうになり、前回同様、やはり憤然として学校を去った。

　その後、デマラは“ジョセフ・シアー医師”として北に向かい、カナダのニューブランズウィック州セントジョンでカナダ海軍の二等軍医に任用された。そして、ここで恋に落ちる。彼は海軍営倉からの出所後すぐに、ある計画を立てていた。所帯を持ち、カナダのどこか片田舎に医院を開業するというものである。しかし、折悪しく朝鮮戦争（1950～53年）が勃発し、デマラは駆逐艦カユガに配属されてしまった。1951年6月、デマラを乗せたカユガは朝鮮水域に向けて出港した。

　最初のうちは、歯を抜いたり、風邪その他の感染症を治療したりするだけでよかった。ところがある日、韓国軍の負傷兵を運ぶジャンク船がカユガに協力を求めてくる。3人が重傷で、1人は心臓の近くに銃弾がとどまっていた。外科の知識など一切ないデマラだったが、手術を執刀する資格があるのは彼しかいない。この手術は奇跡的に成功し、負傷兵は数日で回復する。残り2人の治療も、幸いうまくいった。

　“シアー医師”はカナダ海軍の広報によってその功績を事細かに公表され、また表彰の対象として上官から推挙された。ところが、これが本物のジョセフ・シアー医師の知るところとなり、デマラの医師としての前途は断たれ、結婚や開業の夢も泡と消えたのである。

"キャッチ・ミー・イフ・ユー・キャン"

　現代の詐称者の中で最も大胆だったのは、おそらくフランク・W・アバグネイルだろう。その半生は『キャッチ・ミー・イフ・ユー・キャン（捕まえられるものなら捕まえてみろ）』（1980年、日本語版は『世界をだました男』）と題する半自伝に綴られ、近年、同じタイトルの映画によって銀幕に焼き付けられた。

　1948年、ニューヨーク州のブロンクスビル生まれ。父親のクレジットカードを悪用して小遣い稼ぎをしたのが、犯罪歴の始まりだった。見た目は立派な大人になった16歳で家を出、と

りあえず運転免許証の生年月日を本来の1948年から1938年に書き換えると、パンアメリカン航空（パンナム）のパイロットになりすますことを思いつく。まずは制服を手に入れなければならないが、パンナムに電話1本かけただけで制服納入業者の所在地を聞き出し、必要な濃紺のスーツを調達することができた。次にジョン・F・ケネディ空港に足を運び、パンナムの購買部に直行。2歳の息子なり娘なりに失くされたと偽って、制服のウィング章と帽子のエンブレムを入手した。

　見てくれだけ整えればよいというわけではな

もともと恰幅は良かったが、いちだんと体重を増した晩年のデマラ。カリフォルニアの病院で死期の迫った患者を慰める聖職者の仕事に、最後の生き甲斐を見出していた。

い。航空会社のシステムについて詳しい情報を仕入れなければならないし、IDカードとパイロット・ライセンスも手に入れる必要がある。最初の課題は、公立図書館で調べものに励んだり、ハイスクールの新聞部記者を装ってパンナムの機長にインタビューをすることでクリアできた。IDカードについては、それらしいカードに自分の写真を貼付し、旅客機の模型キットに同梱されていたパンナムのロゴステッカーを貼り付けて完成させた。ライセンスはというと、連邦航空局（FAA）の形式に則った個人情報をミルウォーキーの装飾用プレート制作会社に伝えて銀の飾り板を作らせ、この飾り板を適当な紙に縮小コピーして偽造した。こうして、唯一フライト経験がないことを除けば一人前のパイロットと何ら変わらない"フランク・ウィリアムズ"になりすますことが可能になったのである。

アバグネイルはしばらくの間、ラガーディア空港に出入りし、航空関連の業界用語を仕込んで回った。パイロットならば操縦室のジャンプ・

シート（補助席）を借りて無料で空港間を移動できるという、いわゆる「デッドヘッド（便乗移動）」について聞き知ったのもそのときだ。さらに、新しい名前で銀行口座を開設して分かったことだが、パイロットの制服を着ていれば、空港カウンターで不良小切手を換金することも簡単だった。それ以降、彼はパイロットの特権を行使して一銭も払わずに米国の空を飛び回り、航空機の乗務員がよく利用するホテルに宿泊してその代金をパンナムに支払わせ、行く先々で、無価値なものだと分かるまで数カ月かかる不良小切手を大量に残していった。

もぐりの小児科医

根無し草のような暮らしを2年続けたあと、アバグネイルはひと息つく必要を感じ、小児科医を名乗ってジョージア州アトランタにアパートを借りた。しばらくは大過なく過ごせたが、やがて隣に本物の医者が引っ越してくる。何でも、アトランタ近郊の町マリエッタにあるスミザーズ病院で小児科の医長を務めているという。"ウィリアムズ医師"が病院に招かれ、そこで医療スタッフや職員と顔なじみになるまで、長くはかからなかった。そしてとうとう、「小児科病棟の夜間責任者をしばらくの間、務めてもらえないか」と打診される。

アバグネイルはこの難局に立ち向かった。内科医を装ったスタンリー・ウェイマンよろしく、アバグネイルもまた診断は本物の医師たちに任せ、彼らに異議を唱えないことでその場をしのいだ。また、救急処置室に呼ばれないよう、リネン室に隠れもした。

そうこうするうちに、また商売替えの時期が訪れる。今度はハーバード大学の法科を出た"ロバート・E・コンラッド"を名乗り、ジョージア州とは別の南部州で司法試験を受け、その州の司法長官事務所に職を得た。ところが、そこに本物のハーバード出が現れたため、あわててそこを辞める羽目になる。

アバグネイルは次に"フランク・アダムズ"と名乗り、ニューヨークのコロンビア大学で社会学の博士号を取得した元トランスワールド航空

国際的な詐欺師として悪名を馳せたのも今は昔、金融犯罪対策の専門家として助言を請われる立場になったフランク・W・アバグネイル。若かりし頃の彼は、ハイウェイマン（辻強盗）ならぬスカイウェイマン（空飛ぶ詐欺師）として、26カ国の警察から追われる身だった。

のパイロットという肩書で、ユタ州プロボのブリガム・ヤング大学の夏期講座を受け持った。その後、サンフランシスコに向かう途中、カリフォルニア州ユリーカに立ち寄る。それまでに詐称した3つの肩書を使って相当に稼いでいたので、不良小切手を切る必要などなかったが、その町の銀行の多さに驚き、それを利用しない手はないと、パンナム航空の給与小切手を偽造することにした。

時間稼ぎの手口

小切手偽造犯にとって厄介なのは、偽造があっという間にばれてしまう恐れがあることだ。それを避けるため、アバグネイルは普通の銀行窓口係には知られていない細かな知識を悪用した。小切手の左下の隅に印字されている番号は、コード化されたものだ。たとえば、1130

0119 546 085という番号が刷られていたとしよう。先頭の11は、全米で12しかない「連邦準備制度地区」(FRD)の11番目を意味する。この地区にはテキサス州が含まれる。次の3は小切手がヒューストンで印刷されたことを表し、その次の0は即時支払い義務を伴う小切手であることを示している。真ん中の数字の塊に移ると、0はヒューストン手形交換所を表し、119は地区内の銀行の識別コードである。残りの数字は銀行が客に割り振った口座番号だ。さて、仮に先頭の数字を12に改竄すると、何が起きるだろう？ 振り出された小切手は多くの場合その日の夜に手形交換所に到着するが、この小切手はコンピューターにはじかれてしまう。12はFRDがサンフランシスコであることを意味するからだ。そうなると小切手はサンフランシスコに回され、今度は銀行の口座番号が

映画『キャッチ・ミー・イフ・ユー・キャン』で20歳のフランク・アバグネイルを演じたレオナルド・ディカプリオ。この写真は、スチュワーデスの養成訓練が受けられると偽って集めた美人女子学生たちを引き連れて空港に向かうシーン。

フランク・アバグネイルは
トイレットペーパーで小切手を偽造し、
南部連合国財務省の名で
それを振り出し、
「U. R. Hooked（引っ掛かったな）」
と署名したうえで、
香港の運転免許証を提示して、
この町のどの銀行でも
換金することができた。

——元ヒューストン市警本部長

一致しないので、またコンピューターにはじかれ、結局ヒューストンに送り返される。そんなこんなで、偽造小切手だと分かるまで1週間はかかるので、その間に偽造犯は遠くに逃げることができるというわけだ。

恋人の裏切り

このような手法でせっせと現金を貯めたアバグネイルは、その額が7万5000ドルに達する頃、サンフランシスコで若い女性と恋に落ちた。そして迂闊にもこの女性に正体を明かしてしまい、警察に通報される。危うく逮捕を免れると、今度はラスベガスに逃れ、そこで小切手の印刷を請け負う会社に勤めるグラフィックデザイナーの女性を引っ掛けた。彼女から必要なことをすべて聞き出したアバグネイルは、翌日カメラと小さなオフセット印刷機を購入して貸倉庫に設置し、本物そっくりのパンナムの給与小切手を500枚印刷した。

迫る捜査の手

そんな調子で物事は進んでいった。アバグネイルはフランク・アダムズの名前で全米に銀行口座を開設し、本人いわく、1967年には（何と19歳で！）不正に貯めた現金資産を50万ドル近く保有していたという。彼はメキシコにしばらく滞在したあとパリに飛び、そこである印刷業者を騙してパンナムの給与小切手の複製を

作らせた。しかし、FBI捜査官から1年近く追跡されているとはつゆ知らず、うかうかとボストンに現れたところを地元警察に逮捕される。ただ、警察は「事情聴取のために被疑者を拘留しておくように」としか言われていなかったため、アバグネイルはFBI捜査官が到着する前に保釈金を積んで窮地を脱した。

今頃マイアミにでも高飛びしているだろう——誰もがそう思ったが、案に相違してアバグネイルはボストンを離れなかった。翌朝、彼は銀行の守衛が着る制服を手に入れ、その夜には夜間金庫の前に立っていた——「故障中につき預金はすべて守衛が預かります」という注意書きとともに。そうやってせしめた金を手に、アバグネイルはテルアビブに飛び、そこからイスタンブールに移動、さらにアテネへと渡った。そして、ホテルに投宿したり飛行機にただ乗りしたりするときだけ、パンナムの制服を身に着けた。しかしまもなく、乗務員を引き連れていない機長（パイロット）は、それだけで怪しまれるということに気づく——やはり取り巻き（クルー）が必要だ。

計画は至って単純だった。スチュワーデス志望者を探すパンナム航空の幹部社員を装い、容姿端麗で積極的な女子学生を8人選び出すと、ハリウッドのメーカーに作らせた制服を着せ、研修プログラム兼広報宣伝活動の一環として夏のヨーロッパ旅行に連れ出したのである。行く先々で、アバグネイルはパンナムに勘定を回すか、あるいは偽造小切手を行使した。

年貢の納めどき

またぞろ休息の必要性を感じたアバグネイルは、南仏モンペリエで人目を避けて骨休めをしていたところ、現地の警察に発見され、逮捕された。26カ国から引き渡し令状が出ていたが、フランスが最初に裁判を行う権利を主張。審理の結果、アバグネイルは有罪となり、1年の刑を言いわたされてペルピニャンの環境劣悪な刑務所に収監された。そこから今度はスウェーデンに引き渡されたが、身分詐称による金品詐取についてのみ有罪とされ、マルメの刑務所で比較的快適な半年間を過ごした。その間

ずっと待たされていたFBIに、やっと身柄引き渡しの順番が回ってくる。米国に送還されたアバグネイルは2度にわたって逃走に成功するも、最後はニューヨークで捕らえられ、禁錮12年の刑を宣告された。

偽貴族

　貴族を騙ったり勝手に爵位を名乗ったりする輩は、昔から大勢いる。しかし、「我こそは真の統治者だ」と主張する者が現れたときほど、不和が生じ論争が巻き起こることはない。

　ヘンリー・テューダー（ウェールズ語では「テ

ウドゥル」）がイングランド王に即位してヘンリー7世となったのは、1485年のことである。当時天下は麻のごとく乱れていた。真の王位継承者は誰かをめぐり、敵対する勢力が数十年にわたって抗争を繰り広げていたからである。この内乱は、危うい休戦協定と、ヘンリー7世が議会の承認を受けたことで終息を見た。

　しかし、ヘンリー7世の統治はその後数年間というもの、偽りの王位請求者たちによってかき乱されることになる。先代の国王エドワード4世が残した2人の王子は1481年に殺害された（1人はロンドン塔で殺害）が、本当は2人とも

追われる側から追う側へ

　アバグネイルは刑期を5年務めたところで、銀行取引のセキュリティーに関する経験と知識を買われ、合衆国政府に協力するという条件のもと、減刑の提案を受ける。彼は今や金融犯罪対策の世界的権威の1人であり、約30年にわたってFBIの経済事犯捜査部に協力し、バージニア州クワンティコにあるFBIアカデミーで教鞭を執っている。

左ページ：ランバート・シムネルがイングランド王を名乗っていられたのはわずか数カ月に過ぎない。元来はオックスフォードのパン職人の小せがれに過ぎない彼が正統な王ヘンリー7世から受けた処罰は、王宮の厨房で働くことだった。この絵では、椅子に腰かけて焼き串を回しているのがシムネルである。

生きているという噂が根強く囁かれていた。1487年、オックスフォードの司祭ロバート・シモンズが、一介のパン職人の息子を連れてアイルランドに渡る。名をランバート・シムネル（1475～1535年）というこの少年を、シモンズは当初、殺された2王子の片割れだと主張するつもりでいた。ところが、やはりロンドン塔に幽閉されていたウォーリック伯エドワードが獄死したとの誤った噂を聞いて、計画を変更する。かくしてランバートはアイルランドでウォーリック伯として認められ、ダブリンの大聖堂で古式に則り戴冠し、"イングランド王エドワード6世"となったのである。

　それがペテンであることを明らかにするため、ヘンリー7世は本物のウォーリック伯にロンドンの街を練り歩かせた。それでも王位簒奪の企ては着々と進行し、ついにシムネルがドイツ人傭兵2000とともにイングランド北部ランカシャーに上陸する。しかし1487年6月、ストーク・フィールドの戦いに敗れ、シモンズは投獄された。シムネル自身も捕らえられたが処刑はされず、王宮の厨房で下働きをさせられることになった。これは、「殺すほどの値打ちもない」というヘンリー7世の意思表示である。

実の叔母さえ騙される

　それから数年後、より深刻な脅威が玉座に迫った。フランドル地方（現ベルギー領）の町トゥルネー出身のパーキン・ウォーベック（1474～99年）である。さる貴婦人に小姓として仕え、

大陸風の装いと悠揚迫らぬ態度から「王家の血を引くお方に違いない」と噂されるようになった。

そのお供として1491年にアイルランドのコークにやってきたウォーベックは、大陸風の装いと悠揚迫らぬ態度から「王家の血を引くお方に違いない」と噂されるようになる。ほどなくして周囲から、ヨーク公リチャードとして名乗りを上げるよう説き伏せられた。ヨーク公リチャードといえば、1483年、時のイングランド王リチャード3世の命によりロンドン塔で亡き者にされたと思われていた人物である。

　リチャードの叔母にあたるブルゴーニュ公夫人マーガレットがウォーベックの主張を認め、神聖ローマ皇帝マクシミリアン1世とスコットランド王ジェームズ4世もそれに同調した。1495年から1497年にかけて、ウォーベックは3度イングランドに侵攻しようとして失敗している。3度目にはコーンウォールに上陸してイングランド王リチャード4世を名乗ったが、支持者が合戦に敗れたため降伏を余儀なくされ、その後ロンドン塔に監禁された。当時ロンドン塔にはウォーリック伯エドワードも幽閉されており、そのウォーリック伯に宛ててウォーベックが書いた手紙の内容が脱獄計画ではないかと問題視された

結果、2人の囚人は反逆罪で裁かれ、1499年11月に処刑された。

偽ドミトリー

その次の16世紀は、悪名高いイワン雷帝が50年にわたってロシアを支配した。ひどい癇癪持ちで知られたこのツァーリは、口論中に激情から長子を殺してしまう。そのため、1584年に雷帝が死ぬと、次子のフョードルが跡目を継いだ。フョードルの下にドミトリーという皇子もいたが、そのとき生後わずか16カ月である。ドミトリーは持病の癲癇(てんかん)に苛まれ、1591年に8歳でこの世を去る。その死の真相を巡っては、さまざまな憶測が飛び交った。フョードルには子がなかったので、1598年に没すると、義兄のボリス・ゴドゥノフがツァーリと宣せられた。

1603年、ユーリー・オトレピエフというロシア人青年が「何を隠そう自分はドミトリーだ」と宣言する。彼はカトリック信仰を受け入れ、ローマ教皇の支持を取り付けた。教皇には、1000年の長きにわたってローマ・カトリック教会とロシア正教会を隔ててきた溝を、ドミトリーを名乗るこの青年が埋めてくれるのではないかという期待があった。ポーランド王もこの"偽ドミトリー"を後押しし、ロシア国境沿いの王土の一部を与える約束をする。

1604年8月、オトレピエフは兵4000を率いてロシアに侵攻した。緒戦は制したものの、その後は負けが込んで旗色が悪くなるが、1605年4月にボリス・ゴドゥノフが急死すると、ロシア軍は僭称者の支持に回ることを表明。ボリスの妻と息子は殺害され、オトレピエフはモスクワで戴冠してドミトリー帝となった。同年8月のことである。ところが、ドミトリーは大勢の外国人を引き連れてきたためロシア人の反感を買い、1606年5月の暴動で、2000人を超える取り巻きとともにクレムリンで惨殺されてしまう。事件の首謀者はワシーリー・シュイスキーという大貴族で、彼はドミトリー亡きあと自らツァーリを称した。

第2、第3の"偽ドミトリー"

話はそれで終わりではなかった。1608年、第2の偽ドミトリーが現れ、モスクワに進撃したのである。この偽ドミトリー2世は首都から数キロの位置に陣取り、ワシーリーの統治に不満を抱く人々と内通して都を攻め落としにかかったが、1610年には鎮圧された。それからまもなくワシーリーが廃位され、その後3年間にわたってツァーリの不在が続く。この空隙を埋めるように現れたのが第3の偽ドミトリーである。この偽ドミトリー3世は1612年に捕らえられ、のちにモスクワで処刑された。

ロシア皇帝の娘?

1917年のロシア革命後、ロマノフ家の皇帝ニコライ2世は、妻と5人の子どもたち、侍医、使用人たちとともに、シベリアの都市エカテリンブルクの館に幽閉された。子どもたちというの

パーキン・ウォーベックはランバート・シムネルよりは王たるにふさわしい風格を備えていたが、イングランドの王位を手に入れんとする企てにはシムネル同様失敗した。

は、皇太子アレクセイと大公女（皇女）4姉妹、すなわちオリガ、タチアナ、マリア、アナスタシアである。1918年7月16日の夜、侍医と使用人を含む皇帝一家11人は、この館の地下室で銃殺隊によって処刑された。半年後、報告書を作成したニコライ・ソコロフは、調査・検討の結果、ロシア皇帝一家全員を含むと推定される遺体は、使われなくなった竪坑に遺棄され、硫酸をかけられたうえで焼却されたと結論づけた。

ところが、皇帝一家には生き残りがいるという説もあり、特にアレクセイとアナスタシアは殺されなかったという噂が根強く囁かれた。そんな中、1920年の2月、ベルリンの運河に身を投げた1人の若い女性が地元警察に救助される。女性は2年間精神病院に入院し、その間、何を聞かれても、ほとんど口を閉ざして語ろうとしなかった。女性をロシア人と断定した当局は、

偽ドミトリー1世を想像して描いた肖像画。本名をユーリー・オトレピエフといい、1603年にロシアの真のツァーリを僭称した。この絵では、ポーランド貴族の豪奢な装いに身を包んでいる。

最終的に、ロシア語を話す地元有力者アルトゥール・フォン・クライスト男爵による身元引受を認める。彼女が突然「自分は皇女アナスタシアだ」と名乗ったのは、それから2カ月後のことだった。

本人によれば、エカテリンブルクの虐殺があった夜、タチアナの陰に立っていた彼女は、銃弾を浴びた姉とともに倒れて意識を失い、気づいたときには銃殺隊の1人によって救出されていた。この隊員の家族とともにルーマニアに渡り、そこから独りでベルリンにやってきたのだという。

ロマノフ家の生き残りを巡る調査

死んだはずのロシア皇女が生きているかもしれないというニュースが報じられると、男爵邸には大勢の人々が訪ねてくるようになり、質問攻めに辟易した"アナスタシア"はそこを逃げ出した。それから5年というもの、彼女は各地を転々とし、その間に入院生活を送ることもしばしばだった。皇帝ニコライ2世の実母でデンマークに亡命していた皇太后マリアが、孫娘かもしれない女性の身を案じたのも無理はない。1925年、皇太后は事実関係の調査を依頼した。その結果、アナスタシアを知る何人かの人物が、くだんの若い女性は皇女ではないと断言する。一方、ニコライ2世の侍医の娘は、ロシアで自分が知っていた少女に間違いないと確信した。

ところで、エカテリンブルクで夫とともに殺害されたロシア皇后はドイツ生まれであり、ドイツの貴族に血縁者が多かった。その1人であるヘッセン大公エルンスト・ルードウィヒが、喧しい議論に業を煮やし、マルティン・クノップフという私立探偵を雇って調査をさせる。クノップフは"アナスタシア"を名乗る女性の正体は、1920年にベルリンで失踪したフランツィスカ・シャンツコウスカというポーランド人の女工であると断定した。

しかし、この説を受け入れようとしない人は"アナスタシア"本人も含め大勢いた。1928年、本物のアナスタシアの又従妹にあたる公女ゲオルギエブナの招きにより、"アナスタシア"は米国に渡る。ところが、この2人はまもなく喧嘩別れしたため、かねてアナスタシア事件に関心を寄せていたロシア出身の有名な作曲家でピアニストのセルゲイ・ラフマニノフが仲介の労をとり、"アナスタシア"が米国ロングアイランドのホテルに逗留できるようにしてやった。そこに4カ月間とどまる間、世間の好奇の目を避けるために用いた"アンナ・アンダーソン"という偽名が、その後40年にわたって彼女の通称となる。

果たして彼女は本物のアナスタシアか否か──論争は60年を超えて続いた。ただし関心の的は、「イングランド銀行に莫大なロシア資産が預けられている」という根拠のない噂だった。もっとも、1931年に米国からドイツに戻っていたアンナは、「自分が受け取る権利があるのは、ドイツ国内に存在するニコライ2世の資産だけだ」と主張する。それは現在の価値に換算すれば、わずか1万ドルに過ぎなかった。

偽造・捏造ファイル	FORGER'S FILE

国民的人気者

時代が下ると、偽の王位・帝位請求者の末路はさほど悲惨なものではなくなる。たとえば、成り行きでドイツ廃帝ウィルヘルム2世の孫を騙ったハリー・ドメラ（181ページ以降参照）などは、むしろ笑い話のネタを提供したに過ぎない。彼は裁判までの数カ月間収監されたが、出てきたときには大金持ちになっていた。

アンナをアナスタシアとして認知することを求める訴訟は1970年まで続き、最終的にドイツの裁判所は、アンナの主張を真実と認めることも虚偽だと否定することもできないという結論に達した。この間、アナスタシア事件を題材にした映画が1956年に2本封切られている。1つはイングリッド・バーグマン主演のハリウッド映画『追想』。もう1つはリリー・パルマーがアナスタシアを演じたドイツ映画『アンナ・アンダーソンはアナスタシアか?（原題Anastasia, die letzte Zarentochter）』である。1969年、アンナは米国に永住するため、引退した大学教授ジャック・マナハン博士と結婚した。1984年に死去。遺体は火葬に付された。

1920年2月、ドイツのベルリンに現れ、ロシア皇女アナスタシアを名乗った若い女性。その後の数年間は入退院を繰り返しており、この写真も1925年にベルリンの診療所で撮影されたもの。1928年以降、彼女は"アンナ・アンダーソン"と名乗るようになった。

ミステリーの決着

1989年、ロシアの映像作家ゲーリ・リャボフが、ソコロフの報告によって皇帝一家の遺体が埋められているとされた竪坑から8キロ離れた場所で、人骨と衣服の残骸を見つけたと発表した。その2年後、ロシアの大統領ボリス・エリツィンが現場の発掘調査に許可を出す。回収された骨と頭蓋骨を再構成すると、男性4人、女性5人の遺体が復元された。エカテリンブルクの館で処刑されたのは11人だから、2人分足りない。欠けているのは果たして誰の遺骨だろうか？ ロシアの科学者たちは皇太子アレクセイと第3皇女マリアだと断定したが、フロリダ大学のウィリアム・メープルズ博士が率いる米国人専門家のチームが招聘されて調査を行ったところ、足りない頭蓋骨の1つはアナスタシアのものだという結論に達した。

最終的にアンナ・アンダーソンをめぐるミステリーを解き明かしたのは、皇帝ニコライ2世と皇后の遺骨を同定したDNA解析の専門家たちだった。前述のようにアンナの遺体は火葬されてしまったのだが、米国内の病院に彼女が手術を受けたときに採取された組織片が保管されていたのである。1994年、その組織片を使ったDNA解析の結果、アンナがロマノフ家の一員ではないことが証明され、またポーランドのシャンツコウスカ一族から提供されたサンプルによって、アンナが失踪したフランツィスカに間違いないことが裏付けられた。

アリゾナの男爵

一国の君主を僭称する企てはまず成功しないが、偽の爵位を名乗ることが世間体を取りつくろう確実な方法となるケースは少なくない。現に贋作師エルミア・デ・ホーリー（78〜84ページ参照）はハリウッドでは"デ・ホーリー男爵"で通っていたし、けちなトランプ詐欺師から出発して20世紀屈指の信用詐欺師とまで呼ばれるようになったビクトル・ルスティッヒ（204〜209ページ参照）は、"伯爵"と称していた。もっとも、イングランドの第12代ティッチボーン准男爵を名乗ったアーサー・オートン（186〜

190ページ参照）がたどった末路は、それほど華々しいものではなかったが……。

18世紀の米国にも、"男爵"を自称した人物がいた。セントルイス市電の元車掌ジェームズ・アディソン・レビスである。彼は当時アリゾナ準州と呼ばれていた広大な地域の所有権を主張した。レビスが自分のものだと言い張った土地は、フェニックス市のほかに6つの町を擁し、広さはインディアナ州の半分にも相当した。域内にはサザン・パシフィック鉄道の敷設用地が伸び、豊かなシルバー・キング鉱山があるうえ、数百万ドルの価値を持つ未採掘の鉱石が眠っていた。

米国はメキシコとの戦争（1846〜48年）の結果、ヒラ川より北のアリゾナ全域を含むニューメキシコ準州を獲得し、ヒラ川以南も1853年に買い入れた。ところで、メキシコのかつての宗主国スペインによってなされた土地の払い下げは、平和条約のもと、例外なく尊重されることになっていた。そこに"アリゾナのペラルタ男爵にしてコロラドの紳士、ドン・ハイメ"と名乗って現れたのが、レビスである。1884年のことだった。

「私の土地から出ていけ！」

レビスは自分の主張の裏付けとなる書類をひと通り揃えていた。それらの多くが偽造されたものだったことは間違いないが、とにかく彼は、「土地の所有権はジョージ・ウィリングという若い医師から1000ドルで買い取ったものだ」と説明した。ウィリング医師もまた、それをミゲル・ペラルタという一文無しのメキシコ人から買っ

最終的に
アンナ・アンダーソンをめぐる
ミステリーを解き明かしたのは、
皇帝ニコライ2世と
皇后の遺骨を同定した
DNA解析の専門家たちだった。

たのだという。レビスは至るところに貼り紙をし、住民たちが自分の土地を不法占拠していると警告して回るとともに、サザン・パシフィック鉄道とシルバー・キング鉱山に対する請求権も裁判所に認めさせた。当然ながら、アリゾナの経済は大混乱に陥った。

1887年、レビスは颯爽とした身なりでアリゾナの町ツーソンに現れる。連れていたのは、妻の"男爵夫人ソフィア・ロレッタ・ミカエラ・ペラルタ"である。実はカルメリータという名前の使用人に過ぎないこの女性を、レビスはカリフォルニアのジョン・スローターなる牧場主の屋敷で見つけ、即座に「行方知れずになっていたペラルタ家の相続人だ」と気づいたという。それを証明するため、彼女の祖父が書いたとする遺言状をはじめ、レビスは大量の書類を提出した。

サザン・パシフィック鉄道およびシルバー・キング鉱山と合意した和解案により、また、土地の占有者たちに権利放棄証書を売ることによって、レビスは大金持ちになった。その成金ぶりはマスコミの罵倒の的となったが、地元の実業家はもちろん、全国規模の大企業さえ喜んで彼と手を結んだ。一方、アリゾナ準州の測量総監にして請求権査定人のロイヤル・ジョンソンは、レビスの申し立てを仔細に吟味していた。ジョンソンがようやく報告をまとめることができたのは、1890年になってからである。この報告はレビスを詐欺師とまでは決めつけていなかったが、書類にいくつか辻褄の合わない点があることを指摘し、政府が承認を与えることは推奨しなかった。

偽造書類から足がつく

1891年、ジョンソンよりもはるかに強大な権限を持つ「土地請求権審査裁判所」が設置され、かつてスペインのものだった土地に対するすべての請求権を取り扱うことになった。レビスの経歴を調査する法律家チームの中に、スペイン語に堪能なセベロ・マレ=プレボーがいた。1893年から1895年にかけて、彼は"男爵"の足取りをたどって米国南西部を旅して回っ

**レビスは
あらかじめ記録を改竄した
偽造文書を紛れ込ませておいて、
あとでそれらを確認させていた。
もともとの文章を消して
書き換えた跡がある羊皮紙や、
ほかとは微妙に異なる種類の紙が
混じっているのが発見されたのだ。**

た。のみならず、はるばるスペインまで出かけていって、セビリアとマドリードの記録保管所で調査を行っている。その結果、レビスがあらかじめ記録を改竄した偽造文書を紛れ込ませておいて、あとでそれらを確認させていたことを示す証拠が大量に見つかった。もともとの文章を消して書き換えた跡がある羊皮紙や、ほかとは微妙に異なる種類の紙が混じっているのが発見されたのだ。

一部の文書は最初と最後の数ページこそ本物だが、その間のページは明らかにもっと新しい時代のものだった。酸鉄インクの代わりにミズキ属の植物染料を含むインクが使われていたり、羽根ペンで書かれた文書に鉄筆の跡が見つかったりしたのである。そういったインクを化学薬品で除去すると、まったく別の内容が浮かび上がってきた。

レビスの申し立ては却下された。1895年1月、彼は起訴されて裁判にかけられる。結果は有罪。6年の刑を言いわたされ、サンタフェの刑務所に収監された。"男爵夫人"は騙されていただけと見なされて罪には問われず、レビスが仮釈放になった数年後に離婚している。レビスの晩年を知るフェニックス市の市民によると、彼は毎日図書館に通っては、羽ぶりが良かった頃の自分について書かれた新聞記事を何度も何度も読み返していたという。

絵に描いたような成功者

1938年12月の第1週、ウォール街は激震に見舞われた。総資産8000万ドル、年商およ

そ1億6000万ドルを誇る超有名製薬会社マッケンソン&ロビンズの社長を務めるフランク・ドナルド・コスターが、不正行為で告発されたのである。使途不明金の額は、少なくとも1800万ドルに上った。

コスターは、コネチカット州フェアフィールドで家族とともに静かな暮らしを営む成功したビジネスマンとして知られていた。3つの信託銀行の取締役を兼ね、バンカーズ・クラブとニューヨーク・ヨットクラブに籍を置き、さらには著名なメソジスト信徒でもあるという、絵に描いたような成功者。いつも古風なスーツに身を包み、スパッツ（脚絆）を着け、丸メガネかけた、いわば地域社会の名士とも呼ぶべきこの人物が不正を働くなど、にわかには信じられないことだった。

しかしFBIの捜査が始まると、驚くべき事実の数々がすぐに明らかになる。コスターは本名をフィリップ・ムジカといい、1877年にナポリで生まれ、6歳のときに家族とともに米国に渡ってきたイタリア移民だったのである。そしてマッケンソン&ロビンズの3人の重役、すなわち"ジョージ・ディートリック""ロバート・ディートリック""ジョージ・バーナード"は、それぞれ本名をジョルジョ、ロベルト、アルトゥーロといい、全員がフィリップの兄弟だった。

その後、フィリップ・ムジカの経歴が徐々に暴かれていった。父親のアントニオはニューヨークで理容師として働いていたが、息子のフィリップに勧められ、かつらやヘアピースの材料となる髪の毛を仕入れる商売を始める。これが大当たりし、フィリップは金回りの良いプレイボーイの暮らしを送るようになった。しかし、その元手は毛髪の架空在庫を担保にして工面したものだった。1913年、彼は上質の毛髪216箱分をカタに37万ドルの借り入れを申し込んだが、倉庫を訪れた銀行の調査員たちが見つけたのは、全部で213ドルにしかならない数箱分の毛髪だけだった。その夜、ムジカ一家は姿をくらまし、数日後にニューオリンズでコスタリカ行きの船に乗っているところを取り押さえられた。

司法取引

ムジカ家の4兄弟は全員詐欺罪で起訴されたが、フィリップだけはニューヨーク州の地方検事と取引し、罪を認めたうえで仕事仲間と親友を当局に売り渡した。情報提供者としてすこぶる有用だったので、彼は実刑を免れ、それどころかウィリアム・ジョンソンという偽名で地方検事に雇われてさえいる。

次にフィリップ・ムジカが表舞台に現れたのは、1919年のことである。このときは"コスタ"という姓を名乗っていた。ボルステッド法の可決により禁酒法が施行されたのを機に、彼はアデルフィ製薬会社を設立する。この会社は法の定めるところにより、月に1万9000リットルのアルコールを購入することが認められた。しかし、ムジカは仕入れたアルコールをそのまま酒の密造業者に横流ししていた。数年後、"フ

1898年に英国で創刊された雑誌『ワイド・ワールド・マガジン』は、「事実は小説よりも奇なり」をモットーに掲げていた。ところが、連載された"ルイ・ド・ルージュモン"（写真）の冒険譚は、まもなく完全な作り話だとばれてしまう。ド・ルージュモンは1844年生まれのフランス人という触れ込みで、本人いわく、オーストラリア先住民の食人族を20年以上率いるなど、驚くべき経歴の持ち主だったが、オーストラリアでは執事として働いていたということ以外、確認が取れていない。

ランク・D・コスタ"改め"F・ドナルド・コスター"は、クラーク＆ハバードで一目置かれる仲買人であり、かつまた、"ディートリック兄弟"とともに別の製薬会社ジラード社を所有する経営者でもあった。"ジョージ・バーナード"ことアルトゥーロが仲介役となり、このジラード社もまた割り当てられたアルコールを密造業者に売りさばいた。

実業家の正体

"コスター"はウォール街の投資家ジュリアン・トンプソンの協力を得てマッケンソン＆ロビンズ社の経営権を買い取り、ジラード社と合併させたうえ、トンプソンを会計責任者に据えた。同社の業績は好調で、1929年の株式市場の大暴落とそれに続く世界恐慌も何とか乗り切った。ただしそれは、安値で仕入れた時価200

万ドルの生薬（未精製薬）が倉庫に眠っているかのように装うことで、初めて可能になったことである。

1937年、短期間の景気後退を背景に、マッケンソン＆ロビンズ社の取締役会は原料在庫の現金化を議決、コスターは粉飾発覚の危機に直面する。しばらくは何とかごまかしたものの、翌年の秋トンプソンと口論になると、この会計係を排除するため管財人を申請するという荒っぽい脅しを実行に移した。同年12月6日、マッケンソン＆ロビンズ社の株式が取引停止になり、証券取引委員会、FBI、司法長官事務局、ニューヨーク地方検事局のそれぞれが人員を投入し、捜査に乗り出した。

12月16日の朝、フィリップ・ムジカは拳銃で頭を撃って自殺する。まさにFBI捜査官2名が逮捕に向かっているところだった。彼は結局20年近く正体を隠していたことになるが、死後にもうひとつ意外な事実が判明する。フェアフィールドでは誰もが彼をメソジスト信徒だと思っていた。ところが、遺体から見つかった小さなポーチに入っていた十字架の裏には、次のような言葉が刻まれていたのである——「私はカトリックだ。万一のときは神父に知らせてほしい」

幸いなことに、マッケンソン＆ロビンズ社は医薬品業界であまりにも重要な地位を占めていたため、各社はその存続のために労を惜しまなかった。結果、有能な人々の手に経営が委ねられたおかげで、同社はその後も規模の拡大を続けた。ムジカが横領した額は全部で290万ドルと見積もられたが、差し押さえたヨットと不動産を合わせても5万1000ドルにしかならず、それ以上は回収できなかった。

なりすまし犯罪

ここまで見てきたように、他人になりすますという行為は人類史を通して絶えることがなかった。自分より有名で、自分より裕福と思われる誰かになりすまそうとするケースがほとんどだが、現代においては、誰もが犯罪者に自分の名前を騙られ、面子を潰され、財産を掠め取られる恐れがある。どんなに無名で社会の第一

1956年、デボンシャーの配管工を父に持つシリル・ヘンリー・ホスキンズは、ロブサン・ランパと改名し、チベットのラマ僧を自称した。その著書『第三の眼』は世界的なベストセラーになる。詐称が発覚したあともホスキンズは執筆を続け、さらに16冊の本を著した。

鉄鋼王の隠し子

　キャシー・チャドウィックはテレーズ・アンベール（199ページ参照）に匹敵する稀代の女詐欺師である。彼女は本名をエリザベス（ベッツィー）・ビグリーといい、1850年代の末、カナダのオンタリオで生まれた。やがて米国に移住し、千里眼の持ち主として成功を収める（種を明かせば、あらかじめ私立探偵を雇ってお客の身上調査をしていたに過ぎない）。1897年、当時"コニー・フーバー夫人"の名で知られていたベッツィー・ビグリーは、オハイオ州クリーブランドでリロイ・チャドウィック医師と結婚。彼女の犯歴の中でも最も大胆な信用詐欺の準備に取りかかる。弁護士のジェームズ・ディロンに近づくと、自分は鉄鋼王アンドリュー・カーネギーの隠し子だと偽り、証拠として大富豪が振り出した約束手形を示したのである。手形は彼女が偽造したものだったが、ディロンはその話を信じた。この約束手形と、ゴシップ好きで知られるディロンが広めた彼女の財産に関する"内緒の噂"を頼りに、キャシーは7年にわたって優雅な暮らしを送ることができた。1904年11月、ある銀行家から、融資した金の返済を求められたことがきっかけで正体が露見。翌年3月には7件の詐欺で有罪となり、懲役14年を言いわたされた。その2年後、服役中に死亡。48年の生涯だった。

ベッツィー・ビグリーのものとされる唯一の写真。

線から退いていようが、その脅威からは逃れられない。

　多くの人がパスポートを持てるようになると、おたずね者が国をまたいで移動するのを防いだり、移住希望者の足取りを追ったりするのに、この身分証明書は理想的な手段に思えた。とはいえ、パスポートの偽造は何十万件と行われているし、検査もおおむね表面的なものでしかない。入国管理の職員が怪しい人物を見分けるには、パスポートよりも己の直感のほうがよほど頼りになる。また、多くの偽造パスポートは本物に比べて造りが雑だし、そもそも本物はデザインが凝っていて、偽造が次第に難しくなっている。したがって、偽造パスポートを用意するよ

りも、偽名で取得した本物のパスポートを使うほうがはるかに簡単なのである。

　フランク・アバグネイルは半自伝『キャッチ・ミー・イフ・ユー・キャン』の中で、死んだ子どもの名前でパスポートを作った経緯を披露している。これは、フレデリック・フォーサイスの小説『ジャッカルの日』に登場する架空の暗殺者が使ったのと同じ手口である。パスポートの申請手続きが簡便な国なら、もっと話が早い。映画『レザボア・ドッグス』で"ミスター・ブルー"を演じた俳優で元犯罪者のエドワード・バンカーは、自伝的犯罪小説の中で、米国からカナダに逃亡した主人公があっけないほど簡単にパスポートを手に入れるくだりを描いている。9・

死者の名前を借りる

　犯罪者はパスポート発行制度の抜け穴をいち早く見抜いた。あちこちの田舎の墓地を探せば、自分と生年月日が近く、早死にした子どもの墓はすぐに見つかるはずだ。そうしたら、「趣味で家族の来歴を調べているアマチュア系図学者」とでも名乗り、郡の記録保管所でその子どもの出生証明書の写しをもらえばいい。それに自分自身の証明写真を添えるだけで、通常、パスポートを申請する書類としては十分だったのである。

11同時多発テロ事件以来——とりわけ、多くの国でテロ対策法案が可決されてからというもの——そのような手法でパスポートを取得するのは難しくなったが、依然として不可能ではないのだ。

個人情報を盗み取る

　現在、個人情報や財務情報を不正に取得する犯罪は、オンラインでの活動を通して行われることが圧倒的に多い。いわゆる「オンライン個人情報盗用（OIT）」である。OITの増加にはいくつかの背景がある。2000年代に高速大容量のインターネット通信が普及したことにより、人々のオンライン行動が増大したこと。オンラインショッピングとインターネットバンキングがほぼ当たり前になったこと。スマートフォンやクレジットカードなど、潜在的に脆弱なデバイスが普及していること。SNSで個人情報が共有されていること……などなど。要するに、犯罪者の付け入る隙がひと昔前とは比べ物にならないほど増えているのである。事実、全米市民の半数が、過去2年の間に何らかのOIT被害に遭ったと推計されている。

　OITの手口は多様化している。典型的なものでは「フィッシング」がある。一見何ら問題ないように見える電子メールやテキストを、特定の（あるいは不特定多数の）相手に送りつける。そこに貼られたリンクや添付ファイルをクリックすると、マルウェア（悪意のソフトウェア）がインストールされてしまう仕掛けだ。そのマルウェアは侵入したデバイスをスキャンし、利用できるデータを探す。銀行の口座番号やパスワード、連絡先その他、個人の私生活の扉をこじ開けるのに使えるものであれば、どんなものでもいい。これと対照的なのが「スキミング」で、クレジットカードまたはデビットカードを読み取る装置をATMや店舗の決済端末にこっそり仕掛けておくやり方だ。カードを挿入すると、装置がデータを読み取って犯罪者に送信し、犯罪者はそのカードの名義人の口座から直接支払いできるようになる。

　個人情報を盗み取る巧妙な手口はもう1つある。Wi-Fi（無線LAN）ハッキングだ。ハイテクに強い犯罪者ならWi-Fiルーターをハッキングし、そのルーターを経由するすべてのデータトラフィックを監視できる。ユーザーの個人情報は抜き取り放題だ。ほかにも、公共空間にWi-Fiホットスポットを設定し、その場所で正規に運用されているネットワークのように見せかける名前（たとえばターゲットが利用している喫茶店の名前など）を付ける方法がある。そういうネットワークにうっかりログインしてしまうと、すぐそばの席に座っているかもしれない犯罪者に、自分のデバイスでどのような文字を打ち、何を閲覧したかが丸見えになる。犯罪者はその中から、パスワードのようなお宝情報を見つけ出すのである。

　個人情報を盗み取る手口の中で急増してい

スコットランドヤード
（ロンドン警視庁）によれば、
なりすまし犯罪は、
闇社会のリーダーや
テロ組織の実働部隊が
好んで選ぶ犯罪として、
麻薬の密売に
取って代わりつつあるという。

るのが、いわゆる特殊詐欺（電話詐欺）だ。詐欺師たちは騙されやすそうな相手に電話をかけ、銀行や税務署、クレジットカード会社、あるいは警察の詐欺対策班といった、まっとうな機関や組織の職員を名乗る。彼らはよく研究して

いて、話に説得力があるから侮れない。たいていは何か問題が起きたと偽って、個人情報や金融情報を聞き出したり、ときには指定の口座に現金を振り込ませたりする。

　OITと特殊詐欺は大きな社会問題となっている。2020年に連邦取引委員会が受けた詐欺の報告は全米で220万件に及び、被害総額は33億ドルに達した。

カイゼルの孫

　ペテン師の中には、ペテンこそが生きる証しのような者もいる。ペテンを働くことによって、自らはほとんど利益を得ず、誰も傷つけず、むしろ権威ある人々の騙されやすさを暴き出して世間を楽しませるような連中だ。そういったペテン師の中で、ハリー・ドメラほど成功した者

ハッカーが犯罪活動を行うには、それなりに高性能なコンピューターとネット環境さえあればよく、ほかに大した道具は要らない。ただし、高度な専門知識と技術は不可欠だ。ハッカー集団の中には、違法収益の総額が2025年までに推定10億ドルに達するものもあるという。

はいない。1920年代のドイツで、廃位された皇帝（カイゼル）の孫にあたるホーエンツォレルン家の公子ウィルヘルム・フォン・プロイセンになりすました人物である。

1904年、当時帝政ロシア領だったラトビアのバウスカという小さな町で、ハリー・ドメラは生を受けた。両親は中産市民だったが、父親はハリーがまだ幼い頃に他界している。第一次

なりすましを防ぐには

1. 身に覚えのない銀行口座の利用や引き落としがないか、利用明細や取引明細を定期的に確認する。少額だと気づきにくいが、犯罪者は多くの相手から時間をかけて少しずつ盗み取ることが少なくない。

2. オンラインショッピングやサブスクリプション、ネットバンキングなどのアカウントを作成する際には、推測されにくい複雑なパスワードを設定する。

3. ネットバンキングや決済システムで2段階認証が使えるなら、それを有効にしておく。

4. 銀行の取引明細、水道・光熱費の請求書、領収書、私信など、少しでも悪用される恐れがある書類は、シュレッダーにかけてから捨てる。犯罪者は他人のゴミ箱を漁るだけで、利用価値の高い情報を日々手に入れているのだから。

5. もし捜査当局なり何なりから電話があって、「詐欺の標的にされている恐れがある」と言われたら、いたずらに取り乱さず、「銀行の相談窓口に電話をしたいので、いったん切る」と伝える。彼らが本物なら、文句を言ったり話を逸らしたりはしないはずだ。間違っても、彼らが言う電話番号にかけてはならない。とにかく、電話口で個人情報を明かさないこと。

6. 心当たりがないか、または信頼できない発信元から送られてきた電子メールやテキストをクリックしない。

7. クレジットカードや身分証の類をまとめて持ち歩かず、必要なものだけ持って出るようにする。万一財布を盗まれたときのために、財布の中身をすべて（カードや身分証の裏面まで）写真に撮っておくのも賢明な予防策だ。

8. 安全なウェブサイトを利用する。URLが「https」で始まるサイトは安心できる（httpsのsは「secure（安全な）」を意味する）。

9. 公共施設のWi-Fiネットワークにログインする際には、ネットワークの名称がその施設から与えられた名称とマッチしているか確認する。ただ、セキュリティーが十分でない公共のネットワークを使うのは、できれば避けたほうがいい。

10. コンピューターやその他のデバイスにウイルス対策ソフトとマルウェア対策ソフトをインストールし、常に最新版にアップデートしておく。また、仮想プライベートネットワーク（VPN）ソフトもハッカーから身元を隠してくれるので有用だ。

世界大戦中の1915年、ドイツがラトビアに侵攻すると、母親と生き別れになった11歳のハリーは養護施設に入れられた。

1918年の休戦に続く混乱の中、旧プロイセン領を奪還するという儚い望みを掲げてドイツ義勇軍が結成されると、15歳のドメラもそれに加わった。しかし、この義勇軍はやがてドイツに呼び戻され、各地で頻発する労働者の暴動を鎮圧する任務に動員されたが、まもなくして政府命令により解体された。

「公子殿下につないでくれたまえ！」

その後の数年というもの、ドメラは無一文でドイツ国内を転々とし、身分証も持たずに放浪した罪で何度か短い刑期を務めている。やがて、一張羅のスーツを着込み、"コルフ男爵"と名乗ってエルフルトのホテルに投宿すると、ドメラは二間続きの客室から電話をかけ、ある人物への取り次ぎを求めた。その相手というのが何と、1918年に廃位されたドイツ皇帝ウィルヘルム2世の孫の1人、ルイ・フェルディナント公子である。公子は不在だったが、この電話の一件はたちまち支配人の耳に入った。支配人は"コルフ男爵"と名乗るこの宿泊客が、ルイ・フェルディナント公子の兄君にあたるウィルヘルム殿下の写真に似ていることに気づいて驚愕する。

ドメラは関係を否定したが、支配人は心得顔の微笑で受けとめ、宿泊料はもちろんタダになった。「前皇帝の孫がお忍びでやってきているらしい」というニュースは近隣一帯に広まり、ドメラ自身、気づいたときにはその地方の町々を行幸していた。新聞各紙がこぞってこの話題を取り上げたが、中には、「廃位された皇帝家のメンバーにワイマール共和国軍が敬意を表するのはおかしい」との社説を掲げる新聞もあった。しまいにはドメラが軍の地方司令官を訪ね、自分に関する一切の新聞報道を禁止するよう申し入れを行う始末。「とにかくあと数日は私人としてエルフルトで過ごしたい」というのが"公子"の言い分だった。エルフルトからワイマールに移動したドメラは、そこでも報道の自粛を求

めた。しかし、公子ご光来の報はどこからともなく漏れ伝わり、彼は再び地元有力者たちの供応に与かることになる。が、遅かれ早かれメッキは剝がれる──それより前に文無しのハリー・ドメラに戻るほうが無難だろうと判断し、1927年の1月、彼は一番安い切符を買ってベ

いかにも皇族然としたハリー・ドメラは、ドイツはチューリンゲンの都市エルフルトで歓待を受けた。当初"コルフ男爵"と称していた彼を、人々は早々にホーエンツォレルン家の公子ウィルヘルムと思い込んだのである。

詐欺罪で裁判を待つ間、ハリー・ドメラには体験記の執筆依頼が舞い込んだ。そして釈放されたとき、彼はすでにベストセラー作家となっていた。

ルリン行きの列車に乗った。

　ところが、ドメラを乗せた列車がドイツの首都に到着し、駅のホームにゆるゆると入っていく頃、すでに警察の調査によって、本物のウィルヘルム公子がここ数年来エルフルトにもワイマールにも足を運んでいないことが明らかになっており、それを新聞各社もつかんでいた。果たして、列車から降りたドメラを出迎える新聞の売り子たちが手に手に振りかざす最新号の紙面には、次のような大見出しが躍っていた。

　偽のホーエンツォレルン殿下、未練がましい君主制支持者を欺く。

"ウィルヘルム公子"はいずこ？
全ドイツが稀代の詐称者を捜索中。
わが共和国が再び世界の笑い物に。

"公子"、逮捕さる

　ドメラのペテンを面白がる人はベルリン市内の至るところにいた。しかし、写真が新聞に掲載され、どこに行っても「渦中の人物」と気づかれるようになると、閉口した彼はまたしても列車に飛び乗り、今度はドイツとフランスの国境近くにやってきた。

　そこでフランス軍外人部隊の募集広告を目にしたドメラは、見つかる前に国外に逃れたい

一心ですぐさま応募、めでたく採用されていざ出立という矢先、2人の刑事に逮捕された。半年後にケルンで開かれた法廷では、証人の誰ひとりとして被告を悪しざまに言う者はいなかった。それどころか、むしろ"殿下"のおかげでホテルやレストランの売上が伸び、慈善事業への寄付金は過去最高を記録し、全体として地域の賑わいが増したと、口々に感謝の気持ちを表したのである。

　判決は禁錮7カ月だったが、未決拘留期間がすでにその長さに及んでいたため、ドメラは即日釈放された。拘留中にも、ベルリンの出版社から「2万5000マルクで体験記を書かない

か」という打診があり、引き受けたドメラが獄中で書いた本はたちまち7万部を売り上げた。自身の半生を題材にした芝居で本人役を務め、また本の印税が入って経済的に不自由しない身分となった。その金で彼はベルリンの小さな映画館を買っているが、1930年のこけら落しで封切られたのは、彼の体験記をもとにした『Der falsche Prinz（偽の公子）』という作品だった。

　その後のハリー・ドメラの消息は分かっていない。ナチスの強制収容所で最期を迎えたという報告もあれば、ナチスが政権を握るや、さっさと南米に渡ったという報告もある。

本物のホーエンツォレルン家公子ウィルヘルム。ハリー・ドメラが自ら所有する映画館のこけら落としで『Der falsche Prinz』を公開してまもなく、とあるレセプションで撮影された写真。

家族との対面

　時は下って1950年代。年老いた元皇太子妃ツェツィーリエ、すなわち本物のウィルヘルム公子の母堂が、1927年の晩夏、釈放されたドメラがひょっこり訪ねてきたときのことを次のように回想している。「どうして追い返すことなどできるでしょう？　別段何をされたわけでもなし……あの方のご活躍について聞いたとき、皇太子と私は、それこそお腹がよじれるくらい笑ったのですよ。だから、お茶に誘って差し上げたの。礼儀作法のしっかりした、魅力的な青年でしたわ。何でも、"母上"にひと目お会いするまでは心安んじて過ごせないとかで。本当に楽しいお茶会でした。ただ、1つだけ不思議だったのは、いったい全体、どうしたらこの人が息子のウィルヘルムと間違えられるのかしら、ということです」

ティッチボーン事件

　ロジャー・ティッチボーンは1829年、イングランド南部のハンプシャー州に広大な所領を有する第8代ティッチボーン准男爵の末弟、ジェームズ・ティッチボーンの長男として生まれた。ヨークシャーにあるカトリック系寄宿学校の名門ストーニーハーストで教育を受けたロジャーは、20歳で近衛竜騎兵第6連隊に入隊する。

　第8代准男爵は子を残さずに他界したので、次弟のサー・エドワード・ダウティーが跡を継いだ。そのサー・ダウティーにも跡取り息子がいなかったため、彼に万一のことがあったときには三弟のジェームズが、そしてジェームズ亡きあとはその子であるロジャーが爵位を継ぐものと思われた。1852年、ロジャーはサー・ダウティーの娘キャサリンと恋に落ちる。しかし、カトリック教会はいとこ同士の結婚を禁じていたので、サー・ダウティーは次のように裁定した。2人は向こう3年間、会ってはならない。3年経って、それでもまだ互いの気持ちに変わりがなければ、そのときは教会に特別な許可を求めよう、と。

　ロジャーは連隊を辞め、南米に渡る。このあたり、いかにもビクトリア朝風だが、その10カ

オーストラリアのウォガウォガという町にあった掘っ立て小屋。肉屋のトマス・カストロはここで妻子と暮らしていた。

**1852年に消息不明となった
ロジャー・ティッチボーンは
細身で面長、愁いを帯びた
顔立ちをしていたのに、
カストロは37歳のわりには
ずんぐりとした、いかにも
中年めいた体つきをしていた。**

月後、ブラジルのリオデジャネイロからニューヨークに向かうため、英国の小型船舶ベラ号に乗船したところ、暴風雨に見舞われて船が沈没。600キロあまり沖合を漂っていた航海日誌が見つかった以外、船は跡形もなく消えてしまった。

　1855年、英国の裁判所はロジャー・ティッチボーンの死亡を宣告する。その後、サー・ダウティーの死により准男爵の地位を継承したジェームズが他界すると、ロジャーの弟アルフレッドが准男爵の所領を相続した。しかし、そのアルフレッドも数年後には鬼籍に入り、アルフレッドの息子でまだ幼いヘンリーが第12代准男爵に擬せられた。

ウォガウォガの肉屋

　一方、ロジャーの母ヘンリエッタは息子の死を受け入れられず、新聞広告を出して情報を募った。そんな彼女のもとへ、1865年、オーストラリアの小さな町ウォガウォガから1通の手紙が届く。差出人は弁護士で、その内容は、ロジャーが生きており、トマス・カストロという名前で近くに暮らしているというものだった。

　このカストロという人物、実はウォガウォガで肉屋を営む無学な男で、字の読めない細君と暮らしていた。1866年1月、彼はヘンリエッタに「母上へ」で始まる手紙を書き送り、ヘンリエッタは"息子"に父親と弟が亡くなったことを知らせる返事をしたためた。カストロは当初、ヘンリエッタから金を騙し取れればそれでいいと考えていたに違いないが、この訃報に接してにわかに野心を燃え上がらせる。彼はティッチボ

第12代ティッチボーン准男爵を名乗る権利を主張したウォガウォガの肉屋、トマス・カストロ。

ーン家の元使用人がたまたまシドニーで暮らしていることを知って訪ねていき、その老人をうまく丸め込んで、自分をロジャー・ティッチボーンだと認めさせた。

　この身元確認を真に受けたヘンリエッタは、すぐに"息子"に送金し、カストロはその金で家族とともに船に乗ると、はるばる英国にやってくる。そして単身、パリに住むヘンリエッタを訪ねたのである。母親は"息子"の変わりように驚いたに違いない。何しろ、1852年に消息不明となったロジャー・ティッチボーンは細身で面長、愁いを帯びた顔立ちをしていたのに、カストロは37歳のわりにはずんぐりとした、いかにも中

ティッチボーン准男爵領の所有権を主張するのに必要な軍資金を調達するため、カストロは"ロジャー・チャールズ・ダウティー・ティッチボーン"の名前で抵当権付き債券を発行し、一口100ポンドで売り出した。この債券の購入者はひとり残らず出資金を失うことになる。

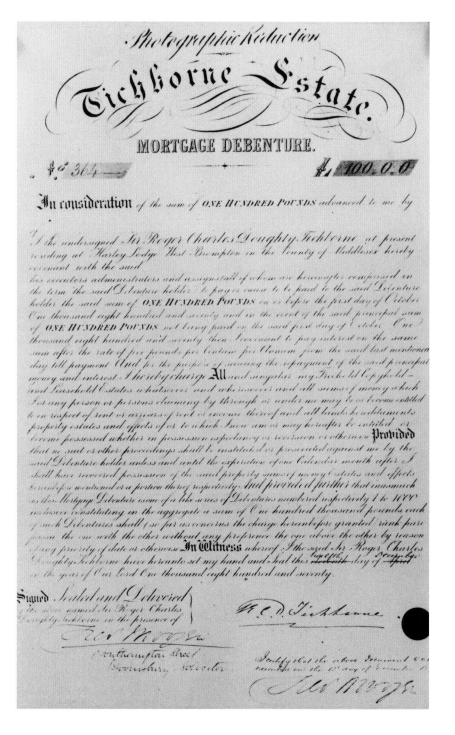

ロンドンの高等法院大法官部で証言を聞く陪審団。3カ月を超える審理の末、カストロの申し立ては棄却された。

年めいた体つきをしていたからだ。それでも彼女は、目の前の男を息子として受け入れた。

"母親"から年に1000ポンドの小遣いをもらえることになったカストロは、意気揚々と英国に戻り、今度は准男爵の肩書を手に入れるべく動き始める。まず、准男爵一族について知り得る限りのことを調べ上げ、ロジャーの友人知己を大勢たぶらかして偽りの素性を認めさせた。ベラ号遭難を生き延びた経緯については、たまたま通りかかったオーストラリア行きの船に救助されたと説明。家族に無事を知らせなかった理由を問われると、「うっかりしていたのと、生来の筆不精がたたった」と答えた。さらには、自分が英国を発つときキャサリン・ダウティーは妊娠していたとも付け加えて、恋人の名誉まで傷つけた。

入れ墨はどこに?

カストロの申し立てがロンドンの高等法院大法官部で審理に付されるまで4年かかった。その間、カストロは准男爵領を担保に一口100ポンドの抵当権付き債券を発行し、軍資金を上積みしている。審理では、ティッチボーン家の

家庭教師や近衛竜騎兵第6連隊の元士官を含む90名の証人が、カストロこそロジャー・ティッチボーンに相違ないと証言した。一方、それ以外の証人たちは、カストロの正体が1834年にロンドンのイーストエンドで生まれたアーサー・オートンなる下郎だと言って譲らなかった。カストロ／オートンの申し立てに不利となる決定的な証言は、本物のロジャーは腕に自分のイニシャルを彫っていたというもので、カストロ／オートンの腕にそのような入れ墨は見当たらなかった。3カ月を超える審理の末、大法官部はカストロ／オートンの申し立てを棄却した。

カストロは23件の偽証罪で即座に逮捕される。しかし保釈が認められ、その後1年かけて"サー・ロジャー・ティッチボーン"として英国中を行脚し、市民集会で無実を訴え、弁護費用の寄付を募った。彼は一種のヒーローとして大いに人気を博したので、公判期間中はむしろ検察官のほうが街で罵声を浴びせられ、しばしば警察による警護を必要とするほどだった。

トマス・カストロの裁判は延べ188日に及び、英国司法史上最長の刑事裁判の1つとなった。被告弁護人による冒頭陳述は21日間を要し、

カストロのノート

　裁判の中でカストロに不利な証拠としてノートが提出されると、彼はそのノートが捏造されたものだと弱々しく抗議するしかなかった。結局彼は、自分の落書きによって破滅に追いやられたのである。

　「トマス・カストロ……ロジャー・チャールズ・ティッチボーン、准男爵、いつかそうなれれば」

　「頭が空っぽの金持ちもいれば、頭の回る貧乏人もいる。頭が空っぽの金持ちは、頭の回る貧乏人のカモにされて当然なんだ」

　最終弁論は23日間にわたった。首席判事が裁判を総括するのにも、20日間かかっている。理由は、検察側証人の数が210名にも及び、弁護側証人は300名にも達したからだ。しかし、弁護側証人の一部が嘘をついていることが示されるなど、カストロに不利な証拠の重みは圧倒的だった。結局有罪の評決が下され、首席判事は「被告人の偽証の悪質さを考慮して」懲役7年にさらに7年を加算した合計14年の刑を言いわたした。

　トマス・カストロことアーサー・オートンは1884年に釈放された。彼は「罪の告白」らしきものを新聞社に売ったが、のちにその内容を撤回している。自分がティッチボーン准男爵であると訴え続けるため大衆演芸の舞台にまで立ったものの、世間の関心はすでに失われていた。その後は坂道を下るように落ちぶれていき、最後は安下宿で64歳の生涯を閉じている。1898年のことだった。オートンは死ぬまで"サー・ロジャー・ティッチボーン"と名乗ることをやめず、棺にもその名が刻まれたという。

ドイツの資産家令嬢

　アンナ・ソローキンの生まれは貴人でも何でもなかったが、その後の生き方を見れば、本人がそう呼ばれる資格ありと感じていたことは間違いない。彼女は1991年1月23日、モスクワの衛星都市ドモジェドボの、ごく普通の労働者階級の家庭に生まれた。父親はトラックの運転手、母親は小さな店を経営していた。2007年、父親に出世話が舞い込み、一家はドイツに移住する。アンナの成人してからの人となりや野心、夢想といったものが形を成し始めたのは、このヨーロッパにおいてである。両親からの援助もあって金銭的に余裕が出てくると、ソローキンはドイツ、ロンドン、パリと渡り歩き、芸術学校に通ったり、広告会社や『パープル』というフランスのファッション雑誌で見習い社員を務めたりしたが、たいてい長続きしなかった。

　どうやら、10代後半から20代初めにかけてのソローキンは、贅沢な暮らしに憧れ、ファッション雑誌と社交界のゴシップ記事を読み漁ることで、心理的にはセレブになりきっていたようだ。彼女が変名とそれに合わせた素性を使うようになったのは、この頃からである。やがて、ドイツの資産家令嬢"アンナ・デルビー"を名乗るようになる。だが、このデルビーという虚像の全貌が明らかになるのは、2013年に渡米してからだった。

　最初はニューヨーク・コレクションに出席するのが目的だったが、ニューヨークという町にすっかり馴染んだソローキンは、帰国せずにとどまることにした。ヨーロッパ的な気品、独特なアクセント、高級品志向のファッションセンス（ごく短期間、彼女は『パープル』誌のニューヨーク支社で働いた）、そして高慢と受け取られかね

ヨーロッパ的な気品、
独特なアクセント、
高級品志向のファッションセンス、
そして高慢と受け取られかねない
ほど自信に満ちた態度……
ニューヨークの社交界はたちまち
ソローキンに一目置くようになった。

ないほど自信に満ちた態度……ニューヨークの社交界はたちまちソローキンに一目置くようになり、周囲の人々の多くが彼女をデルビーだと思い込んだ。しかし問題は、そうやって取りつくろった自分にふさわしいライフスタイルを手にするための経済的手段が、彼女にはほとんどないことだった。ソローキンにあったのは自信と、罪を犯すことも辞さない覚悟だけである。

　ソローキンはニューヨークの上流社会に潜り込もうと、パーティーや画廊に出かけ、高級ホテルの一番良い部屋に泊まった。コンシェルジュには100ドル札でチップを渡し、五つ星レスト

ランで食事をした。また、アート作品の展示を柱とする一種の会員制クラブ "アンナ・デルビー財団" を設立するという触れ込みで、出資を募った。やがて、どこでも見る顔となった彼女を、多くの人は信託財産でリッチな生活を送る高慢ちきな小娘と見なすようになった（何かと役に立ってくれるコンシェルジュは別として、テーブル係やホテルの従業員に対してはぞんざいな態度をとることで知られていた）。

　ただ、あとになって怪しかったと言う人たちもいた。ソローキンは食事代、宿泊料、旅費などの支払いを、常に誰かに肩代わりさせた。言い訳はたいてい、国際送金にトラブルが発生したか、クレジットカードが使えなくなったかのいずれかだった。彼女はまた、家に泊めてもらえないかと頼むことがよくあり、断られると、即座に相手を連絡先リストから削除した。「必ず返すから」と言われてソローキンに金を融通した "友人たち" が、貸した金を返してもらえた試しはなかった。たとえば、美術品蒐集家のマイケル・シュフ・ホアンは、ベネチアでソローキンの飛行機代と宿泊料、合わせて3000ドルを立て替

パスポートはほぼ全世界で身分証明書として通用し、自国民および外国人の足取りを追う手段としての有用性は依然として失われていない。もっとも、偽名でパスポートを取得することは今でも可能であり、そのことは多くの犯罪者によって証明されている。

えたが、帰国次第返すという約束にもかかわらず、ソローキンはのらりくらりとその話題を避け、いっこうに返そうとしなかった。

大がかりになる手口

しかし、そうした寸借詐欺は、ソローキンが働いた詐欺と金銭的ごまかしの、巨大な氷山の一角に過ぎなかった。身分不相応の高級ホテルに泊まり続けることで、ツケは数十万ドルにまで膨らんだ。それなのに、ホテルを追い出されても別のホテルに移るだけ。そうやってホテルを渡り歩いたあとには、訴訟と請求書が積み上げられていった。

やがて、信託財産の証書と銀行取引明細書を偽造して融資を申し込むという、高度な詐欺に手を染めるようになる。最も手の込んだペテンの1つが、2つの金融機関を手玉に取ったケースだ。2016年11月、ソローキンは偽造書類を使ってシティー・ナショナル銀行（CNB）に2200万ドルの融資を申し込む一方、翌月には同じ偽造書類で投資運用会社フォートレス・インベストメント・グループにも2500万ドルから3500万ドルの融資を申請した。フォートレスからデューデリジェンス（信用調査）の費用として10万ドルを求められると、今度はCNBを説得して当座借越を認めさせ、そうやって調達した10万ドルをフォートレスに送金したのである。審査で融資に赤信号が灯り始めると、ソローキ

2019年5月9日、量刑の言いわたしを聞くためマンハッタン区地方裁判所の法廷に現れたアンナ・ソローキン。ドイツの資産家令嬢を装うことで手にした知名度は絶大で、事件の顛末を映像化した連続テレビドラマ「令嬢アンナの真実」が2022年、Netflixで配信された。

人間の弱み

　2018年5月、『ニューヨーク・マガジン』誌に、「お金持ちがお金に無頓着なだけ?」と題する長い記事が掲載された。ソローキンの欺瞞を長々と分析する内容で、筆者でジャーナリストのジェシカ・プレスラーはソローキン本人とのインタビューを通じて、彼女が延々と詐欺を繰り返すことができた大きな理由を、「人はお金を見せられると、それ以外のことがほぼ見えなくなる」からだとしている。

ンは申し込みを取り下げたが、10万ドルのうち残った5万5000ドルを、800ドルのヘアハイライトや400ドルのまつ毛エクステといった贅沢三昧に注ぎ込み、わずか1カ月で使い果たしてしまった。

何か1つでも後悔してるなんて言ったら、ウソをつくことになる。

――アンナ・ソローキン

　ソローキンにはほかにも金を騙し取る手口があって、その1つが偽小切手の現金化だった。たとえば2017年4月、彼女はシティバンクの口座に16万ドルの不良小切手を入金し、その口座から7万ドルを引き出すことに成功している。ソローキンはまた、彼女を友人だと思っている人々を絶えず欺いた。中でも最もひどい仕打ちは、「全部私が出すから」と言ってモロッコ旅行に誘ったレイチェル・デローシュ・ウィリアムズに、旅費6万2000ドルを負担させたことだ。6万2000ドルはレイチェルにとって1年分の給料に匹敵する大金だった。金が入る端から使ってしまうソローキンは、未払いの請求書を貯め込み、不良小切手を入金し、その一方でプライベートジェットをチャーターすることまでしていた。それは2017年5月のことで、ソローキンはドイツ銀行からの電信送金確認書を偽

造し、3万5000ドルでチャーター機を雇ってネブラスカ州オマハに飛んだ。バークシャー・ハサウェイ社の年次総会で、会長兼CEOのウォーレン・バフェットに会おうと目論んだのだった。

ソローキン劇場

　そうした詐欺と欺瞞の連鎖を解きほぐしていけば、おのずとアンナ・デルビーにたどり着く。彼女が当局から目を付けられるのは、時間の問題だった。そして2017年10月3日、ニューヨーク市警による囮捜査でとうとう逮捕される。罪状は多岐にわたった。第1級、第2級、第3級の重窃盗、サービスの窃盗、小切手詐欺、偽計、ホテルおよびレストランの代金未払い……。裁判で正体を暴かれても、ソローキンはマスコミの関心が自分に集中することを見越していた。

　法廷にファッショナブルないでたちで現れた彼女の自伝を映像化する権利を、動画配信大手Netflixが32万ドルで獲得した（その大半はソローキンの弁護士費用に消えることになる）。借金を踏み倒そうと思ったことは一度もない、いずれ払うつもりでいた――ソローキンは被告人席からそう訴えたが、陪審団に信じてもらえず、結局4年から12年の懲役刑を宣告された。2021年には仮釈放になるのだが、それはさておき、刑を言いわたされる前、彼女は次のように言い放っている――「何か1つでも後悔してるなんて言ったら、あなたにもほかのみんなにも、自分自身にもウソをつくことになる」

CHAPTER 6
信用詐欺師
THE CONFIDENCE TRICKSTERS

あらゆる偽造師や詐欺師の中で、
一番大胆なのは信用詐欺師だ。間違いない。

人を騙すことには、何かしら密かな楽しみがあるのかもしれない。そこから得られる喜びが何なのか
は、彼らの経歴がすべてを物語っている。だが、信用詐欺師がこの稼業を続ける理由はただ1つ、
己の利益のためだ。本章で取り上げる例が示すように、信用詐欺師が利用するのは人が持つ欲望であ
る。詐欺師自身の欲望ではない。被害者の欲望だ。いかなるときも、彼らがカモに提案するのは「確実
な金儲けの方法」であり、法律に触れる恐れがあったとしても、それは手を出さずにはいられないほど魅

力的なものである。信用詐欺師はよく働く。彼らは何カ月も費やし、しばし
ば相当な金額を使って、ターゲットとなる被害者の"ガードを下げさせる"。
ときには複雑な"フロント"組織を立ち上げ、獲物を捕らえるために広げた
網の奥深くへと被害者を誘い込むこともある。そして機が熟したら、網を
閉じる。あとに残された被害者はただ持ち金を減らしただけで、学ぶこと
はほとんどない。

左ページ：20年にわたって被害者から金を巻き上げたのち、
刑務所に収監される途中の"伯爵"ことビクトル・ルスティッ
ヒ。いかつい表情の3人の連邦捜査官が周りを固めている。

左：ジョセフ・"イエローキッド"・ウェイルが詐欺で稼いだ総
額は800万ドルに上る。

ジェイ・グールドから
金を騙し取った男

　ゴードン家はスコットランドで最も由緒ある一族の1つで、何世紀にもわたってスコットランドの歴史に大きな役割を果たしてきた。そのため、1871年に"ゴードン＝ゴードン卿"がミネソタ州ミネアポリスにやってきて、地元の銀行に総額4万ドルを預けたとき、住民たちは大喜びした。

　だが、本当は誰だったのだろう？　「聖職者の息子と家政婦の間にできた隠し子」という説と、「一見立派だが、実はジャージー島で密輸に携わっていた夫婦の間に生まれた育ちの良い息子」という2つの説があるが、はっきりしたことは分からない。ゴードンの最初の記録は、1868年、エディンバラの宝石商マーシャル＆サンから"グレンケアン卿"の名で買い物をしたときのものである。自分がグレンケアン家の財産の相続人であると告知し、その後、1870年3月に27歳で相続した。ということは、ゴードンが生まれたのは1843年ということになる。

　1年以上にわたりマーシャル＆サンで信用を高めたあと、"グレンケアン"は姿を消す。その後、ミネアポリスに"ゴードン＝ゴードン卿"として現れ、広大な土地を購入し、スコットランドの領地にいる小作人の家族をそこに移住させるつもりだと発表した。この事業計画のニュースは、当時資金不足に悩んでいたノーザン・パシフィック鉄道で土地販売委員を務めるジョン・ルーミス大佐の耳にも入った。ルーミスはすぐに、ゴードン卿が西方の土地を検分できるよう盛大な遠征を準備し、町々の候補地に杭を立てた。

エリー鉄道の支配

　この遠征のあと、ゴードン＝ゴードンはホレス・グリーリーへの紹介状を携えてニューヨークへ向かう。グリーリーは、「若人よ、西へ向かえ」という自分の口癖を実行する人物に会えると喜んだ。時は1872年2月、大資本家のジェイ・グールドがエリー鉄道の経営権を巡ってほかの株主と争っていた時期だった。ゴードン＝ゴード

1870年代、米国の鉄道会社は一番乗りで大陸横断路線を建設しようと、建設資金の獲得に躍起になっていた。この1870年の漫画は、"コモドア（提督）"ことコーネリアス・バンダービルトがエリー鉄道のジェームズ・フィスクに挑んでいる様子を描いたもの。エリー鉄道の経営権は、ジェイ・グールドがかろうじて維持している状態だった。

編集者にして政治家、そして『ニューヨーク・トリビューン』紙の創始者であるホレス・グリーリー。"ゴードン=ゴードン卿"と、その貴族社会風な人脈に取り込まれた1人だ。

ンは自分がエリー鉄道の株を6万株持っている
と発表する。これはグールドの社長の座を脅か
すのに十分な数の株だ。

　大慌てしたグールドは、ゴードン＝ゴードンか
ら「1株あたり35ドルの株式2万株と現金20
万ドルをもらえれば協力する」と提案されると、
言われるがままに2万株と現金20万ドルを渡
した。しかしすぐに株は売りに出され、グールド
はエリー鉄道の経営権を失ってしまった。グー
ルドは金の返還を要求する。グリーリーがゴー
ドン＝ゴードンを説得し、証券と現金を返還さ
せたが、グールドは15万ドルの損害を受けたと
して、裁判に訴えた。

　1872年5月、裁判が始まる。当初ゴードン
は、模範的な証人として、スコットランドにいる
自分の家族や弁護士の名前と住所をよどみな
く挙げていった。しかし、グールドはすぐにすべ
ての人物に電報を打ち、翌朝までにゴードン＝
ゴードン卿なる人物が存在しないことを突きと
めた。だがその間に、ゴードン＝ゴードンは保
釈金3万7000ドルの支払いを保証人に任せ、
夜行列車でモントリオールに向かっていた。

マニトバに滞在

　モントリオールから現在のマニトバ州ウィニペ
グに向かったゴードン＝ゴードンは、当時ハドソ
ンベイ社の貿易拠点であったフォート・ギャリー

**最終的には、米国の
ユリシーズ・S・グラント大統領と
カナダのジョン・A・マクドナルド
首相が直接介入して、
3カ国を巻き込んだ事態は
ようやく収拾した。**

に滞在した。彼はそこで、たびたび狩猟を楽し
みながら、のんびりと時間を過ごした。しかし
1873年6月、このような人里離れた場所にひ
ときわ立派な英国紳士がいるという知らせが、
ミネアポリスに届く。7月2日、ミネソタから7人
のグループがやってきてゴードン＝ゴードンを捕
らえ、米国へ連行しようとした。だが翌日、彼ら
は米国との国境からわずか90メートルほど手
前で捕まり、逮捕される。彼らはカナダにいら
れる法的な権限を何も持っていなかったのだ。

　夏の間、マニトバ州とミネソタ州の裁判所と
カナダ、米国、英国の当局がこの事件をどこで
裁くかで争い、最終的には米国のユリシーズ・
S・グラント大統領とカナダのジョン・A・マク
ドナルド首相が直接介入して、3カ国を巻き込
んだ事態はようやく収拾した。ゴードン＝ゴード
ンはフォート・ギャリーにとどまっていた。横領

のような犯罪は当時の犯罪人引き渡し条約の対象外と高をくくっていたのだ。

しかし、エディンバラの宝石商がこの事件を知り、店員のトーマス・スミスを派遣したことで、フォート・ギャリーに滞在する人物が"グレンケアン"だと確認され、逮捕状が発行される。1874年8月1日、ゴードン＝ゴードンは下宿していた女性の家で、頭を銃で撃ち、即死した。

ゴードンの本名は彼が墓場に持っていったので、今となっては知るよしもない。

華麗なるテレーズ

遺言にまつわる詐欺を働く場合、ほとんどの詐欺師は自分以外の誰かになりきる。しかし、ある有名なフランス人女性はその反対のことをした。自分に有利になるように遺言を次々と捏

ジェイ・グールドは株取引で数百万ドルを稼いだが、柄にもなく"ゴードン・ゴードン卿"に大金を騙し取られた。

上：華麗な装いの"ラ・グランド・テレーズ"。悪い意味で仕事の絶頂期にあった頃の写真。

右ページ：公判中に住まいをたずねられたアンベール夫人は「刑務所の中よ」と答えた。

産を彼女に残すと遺言した。ド・マルコット嬢はもうすぐ亡くなる。そうすれば、テレーズに莫大な遺産が転がり込んでくる──フレデリックはその言葉をすっかり信じた。

　父の反対を押し切って、フレデリックは法学部を卒業するとすぐにテレーズと結婚し、2人はパリに向かう。当時は「享楽のパリ（Gay Paree）」と呼ばれていた時代で、フレデリックとテレーズのアンベール夫妻は人生を心ゆくまで楽しみ、すぐに多額の借金を背負うことになる。そして、約束している遺産の相続が明日にでも遂行されると言って、債権者の取り立てを待ってもらっていた。しかし、この債権者の中に、"マルコット嬢"が実在しないことを突きとめた者がいた。

大富豪の命を救う

　父のギュスターブ・アンベールは政界で瞬く間に出世し、法務大臣に任命されてまもなく、息子から借金の話を聞かされた。スキャンダルを避けるには、息子夫婦の借金を支払うしかなかった。テレーズは長い時間、ギュスターブと2人だけで話し、ド・マルコット嬢の話は嘘だと白状した。それは無邪気な作り話に過ぎず、真実はもっと複雑で、ほとんど信じられないようなものだという。テレーズは2年前、ニース近郊の列車で心臓発作を起こした米国人の老人を助けた。そして今、命を救った大富豪、故ロバート・ヘンリー・クロフォードの遺言執行人から手紙を受け取ったという。

　クロフォードは内容的に関連する2つの遺言書を残していた。それによると、彼の財産は2人の甥とテレーズの妹マリーに分与されるが、それまではすべてフランスで投資に充てられる。投資による収入から、テレーズには年間10万ドル近くが支払われるが、マリーが21歳の誕生日を迎えるまでは、元金に手をつけてはいけない。しかも、マリーが甥のどちらかと結婚するまで、財産の分与は実行されない。債券や有価証券はすべてアンベール夫妻に譲渡され、特別に封印された金庫に保管するものと定められていた。

造したのだ。

　彼女は、フランス南西部のトゥールーズ近郊の町に住む地味な小太りの女性で、成功した弁護士にして前途有望な政治家ギュスターブ・アンベールの家で洗濯係として働いていた。名をテレーズ・オーリニャック（1860～1917年）という。彼女はアンベールの息子フレデリックに「あなたに話さなければならないことがある」と言って、興味を引いた。その話とはこういうものだ──幼い頃、自分はド・マルコット嬢の目にとまった。この子どもがいない裕福な老婦人は、テレーズを気に入り、城と領地と莫大な財

アンベール夫妻はパリの豪邸を借り、テレーズは寝室に耐火金庫を設置した。テレーズは地方都市の判事——あっさり信じる人物——を公証人として連れてきて、彼女が金庫に保管した"証券"の束のリストを公証させた。判事はその価値が1億フランあると確認する。それが終わると、テレーズは金庫に鍵をかけ、扉にたいそうな蠟印を押した。

この金庫に財産があるということで、銀行は金を貸す気になり、テレーズはいとも簡単に多額の融資を受けることができた。帽子やドレスの代金だけでも年間5桁はかかると言われ、贅沢な生活を続けたあげくに彼女が抱えた負債の総額は6400万フランと計算された。アンベール夫妻は社交界の重要な催しには必ず出席し、最高級のレストランで食事をした。テレーズは、そのきらびやかな装いから"ラ・グランド（華麗なる）・テレーズ"と呼ばれ、どこに行っても知らない人はいなかった。借金を返せるかどうか誰かに疑われたら、その人を寝室に招き入れ、秘密を絶対に守るように誓わせると、金庫の封印の下に熱いナイフの刃を入れて、"証券"を見せた。

その場しのぎの陽動作戦

しかし、リヨン出身のドラットという銀行家が米国を訪れ、故クロフォードとその甥たちが実在するかたずね回ったところ、誰も聞いたことがないという。その話が広まり始めると、テレーズは世間の目をそらすべく、今度は「甥たちが遺言の内容を巡って争っている」と発表した。フレデリックは長引くと予想される法廷での争いに向けて、強力な弁護団を結成した。

しかし、マリーの21歳の誕生日が間近に迫っている。テレーズはすぐに別の陽動作戦を思いついた。エミールとロマンという2人の兄に、終身定期金（年金の一種）を専門に扱う会社を設立させたのだ。この会社は保険料も安いし、支払いも早い。ただし、預けた金が運用されていないことは、家族以外の誰も知らない。年金の給付は、預かった金から支払われていたのだ。

やがて、不審に思ったフランス銀行の行員がこの会社の実態を調べ、分かったことをフランス首相ワルデック＝ルソーに報告する。ワルデック＝ルソーは金融界のスキャンダルがフランスの国政に与える影響を嫌というほど分かっており、事の詳細が『ル・マタン』紙にリークされるように仕向けた。こうなるとテレーズとしては「名誉棄損で訴える」と強気に出るしかなく、彼女の弁護士であるメトル・デュ・ビュイは、「主な債権者の立ち会いのもと、例の金庫を自ら開けて疑いを晴らす」と発表した。

裁きの火の手

1902年5月8日、テレーズの寝室で不可解な火災が発生する。「これはあんまりだ」と声明を出すと、彼女はフレデリック、2人の兄、マリーとともに汽車に乗って姿を消した。2日後、デュ・ビュイは債権者の一団を連れて寝室に入った。灰の中に金庫があった。蠟の封印が溶けただけで、金庫は無事だった。金庫を開けると、中には煉瓦が1個入っているだけだった。

7カ月後、スペインの警察がマドリードの下宿に隠れる家族を発見する。彼らは全員フランスに引き渡され、1903年8月8日、257件の偽造と詐欺の容疑で、パリで裁判にかけられた（マリーは除く）。世界中の新聞がこのセンセーショナルな事件を報じた。裁判の最終日、テレーズが最後の嘘をつく。この金庫にはもともと数百万フランの紙幣が入っていたと言い出したのだ。しかしその金はバゼーヌ元帥——大逆人として糾弾された軍人——の財産であり、彼女は"愛国心から"すべて燃やしてしまったという。裁判官の1人が礼儀正しく身を乗り出してたずねた。「そうだとしたら、なぜ煉瓦が?」

テレーズとフレデリックはそれぞれ5年、ロマンは3年、エミールは2年の禁錮刑に処せられた。テレーズは3年半服役した段階で、服務態度が良いことから釈放される。その後の彼女について最後に残る記録は新聞に掲載された写真で、そこには列車に乗ろうとしている黒服の気丈な女性が映っている。彼女は列車に乗ってそのまま行方知れずとなった。

エッフェル塔を2度も売った男

　ボヘミア（現在のチェコ）にあるホスティンネという町に、住民から尊敬される市長がいた。ビクトル・ルスティッヒ（1890～1947年）はその息子だ。彼はドイツのドレスデンにある学校で学び、唯一得意な科目が語学だった。ドイツ語、英語、フランス語、イタリア語を話すことができ、父親からパリへ留学するよう言われる。父親はしばらくの間、息子がてっきりソルボンヌ大学で学んでいるとばかり思っていた。しかし、第一次世界大戦前の刺激にあふれたパリの暮らしを知ってしまった若きビクトル・ルスティッヒは、贅沢を支える金儲けの方法を見つけたのである。

45歳のビクトル・ルスティッヒの写真。最後の逮捕時に撮影されたもので、もはや洒落た服の立派な外国人貴族には見えないが、それでも粋な着こなしをしている。

父親はしばらくの間、
息子がてっきりソルボンヌ大学で
学んでいるとばかり思っていた。
しかし、第一次世界大戦前の
刺激にあふれたパリの暮らしを
知ってしまった
若きビクトル・ルスティッヒは、
贅沢を支える金儲けの方法を
見つけたのである。

魅力的なフォン・ルスティッヒ伯爵

　彼はギャンブルに手を染めた。ブリッジやポーカーもやったが、中でも得意だったのがビリヤードだ。大勢の成金の米国人が、派手にヨーロッパ旅行を楽しもうと大西洋航路の客船に乗る。そんな彼らは"船上で仕事をする"トランプ賭博のイカサマ師の格好の餌食となっていた。ルスティッヒはその仲間に入ると、フォン・ルスティッヒ"伯爵"と名乗り、持って生まれたチェコ人の魅力を存分に発揮した。

　悪名高い賭博師ニッキー・アーンスタインはルスティッヒに目をつけ、彼をパートナーとして仲間に引き入れると、"マーク（カモの意味）"になりそうな人間の見分け方、虚栄心と欲望をくすぐる方法、金を騙し取るタイミング、無事に逃げおおせる方法など、信用詐欺師に必要な技術を伝授した。

この国債で何をする？

　第一次世界大戦が終わると、ルスティッヒとアーンスタインは米国に渡る。一連の仕事でルスティッヒがせしめたものの中に、2万5000ドル相当の正真正銘の国債があった。このまま国債をただ現金化するのはもったいない。

　1924年のある日、カンザス州の小さな町の銀行に勤めるグリーンという行員のところに、縞模様のズボンを履き、足にゲートルを付け、モノクルをかけた立派な外国人が訪ねてきた。男は自らをフォン・ルスティッヒ伯爵と名乗った。

先の大戦でオーストリアの領地を追われた彼は、家宝を売り払って5万ドルの米国債を手に入れ、それを元手としてこの地域の不動産を購入しようと考えているという。そしてグリーン行員に、見たところ国債を2万5000ドルずつに分けた2つの束を手渡した。行員は1つの束を物件の購入代金として受け取り、もう1つの束を現金2万5000ドルに換えてルスティッヒに渡した。当然のことだが、どちらの国債の束も、中身の半分はきれいに裁断されたただの紙だった。

　1925年、ルスティッヒは"ダッパー・ダン"コリンズと呼ばれるパートナーを伴ってパリに戻る。2人は高級ホテルに泊まり、コリンズは自分の私設秘書ということにした。ある朝、2人がシャンゼリゼ通りでコーヒーを飲んでいたとき、ルスティッヒがエッフェル塔を見つめながら、こう言い出した。「鉄くずビジネスでひと仕事するチャンスじゃないかと思うんだが……」

ルスティッヒが政府職員に

　エッフェル塔は基本的な修繕だけでも莫大な費用がかかることから、フランス政府が解体を真剣に検討していることをルスティッヒは知っていた。1週間後、解体業者を代表する5人が、手紙で"郵電省次長代理"との会議に呼び出された。その次長代理（正体はルスティッヒ）は、エッフェル塔解体事業の競争入札を行うので、入札価格を提出するよう求めた。ルスティッヒとコリンズはすぐに"マーク"を見つけた。アンドレ・ポアソンという男だ。翌日、コリンズはポアソンに電話をかけ、入札が成立したことを伝えた。しかし、ポアソンはその知らせに不安を覚えたようだった。ひょっとしたら、2人が本当に政府の職員か確信が持てないのではないか？──コリンズはそう考えた。

　「私が奴に証明しよう」とルスティッヒが言う。ルスティッヒはホテルでポアソンと密かに会う約束を取り付け、その場で自分の給料が安いとこぼした。ポアソンはそれがどういう意味かすぐに理解し、かなりの額の現金をルスティッヒに渡した。それから数日後、エッフェル塔解

1935年、ルスティッヒは、偽100ドル札が大量に出回っていることに関連して、尋問を受けることになった。

体に向けた支払いの第1回目が小切手の形で届く。ルスティッヒとコリンズはすでに荷物をまとめており、小切手が届いてから数分後にはフランス銀行で現金化し、車でオーストリアに向けて出発した。

やがて米国に戻ったルスティッヒは、マイアミで、さらには海峡を越えたキューバのハバナで、彼の口車に乗りやすいカモをたくさん見つけた。その後、18歳のかわいい女優を口説き落とすと、ブロードウェイで成功したプロデューサーのふりをして、新作ミュージカルを準備中であるかのように装う。その次の被害者は、芸能人好きのロードアイランドの製造業者だった。彼はミュージカル制作費の一部として、現金3万4000ドルを喜んでルスティッヒに渡した。

もちろん、ルスティッヒはすぐにヨーロッパへ高飛びした。パリに戻ると、またもやエッフェル塔を売りつけることに成功する。だが今度は被害者が警察に通報したため、"伯爵"急遽退場を迫られた。

"ルーマニアの箱"のトリック

　再び米国に渡ったルスティッヒはフロリダ州パームビーチに腰を落ち着け、そこにヨットでやってくる金持ちと知り合いになるための画策を始めた。

　そうして知り合いになった1人に、ハーマン・ロラーという自動車業界の大物がいた。ルスティッヒは怪しまれないように慎重に話をし、ロラーの会社が経営難に陥っていることを聞き出す。それならばと、"ルーマニアの箱"という古くからある手口を使うことにした。仕組みはこうだ。ロラーに絶対秘密と念を押したうえで、「自分はルーマニアの優秀な科学者が発明した紙幣を複製する機械を持っている」と話す。その機械は美しく仕上げられた木の箱で、ダイヤル

やノブがいくつも付いており、両端にスロットが開いていた。ルスティッヒは本物の1000ドル札と白紙を手に取り、その2枚をスロットに差し込んだ。彼の説明によれば、箱の中では複雑な写真撮影が行われ、撮影を終えるまでに数時間かかるという。あとから彼とロラーが戻ってくると、2つ目のスロットからまったく同じ紙幣が2枚出てきた。

　ルスティッヒはロラーに、2枚の紙幣を銀行で鑑定してもらうよう勧める。なぜなら、偽造と鑑定されることは絶対にないと知っているからだ。そして「2枚の紙幣を同じ銀行に出さないように」と付け加えた。「どちらの紙幣も通し番号が同じだと気づかれてしまうから」。本当はどちらの紙幣も本物である。2枚の見た目がまっ

正直に嘘をつく

　ルスティッヒは最も大胆な信用詐欺をシカゴで成功させた。ただ、そのわりに得られたものは少なかった。いつものようにパリッとした身なりで、悪名高きギャング、アル・カポネの前へ案内されると、自分はウォール街で、投資家の資金を2カ月で確実に2倍にするスキームに携わっていると話した。カポネは5万ドルをルスティッヒに手渡し、ドスの利いた低い声で言った。「知ってるだろうが、俺は伊達や粋狂で商売に手を出したりしねえんだ」

　だが、あと5万ドルを上乗せする方法が見つからないまま2カ月が過ぎ、ルスティッヒはシカゴに戻った。そしてカポネに「スキームが失敗した」と告げ、1000ドル札を50枚返した。カポネにはルスティッヒが正直な男に見えた。「お前、まずいことになったな?」と聞かれ、ルスティッヒは自虐的な笑みを浮かべて、自分は一文無しのしがない貴族だと認めた。「おい」とカポネは札を少し抜き取って言った。「駄賃だ」

刑事と手錠でつながれた状態で法廷を去るルスティッヒ(右)。これからアルカトラズで20年間服役することになる。

たく同じになるように、ルスティッヒが片方の紙幣に印刷された通し番号の中の2つの「3」を「8」に書き換えて、細工したのだ。

ロラーはこの箱を2万5000ドルで買い取ることに同意し、自分のヨットに持っていった。そこで、ルスティッヒの言った通りに1000ドル札を差し込んだ。しかし、6時間後、出てきたのは差し込んだのと同じ紙幣だけ。ロラーは必死に何度も試してみたが、結果は変わらず。最後に箱を壊して開けてみると、中に入っていたのは、1組のゴムローラーと数枚の無地の紙だけだった。ロラーは激怒した。しかし、偽札を偽造できる機械を買ったなどと、当局に言えるはずもなかった。

誰も騙されたとは認めない

この頃にはもう、ルスティッヒに関するFBIの捜査ファイルはかなり分厚くなっていた。彼はすでに何度も連行され、取り調べを受けていたが、どの被害者も騙されたことを認めようとはしなかった。1934年、米国財務省は100ドル札の偽札が大量に、計算では毎月10万ドル単位で新たに出回っていることを突きとめ、この偽札製造はウィリアム・ワッツの仕業だとにらんだ。元薬剤師のワッツは、密造ウイスキーのラベルを彫っていたことで知られており、当局はルスティッヒが彼について知っているのではないかと見当を付けた。

捜索の結果、ルスティッヒは見つかり、連行されて徹底的に尋問され、結局、3組の偽造プレートと5万ドルの偽造紙幣が入ったロッカーにFBI捜査官を案内した。これで釈放に向けた交渉ができると彼は期待したが、逆に共謀罪で起訴

ロラーは激怒した。
しかし、偽札を偽造できる
機械を買ったなどと、
当局に言えるはずもなかった。

され、マンハッタンの拘置所に収容されることになる。

　数日後、拘置所の上階で、大きな白い布を持った男が窓拭きをしているのを、通行人が目撃した。すると、その布が下へ垂れていく。布はシーツで作ったロープだった。それを伝って、ルスティッヒは歩道にスルスルと降りる。そして周りにいた通行人に一礼すると、平然と走って逃げた。それから3カ月後、ペンシルベニア州ピッツバーグでロバート・ミラーと名乗って生活していたところを再び捕らえられる。

　ルスティッヒとワッツは1935年12月にニューヨークで裁判にかけられた。ワッツは15年、ルスティッヒは20年の懲役を言いわたされ、アルカトラズ刑務所に収監される。そこで、信用詐欺をやっていた頃の知人の何人かと再会した。そのうちの1人が脱税で有罪判決を受け、刑務所の洗濯場で働いていた。その男は名をアル・カポネといった。

　1947年、まだ57歳という若さで"伯爵"は病に倒れる。ミズーリ州スプリングフィールドの連邦刑務所医療センターに移されるが、まもなく死亡した。

ダッパー・ダン
　"ダッパー・ダン（イカしたダン）"の呼び名で知られたコリンズのキャリアは、ビクトル・ルスティッヒに出会うずっと前にさかのぼる。1885年にロベール・アルテュール・トゥールビヨン（Robert Arthur Tourbillon）としてフランスで生まれた。10代の頃、最初に就いた職業はフランスのサーカスの団員だった。コリンズが出ていた演目は「死のサークル」と呼ばれるもので、ライオンの群れの間を自転車で走り回っていた。

　顔立ちが良く（少なくとも若い頃は）、頭の回転の速さと人を惹きつける魅力を生かして、すぐに犯罪に手を染める。犯罪者仲間の間では名前の頭文字をとって"ラット（RAT）"と呼ばれていた。1908年に米国に渡り、せっせと犯罪に励んだが、1916年に4年間の懲役を言いわたされる。罪状は「強制売春」、平たく言えば「ポン引き」で有罪になったと、のちに語っている。

未亡人をたぶらかし、農家を騙す
　出所後、トゥールビヨンはコリンズと名乗り、フランスに戻った。彼はその美貌を武器に、裕福な未亡人を次々と手玉に取り、享楽的な生活を送っていた。しかし、別の男を追っていた2人組の刑事に偶然正体がばれ、定期船フランス号に乗って米国へ送還されることになる。刑務所行きは免れないと開き直ったコリンズは、船上で派手なパーティーを開き、豪遊した。しかし、本名のトゥールビヨンで始まった裁判の成り行きに唖然とする。すべての罪状に関して起訴が取り下げられたのだ。

　それも束の間、ニュージャージー州の農家から3万ドルを騙し取った罪で起訴され、2年間刑務所に入れられることになる。16カ月間服役し、出所の際にフランスに帰ると告げると、それっきり彼の消息は途絶えてしまった（そしてルスティッヒと出会うことになる）。

ネルソン像を売った男
　ビクトル・ルスティッヒと肩を並べる詐欺師がいた。スコットランド人のアーサー・ファーガソンだ。もともとは巡業劇団で端役を演じる俳優だった。1925年のある日、ロンドンのトラファルガー広場にいたところ、1人の観光客がネルソン記念柱を見上げていた。ファーガソンはちょっとからかうつもりで、その観光客にこう言った——記念柱の上に立っている像は、英国で最も偉大な海軍の英雄ネルソンのものだ。それなのに、英国政府が借金返済のために、像を降ろして売らなければならないとは残念このうえない。その観光客は明らかに動揺した。さ

らに話をするうちに、彼がアイオワ州の大金持ちであることが分かった。

これを聞いたファーガソンは妙案を思いつく。「実を言うと、自分は英国建設省の役人で、この売却を命じられている」とその米国人に告げた。「すでに買い手候補の長いリストができているが……」。アイオワの大金持ちはエサに食いついた。金はある。だから自分を買い手の最優

スコットランド人の詐欺師アーサー・ファーガソンは、何も知らないオーストラリア人に自由の女神を売ろうと企み、捕まった。

先候補にできないか、とたずねる。そして「責任を持って、解体された記念柱をアイオワに再建する」と言った。

ファーガソンは上司に電話してみると言ってその場を離れ、数分後に戻ってくると「この記念碑はあなたのものだ」と伝える。アイオワの金持ちはすぐに6000ポンドの小切手を渡した。ファーガソンは領収書とともに解体業者の住所と電話番号を渡して、姿を消した。

詐欺が露見するのにそう長くはかからなかった。すぐに別の米国人富豪から警察に苦情が入った。「バッキンガム宮殿を買う金をすでに払っているのに、衛兵が門を通してくれない」と言うのだ。3人目の被害者は、国会議事堂の時計台、通称ビッグ・ベンを売ると言われて金を騙し取られたと訴えた。被害額は1000ポンド。ビッグ・ベンの値打ちから考えれば、大変な値引きだ。

自由の女神、売ります

金持ちがあっさりと騙されることに驚いたファーガソンは、自分の才能を米国で生かすことにした。そしてテキサスの牧場主に会い、ホワイトハウスを99年間、1年あたり10万ドルで借りるように話を持っていき、初年度の賃貸料を前払いさせることに成功する。

マンハッタンでは、オーストラリアのシドニーから来たという男に出会った。そして、ハドソン川の川幅を広げる計画があり、残念ながら自由の女神は撤去されることになったと教える。そこで相談だが、自由の女神がシドニー湾の真ん中に立っていてもいいんじゃないだろうか？ ファーガソンは自分がニューヨーク市当局の担当者だと言い、しかも値段はたった10万ドル。興奮したオーストラリア人は、ファーガソンに自由の女神像を案内してもらい、そこにいた観光客に頼んで、女神の像の下に立つ写真を撮ってもらった。

これがファーガソンにとって運の尽きとなった。オーストラリア人の写真に自分も写っていたのだ。オーストラリア人が自分の口座がある銀行のニューヨーク支店に電話して、資金の

"イエローキッド"・ウェイルとワイヤー

ジョセフ・ウェイル（〜1976年）はシカゴに生まれた。イエローキッドというあだ名は、1896年に『ニューヨーク・ワールド』紙に初めて掲載された漫画のキャラクター"イエローキッド"が好きだったことにちなむ。彼がなぜ有名かと言えば、信用詐欺に成功して大金をせしめた件数がとにかく多いということだ。「あのイエローキッドは、あれだけ儲かっていたら、死ぬほどうれしいだろうよ」と、仲間の1人が言っていた。おそらく彼こそが、1973年公開の映画『スティング』の題材となった「ワイヤー（電信）」と呼ばれる詐欺の発案者だと考えられる。

20世紀初頭、米国では賭け事は合法だった。賭け事は多くの場合ビリヤード場で行われ、競馬の結果はウエスタンユニオン本社から電信で送信された。ウェイルは金持ちの被害者（カモ）に、こう信じ込ませる——ウエスタンユニオンのオペレーターを操って、結果を送るのを数分間遅らせ、その間に勝った馬の情報を暗号で先に送ってもらうことができる。そうすれば、カモは勝ち馬に確実に賭けられるという寸法だ。

ウェイルは細部に至るまですべてきっちり準備した。シカゴにあるホテルの宴会場を借りて、完全な賭博場に仕立て上げた。そして、知り合いの詐欺師を「サクラ」として大量に雇い、さらに新作の出演オーディションという触れ込みで100人ほどの俳優を集めた。すべて計画通りに運んだ。勝ち馬を知らせる暗号が飛び込んでくると、カモは急いで賭けようとするが……賭けを申し込む窓口の前でヤラセの騒ぎが起こって、カモは賭けられずに終わる。

賭けができなくても、"ウエスタンユニオンのオペレーター"と、ウェイルが買収したと言っている

1947年、作家のW・T・ブラノンに自分の話を語る"イエローキッド"・ウェイル。

ニューヨークのオペレーターに金を払わなければならない。ウェイルはカモが賭け損ねた補償をしてもらわないと困ると迫った。カモは賭けようとしていた金額の3倍を払わないといけなくなった。だが、「もう1回やってみるか」とたずねるのがウェイルの常套手段だった。

支払手続をしようとしたところ、すぐに怪しいと疑われ、警察署に確認するよう言われた。警察に行って彼が写った写真を見せると、自称"市職員"のファーガソンにただちに懲役5年の判決が下った。出所後、彼はロサンゼルスに移り住み、詐欺で稼いだ金で豪邸を建てた。慎ましい信用詐欺を数件働いたが、カリフォルニア警察の注意を引くことはなく、1938年に同地で亡くなった。

またしても、エッフェル塔売ります

ルスティッヒの最も有名な詐欺事件から20年後、エッフェル塔を"売る"話は多くの人の記憶から消えていた。第二次世界大戦が終わったばかりのパリで、テキサス州のある富豪が英国人のスタンリー・ロウに出会ったとき、こ

の話が頭になかったのはほぼ間違いない。ロウは「エッフェル塔が先の戦争で大きなダメージを受けたために、解体してスクラップとして売らなければならない」と口から出まかせを語り、売却価格はタダ同然の4万ドルだと言った。しかし、テキサスの富豪にとっては幸いなことに、金が支払われる前に詐欺だとばれ、ロウは9カ月間刑務所で暮らすことになる。

これは、ロウが実際に行った信用詐欺の手口の1つに過ぎない。あるときは、本物の聖職者のようなかしこまった服装で、ロンドンに来ていた日本人旅行者と話し、戦時中に爆撃で破壊されたセント・ポール大聖堂を修復するための基金に10万ドルを寄付するよう、話を持っていった。またあるときは、オスカーを受賞したハリウッドのプロデューサー"マーク・シェリダ

偽造・捏造ファイル	FORGER'S FILE

信用詐欺師が使う用語（英語版）

ビッグ・コン（BIG CON） ペイオフ、ラグ、ワイヤーなど、大金が絡む詐欺。

ビッグ・ストア（BIG STORE） 大がかりな詐欺のために用意される、ビリヤード場や株ブローカーのオフィスを模した偽の施設。

ブローオフ（BLOW OFF） カモから金を騙し取ったあと、カモの前から消えること。

グリフター（GRIFTER） 口八丁手八丁で世渡りする者。ペテン師。

マーク（MARK） 狙われている被害者。カモ。

ペイオフ（THE PAYOFF） 裕福なカモに、「大規模な競馬シンジケートから金を騙し取る計画に加われた」と信じさせる大がかりな詐欺。

ラグ（RAG） ペイオフに似た大がかりな詐欺だが、競馬の代わりに株を詐欺のネタに使う。偽の株ブローカーのオフィスで行われる。

ローパー（ROPER） ビッグ・ストアにカモを連れてくる外部の人間。

シル（SHILL） カモに自分が勝っているように見せる信用詐欺の共犯者。

スティング（STING） うまくいく信用詐欺の手口。

ショート・コン（SHORT CON） カモが手元に持っているものだけを騙し取る小規模な詐欺。

ワイヤー（THE WIRE） 偽のウエスタンユニオンのオペレーターを使った大がかりな詐欺。偽のオペレーターはカモが確実に競馬で勝てるよう、競馬の結果の報告を遅らせる役目を担う。

ン" と称して、これから制作される映画への出
資者を見つけた。英国政府の極秘作戦に携わ
る元空軍パイロット、"リバーズ・ボーグ・ブラ
ンド大尉" を騙って、被害者から金を巻き上げ
る手口も使った。

　ロウが最後に仕掛けた大仕事は、ロンドンの
マールバラ・ハウス（メアリー王太后の邸宅）
の下働きとして雇ってもらうことであった。下働

きとして邸宅に入り込み、メアリー王太后の宝
石や小さな美術品などをできるだけ多く持ち去
ろうというのが、彼の計画だった。しかしある日、
彼は盗んだばかりの新車のジャガーで出勤し、
正体を明かしてしまう。警察に通報され、スタ
ンリー・ロウはただちに刑務所へ逆戻りする。
出所後、以前の大胆さはすっかり消え、狭い安
部屋で生涯を終えた。

Bank of Engla...

FOR... ...ik to pay the Bearer ...

...he Sum of *Twenty*

1950 Aug.t 20   London 20 Aug.t...

Twenty

For the Gov.r and C...
of the Bank of Engl...

K.O.Peppiatt
Chief Cashier

CHAPTER 7

大義のための偽り

FAKING FOR A CAUSE

すべての偽造や捏造が
金儲けを目的としているわけではなく、
楽しみですらないかもしれない。
時には、大義や信念を支えるために
あえて偽りがなされることもある。

戦時中の敵に向けられるプロパガンダのように、捏造の動機が正当なもの、さらに言えば愛国的行為として称賛されるケースもある。たとえば、2度の世界大戦時には、敵対する双方の陣営がありとあらゆる捏造文書を作成した。敵の領土で隠密行動する諜報員を守るためのものもあれば、敵の士気をくじくことを目的としたものもある。多くの宗教活動や秘教的活動も、それなりに偽りを演じてきた。すぐに嘘だと証明できるものでも、熱烈な信者には受け入れてしまう下地がある。それを示す好例が、世界に散らばる"聖十字架の断片"の数だ。世にある断片をすべて集めれば、複数の十字架を作れるだけの木材になる。

左ページ：SSのベルンハルト・クリューガー少佐が第二次世界大戦中に偽造した英国紙幣の一部。1959年にオーストリアのトプリッツ湖から引き上げられた。

左：若き日のフランシス・グリフィスと妖精たち。従姉のエルシー・ライトが撮影。

悪意に満ちた議定書

　20世紀を代表する悪名高い政治的捏造行為が、いわゆる「シオン賢者の議定書」だ。この議定書は、まず1903年にロシアの『ズナーミャ』紙に、次いで1905年にセルゲイ・ニルスの著書に登場した。ニルスによれば、議定書は1897年にフランスで開かれた第1回シオニスト会議の議事録から引いたものだという。実際には、その会議はスイスのバーゼルで開催され、ドイツ語で運営されていた。議定書の文章はひどく扇動的で、フリーメイソンと手を結び、キリスト教文明を腐敗させて世界統一国家を築くユダヤ人の計画が綴られていた。

　ロシアでは20世紀初頭に反ユダヤ感情が高まり、モスクワの教会でこの議定書が朗読された。議定書はドイツ語、フランス語、英語などの言語に翻訳され、史上最も広く読まれた反ユダヤ文献となる。議定書が捏造であることを明らかにしたのは、英国『タイムズ』紙の特派員フィリップ・グレイブスだ。グレイブスは、フランスの弁護士モーリス・ジョリーが1864年に書いた風刺との類似性を指摘した。その風刺は、18世紀フランスの政治哲学者モンテスキューと、15世紀イタリアの風刺作家ニッコロ・マキャベリの地獄での対話という形式をとっている。モンテスキューは自由主義を擁護し、マキャベリは当時のフランス皇帝ナポレオン3世をどことなく思わせる人物として描写されていた。

　議定書の出所は、ロシア秘密警察の外国支部のトップだったピョートル・ラチコフスキーであることが分かった。1942年には米国の歴史学者からなる委員会がこの偽造文書を検証し、議定書は真正とは到底言えないと断定した。

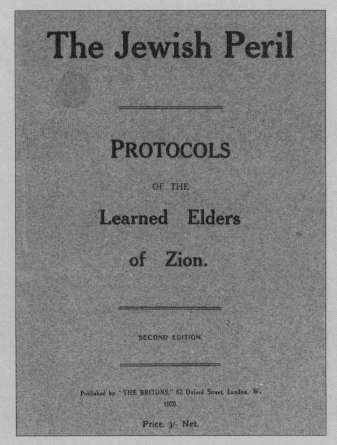

1920年に『The Jewish Peril（ユダヤの危難）』と題してロンドンで出版された議定書の第2版の扉。

戦時中の政府による捏造

どんな国の政府も、捏造に手を染めたことを正式に認めたりはしないだろう。理由は言うまでもないが、紙幣や切手などの財政に関わるものの偽造では、それが顕著である。にもかかわらず、2度の世界大戦中には（ほかの時期でもおそらく同じだろうが）、間違いなく交戦国の多くがプロパガンダの名のもとで偽造を行ってきたことが、長年積み重ねられた証拠によって明らかになっている。第一次世界大戦中には、英国とドイツの双方が偽造切手を印刷していた。だが、偽造がプロパガンダ作戦の重要な役割を担うようになったのは、第二次世界大戦中のことだ。

ブラック・ゲーム

1964年から1970年まで英国政府の大臣を務めたリチャード・クロスマン（1907〜74年）は、第二次世界大戦中に英国政治戦争執行部（PWE）と、のちには米国軍とともに、心理戦に3年間関わっていた。

1973年、ウォーターゲート事件を巡る書簡の中で、クロスマンは『タイムズ』紙に宛ててこう書いた。「内なる政府は、言うまでもなく、全面戦争において必要な機関である。そして、その機関の中でも特に高給で興味深い部署が隠密作戦に関わるものであり、わが英国は昔からそれに長けてきた……破壊工作とブラック・プロパガンダは、我々が掛け値なしに卓越した唯一の戦争局面だった。我々は才能あるアマチュアの少数精鋭部隊を訓練し、嘘、盗聴、偽造、横領から純然たる殺人に至るまで、あらゆる汚い技を教え込んだ——もちろん、そのすべては、民主的な生活様式を守るという大義名分のもとで行われた。米国人は破壊工作を礼賛したが、彼らは手荒すぎて、ゲームとしてそれ

を実践する方法を我々から学ぶことはついになかった……」

その通り、英国は心理戦をゲームと見なしていた。ある関係者が語ったところによれば、クリケットのルールを理解し、主要全国紙の暗号クロスワードを解ける国でないと、戦時中の微妙な破壊工作を行う資質はないという。実際、ドイツ軍の暗号通信を着実に解読していったエニグマ解読プログラムの参加候補者に対しては、適性評価の一環として、『デイリー・テレグラフ』紙のクロスワードを解かせていた。

第二次世界大戦中の政府によるプロパガンダは、主にBBCの放送と、飛行機からばらまく

1915年5月7日、キュナード社の定期船ルシタニア号がドイツのUボートに撃沈された。このメダルは、その直後にドイツで発行されたもの。撃沈を称えているように見えるが、ドイツは、武器を積んだ船に民間人を乗せたキュナード社を非難するために作ったと主張した。これに対して、英国のプロパガンダ担当機関はただちに25万枚の偽造メダルを発注。反ドイツ・キャンペーンを強化するため、世界中に配布した。

ドイツ軍の士気と戦闘力を弱める目的でドイツ領内に投下された偽造冊子『Krankheit rettet（仮病人の本）』の2バージョン。兵士がさまざまな病気をどう装えば、数日間の休暇や入院を認められ、さらには軍務からの放免を得られるかが詳しく書かれていた。

ビラや、中立国での公報発行に頼っていた。これは"ホワイト"・プロパガンダと呼ばれた。絶対に正式に認められることのない"ブラック"・プロパガンダは、クロスマンの言葉を借りれば、「才能あるアマチュアの少数精鋭部隊」の手に委ねられていた。

偽のラジオ局

ブラック・プロパガンダは主に2つの形態をとった。元ジャーナリストのセフトン・デルマー（1904～79年）の指揮のもと、小さな秘密ラジオ局がドイツでニュース番組や娯楽番組を放送していた。このラジオ局は、クルツウェレンゼンダー・アトランティク（大西洋短波放送局）やゾルダーテンゼンダー・カレー（カレー軍放送局）と名乗っていた。一方、エリック・ハウ（1910～91年）率いる別の部隊が専念していたのが、さまざまな種類の偽造文書の作成だ。

1930年にオックスフォード大学を卒業したハウは、ヨーロッパ大陸で3年を過ごし、フランス語、ドイツ語、イタリア語に堪能になった。1934年、イングランドの印刷業界で修業を積

もうと決めたハウは、植字のあらゆる面を学び、フランス、ドイツ、ベルギー、オランダから多種多様な印刷物のサンプルを集めた。

第二次世界大戦が勃発する1年前の1938年、ハウは防空部隊に入隊し、1941年までに特務曹長に昇進した。その年の9月のある日、休暇中だったハウはイングランド南部のサリーにあるモノタイプ社を訪ねた。印刷業者向けの活字を製造する会社だ。訪問中、同社が製造したドイツ文字フラクトゥール（ゴシック体）の活字の記録を見るとはなしに眺めていたハウは、その活字が過去に一度も英国の印刷会社に提供されていないことに気づく。つまり、その活字をたどっていっても、英国には結びつけられないということだ。ハウはすぐに、ドイツでばらまく偽造文書にこの活字を使えるのではないかと思いついた。

印刷物の威力

ハウは「政略戦と印刷物——心理的研究」と題した論文を書き、上司にあたる指揮官に提出した。数週間のうちに、ハウは文民に戻され、

PWEの直属となる。最初の重要な任務は、国外にいる特殊作戦執行部（SOE）の諜報員に必要なドイツの身分証明書を偽造することだった。ここに来て、印刷業界のさまざまな分野で築いてきたハウの広いコネが、計り知れないほどの価値を発揮する。ハウの求めに応じて、モノタイプ社はフラクトゥールの鋳型（活字を鋳造するための型）をどれでも長期間貸し出してくれた。製紙業者も、透かしの偽造に適した紙の製造を引き受けてくれた。ドイツ帝国銀行のレターヘッドを急遽偽造しなければならなくなったときには、製紙会社の従業員のおかげで、とある有名ブランドビールの瓶ラベルに使われている紙がぴったりであることがすぐに分かった。

　次なる段階は、フランスの切手の偽造だった。半世紀前から切手を印刷してきたウォーターロー商会（31〜35ページ参照）が、その仕事を引き受けた。1942年7月に英国外務大臣に送られた秘密報告書には、こう書かれている。「特別なブラック・リーフレットを……ビシー・フランス内で流布させるために準備いたしました。偽造封筒に入れて偽造切手を貼り、すぐに投函できる状態にした2000枚が、既存の密使のネットワークを通じてピレネー山脈を密かに越え……」

中立国の心をつかむ

　これはハウが印刷した何十もの文書の1つに過ぎない。ドイツ領内でばらまく印刷物には、デルマーの用意した文章が書かれていた。その初期の1つが、「危機にある欧州」と題する小冊子だ。中国・上海のナチ党代表が書いた報告書に基づくという体裁をとったこの小冊子では、香港での日本人の残虐行為が詳述され、日本が世界征服を目論んでいると示唆されていた。そのほか、「SS候補のためのマニュアル」にはSS（ナチス親衛隊）の特権を巡る偽の情報が書かれ、酔ったSS隊員がさも楽しそうに、ぞっとするようなレイプを行う様子が細かに描写されていた。そうした文書は中立国で流布されたほか、ナチス占領下の欧州諸国へ密輸されたり、航空機でドイツに投下されたりもした。

　場数を踏むにつれて、偽造はますます巧妙になった。たとえば、「ドイツ製小麦粉の製粉に用いられている手法が、勃起不能などの深刻な健康被害の原因になっている」と述べた科学論文もある。ヒトラーの顔ではなくハインリヒ・ヒムラーの顔を描いた偽造切手には、SSのトップがまもなく交代すると暗に伝える意図があった。ある小冊子（218ページの写真参照）では、兵士が病気や怪我を装って職務を避ける方法が述べられていた。そうした文書は、たとえばフランス語の慣用表現集のような、無害な見た目のカバーで偽装されていた。

1917年当時、『デイリー・メール』紙をはじめ数々の新聞を所有していた新聞王ノースクリフ卿は、第一次世界大戦中に米国からの支援を促進する目的で組織された政府委員会のメンバーだった。ドイツは「ノースクリフの新聞による戦争への関与を排除する」ために、この「The Great Anti-Northcliffe Mail（偉大なる反ノースクリフ・メール）」紙を偽造した。

ノストラダムスの召喚

「ミスター・ハウの部隊」として知られるようになる部署の制作物の中でも、とりわけ巧妙だったものが2つある。1つは、「ノストラダムスが戦局の行方を予言する」と題された124ページの小冊子だ。その中では、16世紀フランスの占星術師ノストラダムスが書いた100前後の詩句がドイツ語に翻訳され、ヒトラーの死が近いとする注釈が添えられていた。もう1つが、偽の占星術雑誌「天頂（デル・ツェニート）」だ。本物そっくりの広告まで掲載されたこの雑誌には、数々の話題と並んで、「"運勢の悪い日"にはUボートの出港を認めるべきではない」などと書かれていた。

1944年6月の連合軍によるノルマンディー上陸作戦では、「ミスター・ハウの部隊」とデルマーのアングラ放送局の活動が、ドイツ軍の士気をくじくという点で少なからぬ貢献を果たした。

公式の否定

ここで強調しておくべきは、そのような偽造をした事実を英国政府は一度も認めていないということだ。1945年には関連する記録のほとんどが破棄された。終戦から20年近く経ってようやく、デルマーの回顧録『Black Boomerang（ブラック・ブーメラン）』が出版された。ハウが著書『The Black Game（ブラック・ゲーム）』を執筆するための十分な資料を集めるまでには、40年近くを要した。ソ連と米国をはじめ、英国以外の主要交戦国も、偽造文書の作成を否定し続けている。

例外もある。「ソビエト戦報」の1942年1月7日号では、「ソ連の飛行機がドイツの戦線の後方で、すぐに投函できる切手付き葉書の入った膨大な数の小包を投下した」と報じている。木製の十字架がずらりと並ぶ野原にヘルメットがぽつんと捨てられた光景に、「東方生存権（Lebensraum in Osten）」——ヒトラーがソ連侵攻を正当化するために用いた思想——というキャプションが添えられた葉書もあった。

米国について言えば、第二次世界大戦中に

印刷されていて、
真実であり、なおかつ、
その印刷物に押すゴム印を
使用もしくは偽造する
もっともらしい口実を
見つけられれば、
その文書の真実味は
倍増するに違いない！

—エリック・ハウ

プロパガンダとして作られたさまざまな切手が、切手収集家の間でよく知られている。英国が製造したヒムラーの切手と同様、米国の切手もドイツの公式切手の模造品ではないため、厳密に言えば偽造ではない。だが、郵便仕分け所で見過ごされるくらいにはよく似たデザインだった。最も成功したのは、おそらく「コーンフレーク作戦」で作られたものだろう。この作戦の狙いは、「手紙を受け取ったドイツの家庭の朝食を台なしにする」ことにあり、切手には本物と同じようにヒトラーの肖像画が描かれていたが、それが死人の顔に変えられていた。

米国中央情報局（CIA）は現在でも、そうした切手の存在を否定している。だが、その前身にあたる戦略情報局（OSS）は、切手72万6550枚、「性的な葉書および封筒」7万枚、「番号付き切手」6500枚など、計113万8500枚の"ヒトラーの顔"を製作したと、1945年に報告している。公式には否定しているにもかかわらず、バージニア州ラングレーにあるCIA本部の閉ざされたドアの後ろには、そうした切手や葉書、果てはOSSの作成した偽造新聞「ダス・ノイエ・ドイチュラント」まで収められた展示ケースが今も鎮座している。

ベルンハルト作戦

第二次世界大戦の初期、ナチスは英国経済を滅茶苦茶にするべく、膨大な数の英国紙幣を偽造し、空から英国に投下する作戦を決定し

第二次世界大戦中、ナチ
スは英国経済を混乱させ
るべく、膨大な金額に上
るポンド紙幣を偽造して
いた。偽札の多くは、終戦
時にオーストリアの人里
離れた湖に沈められた。
1959年、手押し車が必要
なほど大量の紙幣が、湖
底から引き上げられた。

た。だがこの計画は、ドイツ人にありがちな完璧主義のせいで、数度にわたり延期された。たとえば、初期の偽札の一部は、テストとして外国の銀行で真贋の検証を受けた。イングランド銀行に持ち込まれたものまである。だが、6枚が偽札と特定され、持ち込んだ人物が投獄されると、この作戦は一時的に中断された。

作戦の指揮を執っていたのは、作戦名の由来にもなったSSのベルンハルト・クリューガー少佐（1904〜89年）だ。クリューガーは国外にいるドイツ諜報員のための偽造文書を作成する工房を取りしきっていた。彼が最初に取りかかったのは、亜麻を使った紙幣用のリネン紙の作成だ。しかし、ドイツ産亜麻の実験は失敗に終わり、トルコ産亜麻は少しはましだったものの、十分な見た目にはならなかった。紙のもとになるリネンのぼろ切れを洗ってから使ってはどうか、と誰かが提案したあと、ようやく満足のいく結果が得られた。SSは製紙工場を徴発し、1943年5月になると、ついに「ベルンハルト作戦」が本格始動した。

偽札の製造にあたったのは、ザクセンハウゼン強制収容所の囚人30人前後からなるチームだった。作業者たちは、ほかの囚人から切り離された区画に収容され、追加の食料などの特権が与えられた。偽札工房の主任を務めた

英国領だったバハマで発行された英国の2ペニー切手をドイツが偽造したもの。オーバープリント（重ね刷り）された文字は、連合国の敗北後に大英帝国が解体されることをほのめかすもので、英国の士気をくじく試みの1つだった。

のは、偽札作りで有罪判決を受け、刑務所からザクセンハウゼン強制収容所へ移されたベルギー出身のユダヤ人ソリー・スモリアノフだ。工房では、1ポンドから1000ポンドまで、あらゆる額の紙幣が製造された。とはいえ、イングランド銀行が高額紙幣の発行をやめると、偽造される紙幣の半分ほどが5ポンド札になった。

切手によるプロパガンダ

その後、SSトップのハインリヒ・ヒムラーが切手による新たなプロパガンダ案を思いつく。戦争終結後に貴重なコレクターズアイテムになるはずだという思惑もあった。そうした切手は、英国の発行する本物の切手を真似たものだが、破壊工作的な改変が加えられていた。たとえば、ジョージ6世の戴く王冠の宝玉がダビデの六芒星に置き換えられ、ペニーを表すDの字がソ連の象徴である鎌と槌のマークになっていた。1937年のジョージ6世戴冠式記念切手では、さらにいくつかの改変が加えられた。通常なら「Postage… Revenue」（切手…収入）と記載されている場所に「SSSR …Britannia」（ソビエト社会主義共和国連邦…ブリタニア）と書かれ、元の図案がダビデの星に差し替えられ、エリザベス王妃の顔がソ連の指導者ヨシフ・スターリンの顔に変えられている。さらに、戴冠式の日付も「Teheran 28 11 1943」に改変された。これは、ウィンストン・チャーチル、フランクリン・D・ローズベルト、スターリンがイランのテヘランに集まり、欧州の解放に向けて議論を交わした重要な首脳会談の日付だ。

同様の改変は、ジョージ5世の在位25周年を祝って1935年に発行された切手でも行われ、このときは国王の顔がスターリンの顔に置き換えられた。だが、英国との和平の期待を捨てていなかったヒムラーは、別の切手では「ジョージ6世の顔は変えるな」と命じている。在位25周年記念切手の印刷では興味深いミスが生じた。「Silver Jubilee」（在位25周年）と「Halfpenny」（半ペニー）の代わりに書かれた「This war is a Jewsh war」（この戦争

ザクセンハウゼン強制収容所で偽造された英国の切手。ジョージ6世の戴く王冠の上にダビデ星が描かれ、Dの字がソ連の鎌と槌のマークになっているもの（左）が、この偽造切手の定番だった。エリザベス王妃の代わりに描かれたスターリンの顔（右）は、「英国がソ連と同盟することはソビエト連邦に吸収される第一歩だ」という意味を含んでいる。1935年の在位25周年記念切手の偽造版（下）には、彫版工のスペルミスにより、「This war is a Jewsh war」と書かれている。

はユダヤ人の戦争である）という文言で、Jewishのスペルが間違っていたのだ。意図的な妨害工作だったとも言われてきたが、戦争終結から何年も経ってから、純然たるミスだったとクリューガーが認めた。

第二次世界大戦の後期になると、「ベルンハルト作戦」の下でドル札も偽造されたが、メインは依然として英国紙幣だった。印刷された紙幣は900万枚、額面は1億3400万ポンドを超えたと推定されている。ただし、実際に流通したのは1200万ポンド前後に過ぎなかった。

1945年の戦争末期には、トラック数台分の偽札とその原版がオーストリアの川や湖に沈められ、印刷工場そのものも破壊された。そのうちトラック1台分の箱は、オーストリア辺境のトプリッツ湖畔にあったドイツ海軍の秘密研究施設にたどり着き、78メートルの深みに沈められた。英国と米国のダイバーチームが発見を試みたが失敗に終わり、その後14年にわたって、湖に沈む宝物は伝説の域にとどまっていた。

1959年7月、ドイツの『シュテルン』誌が大々的な捜索に乗り出す。水中テレビカメラ、強力なサーチライト、機械グラブが用意された。7月27日、最初の5ポンド札が水中から姿を現した。ずらりと並ぶ報道写真家やテレビカメラの前で、1つまた1つと箱が引き上げられる。膨大な数の偽札の中には、几帳面に記録された「ベルンハルト作戦」の会計簿も混ざっていた。

コティングリーの妖精たち

心底何かを信じたいと思っていると、人は偽の証拠にたやすく騙されてしまう。アーサー・コナン・ドイル（1859〜1930年）は、真実を求め続けた名探偵シャーロック・ホームズの生みの親だ。にもかかわらず、コナン・ドイル自身は妖精の存在を確信するようになった。

すべての始まりは、1918年に10歳のフランシス・グリフィスが友人に送った1通の手紙だ

った。その手紙にはこんなことが書かれていた。「2枚の写真を送ります……1枚は私……小川の上流で何人かの妖精たちと一緒です」。フランシスは15歳の従姉エルシー・ライトの一家とともに、イングランド北部のヨークシャー州ブラッドフォードの外れにあるコティングリー村で暮らしていた。その何カ月か前に、エルシーが父親からクォータープレート判のボックスカメラを借りて、フランシスの写真を撮っていた。

プレートを現像したライト氏は、そこで目にしたものに何の感慨も抱かなかった。フランシスの顔と、その前に並んだいくつものぼんやりとした白い影。だが2人の少女は、小川の上流でよく妖精たちと遊んでいるのだと訴え、それを証明するために別の写真を撮影した。今度の写真はフランシスが撮ったもので、エルシーと「ノーム」（大地の妖精）が写っていた。露出不足で不明瞭な写真だったため、フランシスの両親は相変わらず、娘たちがいたずらをしているのだろうと信じ切っていた。

ところが1919年、ブラッドフォードで開かれた神智学協会の会合にライト夫人が出席し、「妖精の生活」が話題になったその会合でくだんの写真に言及した。1920年初め、2枚の粗い陽画が著名な神智学者エドワード・ガードナーの手に渡る。ガードナーはそれを商業写真家に託し、陽画から新しいネガを作って「シャープにする」よう指示した。画質の良くなった写真でくっきり浮かび上がったのは、ヒラヒラの布をまとってエルシーの前で踊る羽の生えた数人の妖精と、フランシスと向き合う醜い顔のノームだった。「これは本物だ」とガードナーは確信する。息子の死後に心霊主義の熱烈な支持者になっていたコナン・ドイルも、写真は本物だと信じた。コナン・ドイルに写真を見せられた専門家たちは、懐疑的ではあったものの、どのように捏造されたのか、その方法を示すことができなかった。そんなわけで、コナン・ドイルは『ストランド・マガジン』の1920年12月号で、自ら書いた記事とともにその写真を公開した。

一方、ガードナーに背中を押されたフランシスたちは、さらに3枚の写真を撮影する。こち

らは1921年3月にストランドで公開され、のちにコナン・ドイルの1922年の著書『妖精の出現』にも掲載された。

妖精は本当にいたのか？

マスコミはこの話題に飛びついた。若き撮影者たちは関心の的になり、あまりの熱狂ぶりにエルシーが1926年に米国へ移住したほどだった。彼女の名声はすでにひとり歩きしていた。50年以上にわたり、"コティングリーの妖精"の話はたびたび新聞や書物に登場し、妖精の存在を熱烈に信じる者もいれば、写真をどう捏造したのかと疑問を呈する者もいた。

調査を通じて、エルシーが短期間ではあるが地元の写真家のもとで働いていたことが分かり、彼女に芸術の才能があることも明らかになった。実際、エルシーは「小川の淵の妖精たち」という見事な絵も描いていた。

1978年、米国の奇術師"ジ・アメージング・ランディ"ことジェームズ・ランディが、最初の写真の妖精と、1914年に出版された『Princess Mary's Gift Book（メアリー王女のギフトブック）』に登場する妖精の類似性を指摘した。また、プライシズ社が当時出していた、「ナイトライト」キャンドルの広告で踊る妖精ともよく似ていた。コンピューター処理によって問題の写真の画質を向上させた『ニューサイエンティスト』誌の調査チームは、数人の妖精に糸がつながっているのを発見したと主張した。

1971年、長年にわたりどうにか世間の目から逃れてきたエルシーが、説得に折れてテレビ

アーサー・コナン・ドイルは、真実を求め続けた名探偵シャーロック・ホームズの生みの親だ。にもかかわらず、コナン・ドイル自身は妖精の存在を確信するようになった。

上：フランシスの撮った写真の1枚を掲げる68歳のエルシー・ライト。1971年にテレビ出演したエルシーは、写真がいたずらだったか否かを答えるのを拒んだ。

左ページ：従姉のエルシーが撮影したフランシス・グリフィス。少女2人は、妖精たちが「跳びはねていた」と語った。フランシスが頭を反らすほど高く跳ねたという。

インタビューに応じた。すでに高齢になっていたエルシーは、罪のない遊び心だったことは認めたが、写真が捏造だったか否かを答えるのは拒んだ。5年後、エルシーとフランシスがともにテレビでインタビューを受けた。このときも、2人は共謀を認めようとしなかった。「どうやって撮影できたのか、こっちが聞きたいくらいです」とフランシスは言い募った。だが、番組の結びでは、踊る妖精たちの後ろに座るインタビュアーが映し出された。「簡単な段ボールの切り抜きです」とインタビュアーは明かした。「ワイヤーフレームに取り付けています」

シオン修道会

2003年から2004年にかけて、ダン・ブラウンによる推理小説『ダ・ヴィンチ・コード』が大ベストセラーになった。同書の最初のページは「事実」という見出しで始まり、こう続いている。「シオン修道会は、1099年に設立されたヨーロッパの秘密結社であり、実在する組織である。1975年、パリのフランス国立図書館が"秘密文書（ドシエ・スクレ）"として知られる史料を発見し、シオン修道会の会員多数の名が明らかになった……」（『ダ・ヴィンチ・コード』越前敏弥訳、角川書店、2004年）

フランス国立図書館の"秘密文書"は、新聞の切り抜き、タイプライターで書かれた書類、家系図、印刷されたパンフレットの寄せ集めで、書類フォルダーにまとめて保管されている。フォルダーの中身は、実はときどき変わってきた。つまり、何者かが図書館から持ち出し、変更を加えていたということだ。文書のほとんどには"著者"としてアンリ・ロビノーの名が記されているが、これは偽名だ。そのほか、この図書館には

フォックス姉妹

現代の心霊主義ブームは1848年、フォックス一家がニューヨーク州ハイズビルの新居に引っ越した直後に始まったと言われている。一家には2人の姉妹がいた。マーガレッタ(マギー)は14歳、キャサリン(ケイティ)は11歳だった。引っ越し後まもなく、夜中に響くラップ音が一家を悩ませるようになる。マギーとケイティは、自分たちが手を叩くと同じ回数のラップ音が鳴り、質問に「イエス」や「ノー」で答えが返ってくることに気づいた。

姉妹の超常能力らしきものが地元で大評判になると、フォックス夫人は、すでに結婚して近くのロチェスターに住んでいたもう1人の娘、リーアに姉妹を預けた。姉妹の素質に気づいたリーアは、その活動を取りしきるようになる。1849年、姉妹はロチェスターで最初の公開デモンストレーションを行い、それを皮切りに、東部各州の町々を巡った。バッファロー大学の3人の教授が「ラップ音は単に膝関節の動きから出ている」との見解を出していたにもかかわらず、興行師フィニアス・テイラー・バーナムによってニューヨーク市に招かれたフォックス姉妹は、ニューヨークの多くの著名人を感嘆させた。

"ラップ現象"はたちまち米国で熱狂を巻き起こし、この新たな「スピリチュアリズム(心霊主義)」はボストンのヘイデン夫人によって英国に伝えられた。だが、フォックス姉妹はほどなくして自身の名声の犠牲になる。1855年までに、マギーとケイティは2人ともアルコール依存症になっていた。マギーがカトリックに転向した一方で、ケイティは断続的にパフォーマンスを続けた。1888年になってようやく、姉妹が2人揃ってニューヨーク市でおおやけの場に登場した。その際、「スピリチュアリズムは詐欺だ」と告発したマギーは、つま先を使ってラップ音をどのように出していたかを実演し、「パフォーマンス中にリーアがボディランゲージで必要な指示を出していた」と暴露した。

関連文書として、私的に印刷されたパンフレットも収蔵されている。大部分はタイプライターで書かれ、オフィス用複写機で複製されたものだ。そうした文書の存在は、1960年代から世に知られていた。そのすべては多かれ少なかれ、「レンヌ=ル=シャトーの謎」に関係している。

20世紀初頭、南フランスにあるレンヌ=ル=シャトー村の司祭が、金をもらってミサをしたとして有罪判決を受けた。この司祭はヨーロッパ全土の人たちから金を受け取り、それぞれの愛する故人のためにミサを執り行っていた。だが、出所不明の司祭の富をきっかけに、村人たちの間では、司祭が教会にある"財宝"を見つけたのだとする噂が広まった。

村の伝説かソロモン王の財宝か?

1955年、ノエル・コルブという男が、くだんの司祭のかつての自宅でホテル兼レストランを開業する。だが、事業が不調だったため、コルブは客引き効果を期待して、財宝の物語を録音したテープを作成した。その物語が地元紙に取り上げられ、『イッシ・パリ』誌のジャーナリ

スト、ジェラール・ド・セードが1967年に著書『Or de Rennes（レンヌの黄金）』に組み入れた。ド・セードによれば、この財宝はエルサレムのソロモン寺院から失われた燭台だという。ド・セードは過去の著書執筆にあたり、ピエール・プランタールなる人物から情報を得ていた。『レンヌの黄金』にも関わっていたか否かは不明だが、プランタールはすぐにその伝説に磨きをかけた。プランタールが"アンリ・ロビノー"文書に関わっていた可能性も高い。

キリスト教史の初期においてレンヌ＝ル＝シャトーが重要な場所だったとする見方は、膨らむ一方だった。1969年、ド・セードの本を読んだ英国の脚本家ヘンリー・リンカーンが、ド・セードの助力を得て、BBCドキュメンタリー「エルサレムの失われた財宝」の制作に乗り出す。その過程でリンカーンと接点を持ったプランタールは、"シオン修道会"は今も存在していると話した。さらに、自分は南フランスを3世紀にわたって治めていた古代メロビング朝の末裔であり、この王朝自体はキリストがマグダラのマリアとの間にもうけた子の血脈を継いでいるとほのめかした。

存在しない墓石

リンカーンはそのすべてをまとめ上げ、マイケル・ベイジェントおよびリチャード・リーとともに、ベストセラーとなる著書『レンヌ＝ル＝シャトーの謎──イエスの血脈と聖杯伝説』を1982年に出版する。これをきっかけに、"謎"を巡る別の解釈が洪水のごとくあふれかえった。この本の調査の大部分は、レンヌ＝ル＝シャトーの教会墓地にあったとされる墓石の碑文の複写と、くだんの司祭が発見したとされる2枚の羊皮紙の複写に基づいていた。だが、おおもとの墓石の痕跡は見つかっておらず、碑文の複写も偽造だったことが明らかになっている。

プランタールには協力者がいた。マルキ・フィリップ・ド・シェリゼという放蕩者で、かつてはロンドンのあちこちのクラブでギターを弾いていた人物だ。羊皮紙の複写の片方には、プランタールによる手書きの注釈がある。「この文

書はフィリップ・ド・シェリゼにより偽造された原本であり、これをジェラール・ド・セードが著書の中で再現し……」

シオン修道会がそもそも11世紀と12世紀に実在していたか否かについても疑問が残る。プランタールは1956年に「カトリックの独立と伝統主義の戒律および慣行に基づく騎士団」としてシオン修道会を登録し、自身を総長に指名した。これは極右組織で、第二次世界大戦中にプランタールが組織したプロトナチ団体「アルファ・ギャラント」の後継にあたる。アルファ・ギャラントは「騎士道精神を通じたフランスの改革」に力を注ぐと明言していた。

とはいえ、"レンヌ＝ル＝シャトー業界"の盛り上がりはとどまるところを知らない。折に触れて"財宝"発掘の許可が下りているが、成功した試しはない。神秘主義の運動も巻き起こり、2人の英国人ライターに至っては、著書『The

『Princess Mary's Gift Book（メアリー王女のギフトブック）』に収録されている、若き日の英国詩人アルフレッド・ノイズによる物語「A Spell for a Fairy（妖精にかける魔法）」の挿絵。「どうすれば妖精を見ることができるか」が物語のテーマで、そこに描かれた妖精たちの姿は、コティングリーの写真の妖精とよく似ている。

Tomb of God（神の墓）』（1996年）の中で、レンヌの谷向かいにある丘をキリストの埋葬地と特定したほどだ。別のライターは、この村から見える風景全体が広大なエジプト神殿なのだと主張する。そうしたもろもろの言説は、プランタールの言葉とド・シェリゼが捏造した文書をよりどころにしている。

シオン修道会がそもそも11世紀と12世紀に実在していたか否かについても疑問が残る。

トリノの聖骸布（せいがいふ）

　"トリノの聖骸布"ほど関心と議論を巻き起こしてきた聖遺物は、近年ではほとんどない。その聖骸布の歴史について、これまでに知られている最初期の記述のいくつかは、実に示唆に富んでいる。

- 1349年4月：ジョフロワ・ド・シャルニーが、コンスタンティノープルから持ってきたという聖骸布を納めるための教会を、フランスのトロワにほど近いリレに建てる。
- 1355年：聖骸布がリレで初めて展示され、それを見るために巡礼者が訪れる。
- 1389年：フランス王シャルル6世がトロワの代官に聖骸布の強奪を命じるが、ジョフロワ・ド・シャルニーの手に残される。
- トロワの司教が、教皇クレメンス7世に宛てた書簡の中で「十字架にかけられた人間の痕が、二つ折りの布の前後両面に残っている」と述べ、イエスの遺体をくるんだ本物の聖骸布だと主張する。
- 1398年5月：ジョフロワ・ド・シャルニーが死去する。残された妻マーガレットはアンベール・ド・ラ・ロッシュと再婚する（1418年）。
- 1438年：アンベールが死去する。マーガレットは、その後の12年にわたり、自身が死去

するまで、フランス北部の各地で聖骸布を展示する。
- 1464年：聖骸布がサボア公ルイの所有物として記録され、ルイがシャンベリで礼拝堂の建設を始める。
- 1483年6月6日：シャンベリの聖職者たちが聖骸布について「赤い絹の掛け布で包まれており、銀メッキの鋲飾りがついた深紅のベロア貼りの箱に保管され、箱は金色の鍵で閉ざされる」と述べる。
- 1503年4月14日：聖骸布の真正性が、火や、煮えたぎる油、幾度もの洗濯によって確認されたが、「痕と像を薄くすることも消すこともできなかった」と、サボアのとある廷臣が報告する。火による検証の様子は、1516年に描かれた絵画に見てとれる。
- 1509年：新たな銀の箱が作られる。
- 1532年12月4日：礼拝堂で火災が発生し、炎が箱を溶かす。聖骸布に火がつき、何カ所かに穴が開く。
- 1534年4月：修道女が火災による損傷を修復する。裏地が付けられ、大きな損傷部分に当て布が縫いつけられる。
- 1536年：フランソワ・ラブレーが小説『ガルガンチュア』の中で、「シャンベリの聖骸布に……火がつき、切れ端1つたりとも救えなかった」と断言する。
- 1578年9月14日：さまざまな場所で展示されたあと、シャンベリの聖骸布がイタリアのトリノに到着する。

現代の聖骸布

　以来、第二次世界大戦中に安全のためナポリ郊外の大修道院に移されたのを除いて、聖骸布はトリノにとどまり、時折展示されては多数の巡礼者を集めてきた。1898年、イタリアのアマチュア写真家が聖骸布の写真を初めて撮影した。1931年には、さらに多くの写真が撮られた。
　この長さ410センチ、幅140センチの布には、長髪に顎髭の生えた男性の、正面と背面の影のような像が写っているように見える。そ

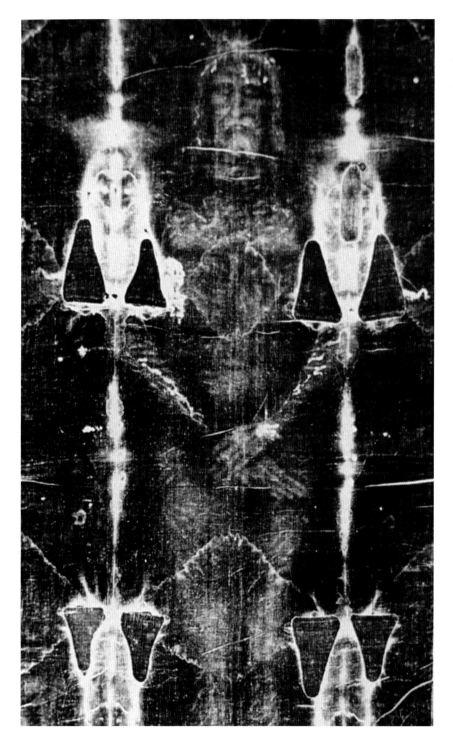

トリノの聖骸布の正面の
陰画。中世の絵画に描か
れたキリストの肖像とよく
似ている。数世紀の間に
布が受けた損傷と、1534
年に修道女が縫いつけ
た当て布の一部がはっき
り見てとれる。

の点は議論の余地がない。男性は両手を前方に組み、右手首には傷らしきものがある。布に写った像はぼんやりとしているが、この布から陰画を作成すると、中世の絵画によく似た、十字架にかけられたキリストの肖像画が浮かび上がる。

　その歴史を通じて、聖骸布の真正性には何度も疑問が呈されてきたが、科学者たちがこの題材にようやく関心を持ち始めたのは、20世紀になってからのことだ。1931年、フランス学

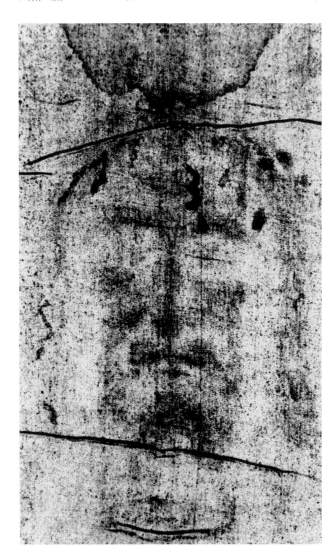

トリノの聖骸布に残る
人物像の顔。

士院のピエール・バルベ博士は次のように報告した。「私の見たところ、傷口の像は身体のほかの部分のものとはまったく違う色をしていた。この色は、布に染み込んで乾燥した血液の色である……絵画に精通した者でなければ正確にどの色かを特定することは難しいが、基本となっているのは赤であり、いくつかの傷口に応じて多かれ少なかれ希釈されている」

科学による検証

　当然のことながら、教会は表面的な検証以上の分析をなかなか認めたがらなかった。だが1973年11月、聖骸布が初めてテレビに、しかもカラーで登場する。その際、聖骸布の小さなサンプルが2本の短い糸とともに採取された。スイスの法医学者は粘着テープを使って、正面にあたる布の端から12の粒子サンプルを採取することを許された。

　1978年10月、聖骸布の一般公開中に、背面の像の"血痕"からとった糸とともに、さらに32サンプルが粘着テープによって採取された。サンプルは顕微鏡検査とマイクロ化学分析を専門とする米国人科学者ウォルター・マクローン博士のもとへ送られた。1979年にマクローンが報告したところによれば、法医学検査では血液の証拠は一切示されず、レッドオーカーとバーミリオンという2つの顔料の使用が明らかになったという。マクローンは次のように述べている。「この聖骸布に感情を込めて包まれた者が誰であれ、その人物は自分の感情を鎮めたほうがいいかもしれないと考え始めたはずだ」

放射線で焦げた？

　長年にわたる議論と先送りの末、1988年にようやく、アリゾナ州（米国）、オックスフォード（英国）、チューリヒ（スイス）の3つの研究所により、聖骸布のサンプルが放射性炭素年代測定にかけられた。同年10月、ローマカトリック教会はその結果を公式に発表した。それによれば、この布の推定年代は1325年で、1260～1390年に織られたことは確実だという。どうやら、この聖骸布に残されているものが中世の

画家が描いた絵画の名残であることは、ほとんど疑いがなさそうだ。ジョフロワ・ド・シャルニーが聖骸布を所有していることが初めて知られるようになったのも、ちょうど同じ頃だ。

ところが2005年1月、ニューメキシコ州にあるロスアラモス国立研究所を引退した化学者レイモンド・ロジャースが、聖骸布はそれよりもずっと古いものだと異論を唱えた。ロジャースの主張によれば、先の放射性炭素年代測定は1534年の修復で縫いつけられた当て布の部分でしか実施されておらず、化学分析では布本体が1300〜3000年前のものであることが示唆されたという。

1つだけ、確かなことがある。キリストの体を布でくるんでも、聖骸布にあるような像が残ることはあり得ない。肖像画のように真正面から見ると、人間の顔の平均的な見かけ上の幅は15センチほどだ。だが、耳から耳までの表面距離は25センチ以上になる。英国の画家ロバート・ハントは、ごく簡単なやり方でそれを実証した。幼い娘の体と顔に絵具を塗り、シーツを巻きつけたのだ。そうして転写されたものは、

ハントいわく「娘だとはまったく認識できない」ものだった。しかも、トリノの聖骸布に残るぼんやりとした像は、それが何であれ、平均的な顔よりもずっと幅が狭い。一部の熱烈な信者はこの批判に対して、「聖骸布はキリストの体に巻きつけられたのではなく、何らかの形で遺体の上下に平らに広げられ、強烈な放射線の閃光により焦げ跡のような像ができたのだ」と答えている。だがその説では、正面に残る像の頭部のてっぺんが背面の像の頭部とほとんどつながっていることの説明がつかない。

2010年には、研究者でイラストレーターのグレゴリー・スコット・ポールが聖骸布に残る人影の身体的特徴を分析し、やはり解剖学的におかしいとの結論を出した。顔が現実にはあり得ないプロポーションで、腕が長すぎ、長さもバラバラだというのだ。

聖骸布の伝説は、現在も続く科学的精査によく耐えているとは言いがたい。にもかかわらず、この不可解な布切れはいまだ十分な謎とオーラをまとっており、この先も議論と信仰に霊感を与え続けていくのだろう。

聖骸布の写真コピーを検証するコロラド州トリノ聖骸布センターのジョン・P・ジャクソン所長。聖骸布そのものに残る像は実際には極めて曖昧だが、白黒の陰画にすると、人間の姿がよりくっきりと現れる。

CHAPTER 8

怪しげな科学
SUSPECT SCIENCE

この世界では何世紀にもわたって、
まっとうな医学から外れた偽医師たちが幅を利かせてきた。
高額な報酬を払わせて、あらゆる病気を治せる
"奇跡の治療"を約束するのが、彼らの手口だ。

誰もが自分の健康状態を気にしているし、多くの人は白衣を着た物腰柔らかな医師の言うことを簡単に信じてしまう。露店でヘビ油を売る商人から一見偉そうに見える医師まで、多くの偽医師たちが、そうした人間の信じやすさにつけ込んで金を巻き上げてきた。本物の科学が発展すると、彼らは聞きかじっただけの科学用語を適当に織り交ぜて話をする。そうした言葉に市井の人々は惑わされ、あり得ないような話でさえも本当だと思ってしまう。だがもっとタチが悪いのは、れっきとした科学者が名声や利益を得るために実験結果を捏造することだ。

左ページ：サンバガエルの雄は受精卵を後肢に巻きつけて運ぶ。

左：パウル・カンメラー。サンバガエルを使った実験の結果を捏造していたことが発覚して、自死を遂げた。

「動物磁気」という考えを提唱したフランツ・アントン・メスメル。彼の考えはベンジャミン・フランクリンらが参加した調査委員会によって否定された。

獲得している。メスメルはまた、今日催眠術として知られているもの（当初は〝メスメリズム〟と呼ばれた）のきっかけを、ほとんど偶然に作った人物でもある。

南ドイツ生まれのメスメル医師は、1766年にウィーンで学位を取得した。彼は医業を営んでいたが、裕福な未亡人と結婚したことで、実験を行う時間がたっぷりとれるようになり、磁石を使った治療を始める。それは、体の不調を訴える患者の問題の部位に大きな磁石を上下に2つ置くというものだった。「磁場が何らかの形で身体の自然な流れと〝調和〟することで治る」というのが彼の理論だった。

奇想天外な方法

メスメルはさらに実験を続ける。衣服やベッドに至るまで、何らかの形で磁気を帯びると思われるあらゆる物体を実験に使用した。そして、鉄粉とガラスの粉で満たした大きな器——〝バケツ〟を発明する。バケツの蓋からは数本の鉄の棒が突き出ていて、途中で直角に曲がっている。その鉄棒の曲がった先を痛いところに当て、患者同士で手を握り合う。これで〝磁気流体〟の循環が完成する。

その後メスメルは、磁気を帯びた物体が必ずしも必要でないことに気がつく。神経の方向に従って患者を優しく手で撫でるだけで、同じ結果が得られたのだ。彼はこれを〝動物磁気〟と呼び、「秘密の治療法ではないので、私のやり方で医学者を育てたい」と書いている。

しかし、メスメルはウィーンの医学界で嘲笑の的となり、やがてパリへ移った。彼と同世代で骨相学の生みの親であるフランツ・ヨーゼフ・ガル（1758～1828年）も、やはり嘲笑され、同じ道をたどっている。メスメルはパリでも伝統的な医師から反発を買うが、一般人の中に信

磁石とメスメル

18世紀も終わり頃になると、電気や磁気が人々の間でブームになった。この新しい発見を最初に医学に応用した1人がフランツ・アントン・メスメル（1734～1815年）である。メスメルが自分の治療法を説明するために提唱した理論は、現在の科学で正しくないことが証明できるし、当時ですら医学界から詐欺まがいと見なされていた。だが最近になって、磁気を用いた療法は「代替医療」の分野で新たな支持者を

奉者を獲得した。だが、医師としての厳格さよりもドラマチックな演出を好んだ彼は、ヒラヒラした手品師のローブを身にまとって施術を行うようになった。

そんな中、メスメルの治療法を調査する委員会が、政府によって設置される。委員会には、電気学のパイオニアであるベンジャミン・フランクリン、フランスを代表する化学者アントワーヌ・ラボアジエ、ギロチンの名前の由来となったジョゼフ・ギヨタンらが参加した。彼らは「メスメルの治療法の多くが効果を上げたことは間違いない」と報告する一方で、動物磁気という考えは否定した。

その結果、盛況を誇ったメスメルの治療は廃れてしまう。1789年にフランス革命が起こると、メスメルはフランスを離れてスイスに隠居する。1814年、生家近くの村に移り住み、翌年その地で亡くなった。

今日催眠術と呼ばれているものは、メスメル理論の信奉者の1人であるピュイゼギュール侯爵によって発見された。動物磁気による治療を試みようと少年の頭を撫でたところ、驚いたことに少年がトランス状態に陥り、命令に従うようになったのだ。この技術は現代の心理療法で大いに役立っている。

電気医学

子どもができない夫婦は、成功率100%の不妊症治療を謳う偽医者にとって格好の獲物だ。しかも、生まれてくる子どもは「体が小さく、頭も良くない今日の人類よりも、理性的で、精神的にも肉体的にも格段にたくましく、美しい素質を備えている」と約束されたなら、騙されること請け合いである。

これこそ、わずか数年間ながら"電気医学"で名声と富を得たジェームズ・グラハム（1745〜94年）の持論だ。グラハムはスコットランドのエディンバラで生まれ、医学校に進んだ。卒業した記録は残っていないが、彼は生涯"医師"と名乗った。

1770年代前半に米国に渡ったグラハムは、そこでベンジャミン・フランクリンと出会い、彼の電気に関する実験を学んだ。1774年に英国へ戻り、まずはイングランド西部で開業する。自分が考案した奇跡の治療法を宣伝し始めると、すぐさま裕福で有名な顧客が寄ってきた。1779年にはロンドンに移転し、豪華な"健康の神殿"を開設する。そこには"磁気の玉座"と"電気浴槽"が設置され、"有名なエーテルとバルサムの薬"が提供された。

治療目的で来た客だけでなく、ふらっと寄っ

18世紀後半のウィーンで流行の治療法となったメスメルの"バケツ"。松葉杖をついている男性が、バケツから突き出た鉄の棒に足を当てているのが分かる。

ただけの人でも、2ギニーを払えば、豪華に装飾された10室のサロンを散策し、グラハム考案の電気器具を見学し、彼の講義を聞くことができた。屋内では絶えず音楽が流れ、薄着の若い女性たちが古典的な彫刻の間でポーズをとっていた。その中の1人は、のちにウィリアム・ハミルトン卿の悪名高い妻となり、ホレーショ・ネルソン提督の愛人にもなったエマ・ライオンだと言われている。

大天空のしとね

これらとは別にドアが設けられ、そのドアはトルコのハーレムをイメージした豪華な部屋に通じていた。部屋の中には"グランド・セレストリアル・ベッド（大天空のしとね）"が置かれていた。このベッドは長さ3.6メートル、幅2.7メートルほどで、40本の色ガラスの柱で支えられていた。グラハムの宣伝によると、そこで夜を過ごしたカップルは"子孫に恵まれる"という（料金は最低でも50ポンド）。香水の甘い匂いが漂い、機械演奏による音楽が奏でられ、ベッドの上には巨大な鏡があり、下でなされる行為を映す仕掛けになっていた。

**治療目的で来た客だけでなく、
ふらっと寄っただけの人でも、
2ギニーを払えば、
豪華に装飾された
10室のサロンを散策し、
グラハム考案の電気器具を見学し、
彼の講義を聞くことができた。**

マットレスには「香油、バラの葉、ラベンダーの花を混ぜた新鮮な甘い小麦やオート麦のわらが敷き詰められる」か、あるいは「膨大な費用をかけて英国の種馬の尻尾から入手した、とりわけ丈夫で弾力のある毛」が詰まっていた。ベッドはワイヤーでまとめられた重量750キロの磁石とつながれ、ヘッドボードには「産めよ、増えよ、地に満ちよ」という聖書の一節が刻まれていた。

不謹慎な議論

一時期、"健康の神殿"は目覚ましい成功を収めた。その後、何らかの理由（おそらく収入の減少）でグラハムは近くのパル・マルに移り、"ヒュメーンの神殿"を開設する（ヒュメーンは婚姻の神）。料金も引き下げた。しかし1782年までに多額の借金を抱え、翌年エディンバラに戻る。「結婚生活の理性的で節度ある穏やかな喜びを刺激し、永続させる方法について」という彼の講義はあけすけすぎて社会的に問題になり、判事から「不謹慎な議論」として罰金刑に処される。

その後、グラハムは持論だった電気理論を捨て、"大地浴"をすれば必要な栄養素をすべて摂取でき、150年生きられると言い出す。さらに、肉や酒を断ち、冷たい風呂に入り、窓を開け放ち、毛糸の服を着ないのが体に良いと説いた。最後には"宗教に目覚め"、新エルサレム教会を設立するが、信者は彼1人しかいなかった。手紙には「Servant of the Lord. O.W.L .」——主の僕 O.W.L. (Oh, Wonderful Love [おお、素晴らしい愛])と署名するようになった。1794年、グラハムは血管破裂で死去する。

エーテルのパワー

19世紀後半、物理学者たちは光が波動であることを認めたが、その波動は水中を進む波や音のように、ある種の媒質を介して伝わっているはずだと考えた。この媒質を"発光エーテル"と名づけ、その存在を確かめようと数多くの実験を行った。最終的にエーテルが存在せず、エーテルがなくても光波が伝播すると誰もが認めるようになるのは、20世紀初頭、特にアインシュタインが相対性理論を発表してからのことだ。

それゆえ、1872年にジョン・ワレル・キーリー（1837〜98年）が"エーテル・エネルギー"を利用する方法を発見したと発表したとき、多

くの人がそれを信じたのも無理はない。フィラデルフィアで臨時雇いの大工兼整備工をしていた彼は、ニューヨークでキーリー・モーター・カンパニーを立ち上げ、すぐに100万ドル相当の資金を裕福な資本家から調達する。1874年、キーリーは"エーテル発生装置"の実演を行い、フィラデルフィアの観客をあっと言わせた。この機械に5ガロン（19リットル）の水を注ぐと、圧力計の値が瞬く間に1平方インチあたり1万ポンドに跳ね上がったのだ。キーリーいわく「水がエーテルに変わり、ほかのあらゆる動力を凌駕するパワーが発生した」。1リットル弱の水でフィラデルフィアからサンフランシスコまで蒸気機関車を往復させることができ、1ガロン（4リットル弱）あれば、蒸気船がフィラデルフィアからリバプールまで余裕で往復できる。「バケツ1杯の水には、このガスが、地球を軌道から外すのに十分なエネルギーを生み出せるほど含まれているのです」

ある観客はこう報告している。「正体の分からない力によって、太いロープが引きちぎれ、鉄の棒が2つに折れたり、形が変わるほどねじれたりし、弾丸が12インチ（約30センチ）の板を突き破って発射された」

共感平衡

キーリーが唱える説によれば、原子やエーテルは音楽の周波数と共鳴するという。その彼が考案したのが"油空圧パルス真空エンジン"で、これには真鍮線、チューブ、音叉を組み合わせた"解放器"が取り付けられていた。彼は頻繁に、バイオリン、ハーモニカ、ツィター（弦楽器。チターとも）といった楽器を使って、この装置を作動させた。キーリーはほかにも、"共感平衡""四重極の負のハーモニクス""エーテル崩壊"といった説を唱えている。

キーリーはこう書いている。「現在の我々の知識において、その潜在的な力は何ら定義さ

1783年に故郷のエディンバラに戻ったジェームズ・グラハム（左から2人目）は、治療と若返りの方法として"大地浴"を紹介した。

ジョン・ワレル・キーリー（座っている人物）と、彼が一般公開を認めた"エーテル発生装置"の一部。この装置の本当の動力源は、彼の死後に調査が行われて初めて判明した。

れていない。関係する引力と斥力の条件をすべて備えながら、磁性を持たない。もしそれがすべての電気的現象を奪われた電気の状態、あるいは磁気の発生に伴う現象に反発する磁力であるならば、私が導き出せる結論はただ1つ、この定義できない要素こそが物質の魂だということだ」

だが、肝心の装置は調整と改良を繰り返す

ばかりで、投資家は次第に関心を失っていった。破産寸前になったとき、フィラデルフィアの製紙会社オーナーの裕福な未亡人、クララ・ブルームフィールド＝ムーア夫人が支援を申し出る。キーリーは、機械が大きな重りを持ち上げたり、"気化銃"を発射したりする実演を専門家に見学させることにしぶしぶ同意したが、詳しい検査に関しては拒否した。

1884年3月、キーリーはエンジンの開発がほぼ完了したと発表する。しかし実際は未完成だった。1898年に彼が亡くなったとき、エンジンの秘密を探ろうとした人たちによってすでに解体されていたのだが、誰もエンジンを作動させることができなかった。そして最後に、エンジンが置かれていた建物がバラバラにされる。その過程で、偽の天井と壁の中に駆動ベルトが見つかった。さらに調査を進めたところ、駆動ベルトは地下に置かれた静音モーターにつながっていて、床下にある空圧スイッチで制御されていたことが明らかになる。偽の梁の中にはパイプが張り巡らされ、地下には圧縮空気を蓄えておく3トンの球体も見つかった。これがキーリーの言う"エーテルパワー"の源であることは間違いなかった。

こうしてキーリーの所業が詐欺であることは暴露されたが、今でも彼が革命的な発見をしたと信じている人たちがいる。インターネットでは

キーリーの理論の普及に務める動きもあり、また多くのサイトで彼の"共感振動物理学"が論じられている。

魔法のブラックボックス

光の波動が発見され、その後まもなくして電波、X線、原子の構造に関する初期の理論が生まれると、キーリーが語ったように、すべての物質は固有の振動を持ち、その振動に"波長を合わせる"ことが可能だと考える人がかなり出てきた。アルバート・エイブラムス医師（1863～1924年）は、この思い込みを利用して巨万の富を築いた。

カリフォルニア州サンフランシスコで生まれたエイブラムスは、1882年にドイツのハイデルベルク大学で最初の学位を取得したのち、ベルリン、ウィーン、ロンドン、パリでも学んだ。米国へ帰国後、故郷のサンフランシスコにあるクーパー医科大学の医局長に就任し、20年以

アルバート・エイブラムス医師と、"エイブラムス電子反応"を行うために組み立てた装置の一部（1921年撮影）。手前に映っているのは彼が開発したダイナマイザーで、メトロノームはオシロクラストのチューニングに必要なものと思われる。

「…あとわずかにペテン師」

皮膚や臓器の移植における免疫寛容の研究で1960年にノーベル賞を受賞したピーター・メダワー卿（1915～87年）はかつてこう書いた。「科学者の中には、収集癖の強い人、分類が好きな人、整理をしないといられない人がいる。探偵も多いし、探検家も多い。詩人であり科学者、哲学者であり科学者という人もいれば、数は少ないが神秘主義者さえもいる」。ただ、のちにあと1人加えなかったことを謝罪している。「……あとわずかにペテン師がいる」

上にわたり医師として大いに尊敬を集めた。

1910年、エイブラムス医師は"スポンディロセラピー"と呼ばれる新しい治療法を提唱する。これは背骨を叩く療法で、実際には既存のカイロプラクティックとオステオパシー（整骨療法）を組み合わせたものに過ぎなかったが、米国各地を回って受講料200ドルの講習会を開くとともに、スポンディロセラピーに関する高額な本を出版した。

この成功を受けて、エイブラムスは"ダイナマイザー"という器具を開発したと発表する。この装置は、自分はカルフォルニアのオフィスに居ながら、世界中の患者の診断を行えるという代物だ。必要なのは患者の血液を1滴、吸い取り紙に落とすだけ。エイブラムスの説明によると、どんな病気にも特徴的な"振動数"があり、彼の装置はこの振動数から病気を特定できるという。

腰まで脱いで西を向く

診断には健康体の助手が必要である。助手は薄暗い中で腰まで裸になって、西を向いて立つ。エイブラムスの装置から伸びる電線を、助手の額に付けた金属板につなぐ。そして、血液サンプルを装置に入れると、エイブラムスが助手の腹部を叩いて、患者がかかっている病気を示す"くすんでいる部分"を探す。やがてエイブラムスは、血液サンプルさえ必要なく、患者のサインで十分だと考えるようになった。

1920年頃、彼はERA（Electronic Reaction of Abrams：エイブラムス電子反応）を発見したと発表する。彼の説によると、病気は電子振動の不調和から起こるという。「薬が病気に効くためには、その薬の振動数が病気と同じでなければならない。病気が薬で治るのはそういう仕組みだ」。彼は、薬がなくてもあらゆる病気に必要な振動を生み出せる機械を発明し、それを"オシロクラスト"と名づけた。

エイブラムス電子アセンブリー

名医もヤブ医者も、こぞってエイブラムス電子アセンブリーに投資した。エイブラムスの装置は販売せず、リースのみで、1台あたりのリース料は年間250ドルだった。稼働部は封をした箱に入っていて、借り手は「絶対に稼働部を開けない」と誓約書にサインしなければならなかった。1923年までに、エイブラムスは推定3500台のダイナマイザーとオシロクラストをリースした。借り手は1週間に最大2000ドルを治療費として取ることができ、エイブラムスの個人資産は計算上、200万ドル以上に膨れ上がったと推定される。

このブームをかねてより問題視していたのが米国医師会（AMA）だ。ある日、エイブラムス医師のもとに、ミシガン州チェサニングの医師から血液サンプルが届く。診断してほしいとの依頼だった。エイブラムスはこの患者が糖尿病、マラリア、癌、2種類の社会病を患ってい

ると報告した。チェサニングの医師はその診断
結果をAMAに送り、当該の"患者"はプリマ
スロック（ニワトリの品種）の若くて健康な雄だ
と説明を付けた。エイブラムスを疑っている医
師はほかにもいて、彼は雄のモルモットから採
取した2つの血液サンプルをそれぞれ"別人"
のものとしてエイブラムスのところへ送った。す
ると、"ベル嬢"は癌と副鼻腔炎を患っている
ことが分かり、"ジョーンズ夫人"は皮膚病と胃の
病気であることが判明した。

1923年の秋、『サイエンティフィック・アメリ
カン』誌が専門家を集め、オシロクラストの箱
の1つを開ける場を設けた。開けた箱には、コ
ンデンサー、レオスタット、オーム計、磁気遮断
器が入っており、すべてきちんと配線されてい
るが、明確な機能は何もなかった。「これは良く

自ら開発したダイナマイ
ザーを使うエイブラムス
医師。装置を付けた助手
の腹部を叩くと、別の患
者が患っている病気を診
断できるとエイブラムス
は主張した。

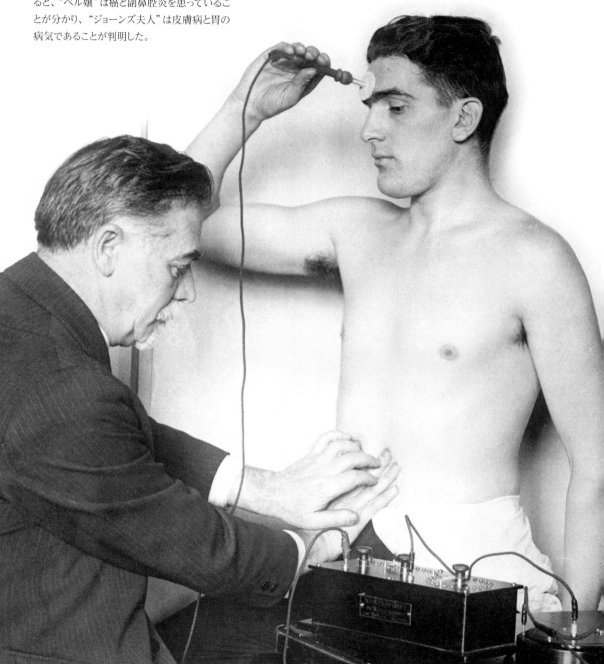

ウィルヘルム・ライヒのオルゴン・エネルギー蓄積装置。木製の筐体が空気中の"オルゴン"を吸収し、金属製の裏地がそれを中の人へ放射する。

ても完全にまやかし。悪く言えばとんでもない詐欺」というのが専門家たちの結論だった。

それから数カ月後、エイブラムス医師は肺炎で倒れた。オシロクラストは何の役にも立たず、彼は死んだ。

恋煩いも診断可能

それから約20年後、英国の土木技師ジョージ・デ・ラ・ウォー（1904～69年）がエイブラムス電子アセンブリーのアイデアを拝借し、修正を加えた。デ・ラ・ウォーの考案したブラックボックスは合成皮革で覆われ、クロームの縁取りが施され、前面にはベークライト製のダイヤルが並び、患者の血液や髪の毛を入れる穴が2つあった。ダイナマイザーと違う点は、腹部を叩いたりしないことだ。その代わり、指をゴム製のダイアフラムの上に滑らせていくと、あるところで指が引っ掛かる。箱の中は、ワイヤーがダイヤルからダイヤルへ伸び、最後に検体を入れる穴につながっているだけで、ほかには何もない。

心理状態を
診断することもできる。
50413は「虚栄心」、
40107は何と「片思い」だ!

ダイヤルの機能はワイヤーの有効長を変えることだ。順番にダイヤルを動かしていって、"引っ掛かり"に到達した設定値を記録していく。診断ができるように、販売した箱には"病状ガイド"が付いていた。たとえば907は骨折、80799は打撲、700457は毒物、97964はウイルス感染、60682587は心膜液貯留である。心理状態を診断することもできる。50413は「虚栄心」、40107は何と「片思い」だ!

デ・ラ・ウォーはこの診断ボックスに続いて、外観が似ているが動力源が見当たらない、少し小さめの治療ボックスを作った。病気の診断がつくと、オペレーターが病気の"放送治療率"を調べ、ダイヤルを適切に設定する。することはそれだけ。患者にこの"治療法"で治ったと伝える必要もない。

1950年代には、この1個100ポンドの"ラジオニック"ボックスが、英国内だけでなく世界

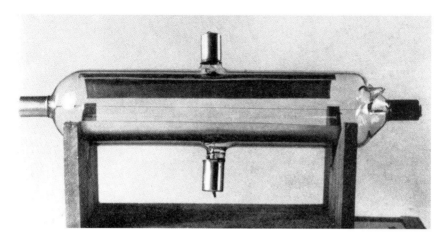

このオルゴン・エネルギー真空管もライヒの発明品の1つだ。彼の主張を米国食品医薬品局が調査して「根拠がない」と発表した。

中で何百個も売れた。また、デ・ラ・ウォーと妻は高額な個人診断も行っていた。そして1960年6月、ロンドンの高等法院に訴訟が起こされる。

デ・ラ・ウォー、告訴される

告訴の理由は、ジョージ・デ・ラ・ウォーが「ラジオニクスという擬似科学の提唱者にして実践者であり、1956年に『デ・ラ・ウォー診断装置』と呼ばれる被告の装置に影響を与えることができる関連物質、特定の波動、振動、放射線が存在すると虚言した」ことであった。

審理の最後に裁判官は、弁護側の証人が箱の仕組みを知っていると主張しようとせず、装置がときどき作動したと主張しただけであることを指摘したうえで、デ・ラ・ウォーが自分の発明を素直に信じていたこと、詐欺の意図はなかったことを認めた。つまり、裁判官は被告側を支持したのだ。

勝訴したとはいえ、デ・ラ・ウォーは裁判の弁護費用を支払わなければならなかった。しかも、この裁判官のほかの発言から、彼がデ・ラ・ウォーの装置に大きな疑問を抱いていることが明らかになり、それを知った投資家は以後の開発への投資をためらうようになる。これが大きな痛手となって、1969年にデ・ラ・ウォーが亡くなる頃には、装置の製造はほぼ中止されていた。

オルゴン蓄積装置

オーストリア生まれのウィルヘルム・ライヒ（1897～1957年）は、1922年にウィーンで医師の資格を取り、精神分析医ジークムント・フロイト（1856～1939年）の最も優秀な弟子の1人と目されるようになる。そんな彼が確信したのは、熱情的な性行為の重要性だった。『オルガスムの機能』（1927年）や『ファシズムの大衆心理』（1933年）といった本を書いており、出版されると、性の解放と政治の関連性について世間の関心が高まった。

1939年、ナチスから米国に逃れたライヒは、性的エネルギーに不可欠な電気化学的物質を発見したと発表し、それを"オルゴン"と名づけた。オルゴンはもともと太陽から放出されたもので、空気、水、そしてすべての有機物の中に存在している。オルゴンは青色をしている。だからこそ、太陽が輝く青空の下に座ると幸せな気持ちになるという。

しかし、これではオルゴンを吸収するのに時間がかかるとライヒは気づき、オルゴン蓄積装置を考案した。それは縦横90センチの箱で、箱の中に人が座る。外側の筐体は木、内側は金属板でできている。箱の有機素材が空気中のオルゴンを吸収し、内張りの金属から、中の人に放射されるという。このほかライヒのオルゴノミー研究所は、寝たきりの人向けに羊毛と鉄を交互に重ねたオルゴン毛布や、体の痛む

ライヒの主張

「あなたが過去に私に対して何をしたとしても、あるいは将来私に対して何を
しようとも、私を天才と称えようが、精神病院に入れようが、私を救世主と崇めよ
うが、スパイとして吊るし上げようが、遅かれ早かれ必要に迫られ、私が生命の
法則を発見したことを否応なく理解しなければならなくなる」

　　　　　　　　　—ウィルヘルム・ライヒ著『きけ 小人物よ!』(1949年)より

老齢のウィルヘルム・ライヒ。1957年に獄死した。

部分に当てる小型の装置"シューター"も開発
した。

FDAに目を付けられる

　ライヒはオルゴン蓄積装置の製造・販売を
続ける中で、"バイオン"という細菌大の微小な
"生命の素"を発見する。ただし、これを確認で
きたのは彼とその仲間だけだった。このライヒ
の主張に米国食品医薬品局 (FDA) は懸念を
抱き、1954年に調査を実施した。その結果、
オルゴンは存在せず、ライヒの蓄積装置は病
気の治療には役立たないとの結論に至る。

　これを受けて、ライヒに対し、彼が作った箱
や文献の州外への送付を禁じる差止命令が下
る。だが、闘争的な性分のライヒは、差止命令
を無視して送付を続けた。そのため、1956年
5月にメイン州ポートランドで裁判にかけられ、
2年の禁錮刑と1万ドルの罰金刑が言いわた
された。ライヒは控訴して保釈が認められると、
すぐにオルゴン・レインメーカーとオルゴン・エ
ネルギー・モーターの開発に取りかかる。しか
し、控訴審で敗訴したため、ペンシルベニア州
ルイスバーグの連邦刑務所に収監され、それ
から1年足らずで死亡した。

実験結果の捏造

　世間に売りに出される"科学的"発明品は、
きちんと調べると噴飯物であることが多い。だ
が、れっきとした科学者が実験結果を故意に偽
ったとなると、笑いごとでは済まされない。

ラマルクとダーウィンの理論

　どうして生物の種類はこれほど多様なのだろうか？　フランスの博物学者ジャン・バティスト・ラマルク（1744～1829年）は、この謎を説明する理論を提唱した。たとえば、何世代も前のキリンはほかの動物と同じく首が短かった。しかし、キリンの祖先は高いところにある木の葉を食べるために首を伸ばした。この特徴が子どもに受け継がれ、世代を重ねるにつれて首がだんだんと長くなっていった——このラマルクの"用不用説"は魅力的で、100年もの間、多くの人が信じていた。

　しかし、この説が正しいと妙なことになる。たとえば、あなたが体を鍛えて重量挙げの選手になったなら、子どもも生まれながらによく発達した筋肉を持つことになる。つまり、ラマルクが唱えるように、後天的に獲得した特徴が本当に子孫へ遺伝するなら、人類を超越したスーパーマンが新しい種として誕生してもおかしくないわけだ。

　これと相反する進化論を提唱したのがダーウィン（1809～82年）であり、ラマルクの用不用説に終止符を打つ説得力があった。ダーウィンの説では、新しい生物種は遺伝子の偶発的な変異からしか起こらない。そうして偶然獲得した遺伝的特徴が生きるうえで有利なら、「適者生存」によって次の世代に伝えられる。ダーウィンはこの仕組みを「自然淘汰」と言い表した。その後、ダーウィンの理論はさらなる研究と洗練が加えられ、ラマルクの進化論は今ではまったく支持されなくなっている。

サンバガエル

　パウル・カンメラーは1880年にウィーンで生まれた。最初は音楽の道に進むつもりだったが、1904年に生物学の博士号を取得する。だが、いわゆるサンバガエル（産婆蛙）を使った科学実験の結果を捏造したことで、悪徳科学者として知られるようになる。

　カンメラーの実験は2種類のサンショウウオから始まった。実験に使われたサンショウウオの1つは、アルプス山脈に生息し、陸上で成

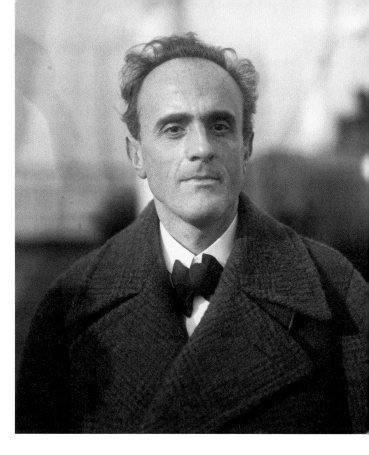

オーストリアの科学者、パウル・カンメラー博士。ラマルクの理論の正しさを証明しようと実験を行った。

体と同じ姿をした子どもを2匹産むクロサンショウウオ。もう1つは、体中に斑点のあるキボシサンショウウオで、湿った低地に住み、水中で最大50匹の幼生（オタマジャクシ）を産み、その幼生が成長して成体に変態する。

　カンメラーは人為的に、クロサンショウウオを暖かく湿った環境で繁殖させ、キボシサンショウウオを寒く乾燥した環境で繁殖させてみた。何度か失敗したものの、ついにクロサンショウウオが水中で幼生を産み、キボシサンショウウオが成体と同形の子どもを2匹産んだ。次に、この子どもを繁殖させたところ、同形の子どもを産むという特徴を親から受け継いでいるらしいことが示された。

　その後、カンメラーはサンバガエル（248ページのコラムを参照）に注目する。そして、「サンバガエルを水槽に入れ、濡れた状態で交尾させると、数世代後には、多くのカエルと同様、手に黒くてザラザラした部分ができた」と主張

キボシサンショウウオ。カンメラーが最初に実験を行った種の1つ。湿った低地に生息し、水中で一度に50匹もの幼生を産む。

した。彼の実験は世界の科学界に論争を巻き起こすと同時に、疑惑も持ち上がってくる。彼の実験助手の1人は、彼の記録が断片的であることを認めた。オーストリアの作曲家グスタフ・マーラーの未亡人であるアルマ・マーラーは、1911年に夫が亡くなったあとカンメラーに雇われていたが、彼女もこう語っている――カンメラーはアルマが作成した記録よりも「やや正確さに欠け、都合が良い記録」を優先した。

「ダーウィン説を覆すことに成功！」

　第一次世界大戦中、カンメラーは研究活動の中止を余儀なくされたため、たった1匹のサンバガエルの死骸を携えて講演活動を始める。米国ではマスコミが彼を天才だと称えた――「ある科学者がダーウィン説を覆すことに成功した！」。しかし1926年8月、米国自然史博物館の爬虫類学芸員であるG・キングスレー・ノーブル博士が英国の科学雑誌『ネイチャ

カンメラーのサンバガエルはどこが特別なのか？

　サンバガエルは紛れもなくカエルだが、その生態はほかのカエルとは大きく異なる。交尾は乾いた土地で行い、その際雄が前肢で雌を抱きかかえる。雄は受精卵を後肢の周りに巻きつけ、孵化させる。卵が孵化する頃になると水中に入り、幼生（オタマジャクシ）が卵からすべて出てくるまで水中で待つ。これがサンバガエル（産婆蛙）の名の由来だ。ほかのカエルは水中で交尾し、ツルツルした雌をつかめるように、手のひらにはザラザラした黒い部分がある。一方、サンバガエルの手のひらはツルツルしている。

ー』に論文を書き、「サンバガエルの手の黒っぽい部分を調べたところ、墨汁が含まれていた」と発表する。しかも最初からザラザラしていたわけではなく、そう見えるように人為的に細工されたようだ。おそらく、ほかの種の皮膚を移植したのだろう。

これは自分の仕業ではないとカンメラーは抗議したが、彼の評判は地に墜ちた。1926年9月22日、「荒れ果てた人生に終止符を打つのに十分な勇気と力」を奮い起こしたいと書き残し、その翌朝、ウィーン郊外の丘陵で自分の頭を銃弾で撃ち抜いた。

マルクス主義の神話

死の直前、カンメラーはモスクワ大学の生物学部長への就任を要請されていた。彼が証明しようとしていたラマルクの用不用説は、マルクス主義の哲学、特に「社会環境の改善が人間の種としての改善につながる」という理念に通じるものがあった。カンメラーが死んだことで、その後釜に座ったのが、ソ連の独裁者ヨシフ・スターリンの覚えめでたいトロフィム・デニソビッチ・ルイセンコ（1898〜1976年）だ。ロシアの農学者の間では、以前から「春化」の実験が行われていた。春化とは、冬小麦の種を水に浸して冷やし、秋ではなく春に植えることで収穫量を増やす方法だ。ルイセンコはこの方法をほかの作物にも応用し、すぐにモスクワ遺伝学研究所の所長へ昇進する。

皮肉なことに、彼は遺伝子の存在を否定していた。“生物と環境の一体化”を唱え、のちには「適切な条件で育てた小麦からライ麦の種ができる」と主張するようになる。彼の理論に反論しようものなら、すぐに刑務所送りになった。30年以上にわたって、ルイセンコは斯界の独裁者として君臨したのである。

牛も呆れる大嘘

1953年にスターリンが死去すると、ニキータ・フルシチョフが次のソ連最高指導者となり、彼も公式にルイセンコを支持した。しかし1964年にフルシチョフが失脚したことで、1965年にはルイセンコの最新の研究を精査する公式調査団が発足した。ある実験農場で大型の国産乳牛とジャージー種の雄牛を交配させたところ、生まれた乳牛の生乳の脂肪分が劇的に増えたとルイセンコは報告していたが、この実験

ソ連の作物・動物育種家トロフィム・デニソビッチ・ルイセンコ。ラマルクの進化説に基づく彼の理論はヨシフ・スターリンの全面的な支持を受け、1965年までずっと否定されることはなかった。

結果は意図的に改竄されたものであることが、調査団の調べにより明らかになる。この乳牛は特に選りすぐられた個体で、栄養豊富な餌を与えられていた。乳は確かに高脂肪であったが、普通の乳牛より生産量が少なかった。この報告書の発表に世界中の正統派遺伝学者が喜び、ルイセンコの信用はついに地に墜ちた。

セラノス社の医療詐欺事件

　セラノス社のスキャンダルは、若者の起業家精神とイノベーションを体現するサクセスストーリーとして始まり、史上最大級の医療詐欺事件として幕を閉じた。2003年、スタンフォード大学で化学を専攻していた19歳のエリザベス・ホームズは、あるビジョンの実現を目指して大学を中退する。従来の血液検査では、1つの検査ごとに採血管に血を採り、検査室か検査機関に送らなければならない。だが、もし小さな採血管1本分の血液を、マイクロチップ上に検査機能を集約した携帯型の「ラボ・オン・チップ」装置に通すだけで、最大240種類の検査が行えるようになったら。ホームズは、この画期的な医療検査の新技術に必要性と可能性を見出した。そして、この技術を開発する企業「セラノス」を自分の大学の学費で設立し、投資家を探した。

　果たして投資家は見つかった。技術の潜在的な可能性を見込まれて、7億ドルあまりのベンチャー資金が集まったのだ。セラノス社は、先見性のあるスタートアップ企業から、わずか数年で90億ドル以上の価値を持つ企業へと成長する。数千人の従業員と数百人の技術者を抱え、技術開発に取り組んだ。全米に展開する大手クリニックや医療センターだけでなく、食品医薬品局までもがセラノス社の製品を購入し、セラノス社の公約に賭けた。

ベンチャー企業のセラノス社は政府や産業界の有力者から注目を集めた。2015年7月23日には、カリフォルニア州にあるセラノス本社を訪れたジョー・バイデン副大統領（当時）が、この施設を「未来の研究所」と称賛するスピーチを行った。同年、ホームズは安倍晋三首相（当時）を招いた米国政府の国賓晩餐会に招待されている。

2013年に同社は薬局・健康チェーンのワールグリーンと提携し、40カ所で検査を実施することになる。ホームズ自身はテック業界の寵児となり、同世代で最大の影響力を持つであろう人物の1人と称賛された。2015年、セラノス社はアリゾナ州バイオ産業協会から年間最優秀生物科学企業に選ばれる。ホームズと彼女の会社は、医療検査界の変革に向けて第一歩を踏み出したかに思われた。

化けの皮が剝がれる

ただ1つ問題があった。セラノスが設計した技術は使いものにならなかったのだ。2015年、ピューリッツァー賞受賞のジャーナリスト、ジョン・キャリルーが、セラノス社の元従業員の内部告発をもとにセンセーショナルな暴露記事を『ウォールストリートジャーナル』に発表する。記事が明らかにしたところによると、セラノス社の検査装置（通称エジソンデバイス）は実際の検査件数や検査結果の正確さなど、ほぼすべての面において落第レベルであり、セラノス社で実際に血液検査を行うときは従来の血液検査機器に頼っていたという。さらにキャリルーは、社内外からの詮索を避けるために、脅迫、秘密主義、ごまかしが横行するセラノスの体質を暴露した。

当初はホームズも社長のラメッシュ・バルワニも、そうした主張は事実無根だと声高に反発していたが、徐々に疑惑が深まり、不利な証拠が増えていった。医療関係者による新たな批判的分析や政府規制当局による調査も、さらに疑惑を深める結果になった。

2017年、査察を受ける中でセラノス社は徐々に崩壊し、最盛期には800人いた社員がわずか25人になる。そして2018年3月、ホームズとバルワニは「製品が投資家や医療機関を欺いた」として詐欺罪で起訴された。

会社自体も翌年9月に事業を停止する。長く複雑な裁判が続き、その間にホームズは重要な証拠を隠滅した件でも訴えられ、最終的に2022年1月3日、通信詐欺罪3件と通信詐欺の共謀罪1件で有罪が確定する。11月18日、裁判所は禁錮11年3カ月の判決を言いわたした。

2020年、審理手続きのため、カリフォルニア州サンノゼのロバート・F・ペッカム連邦ビル内にある連邦地方裁判所に到着した、セラノスの創業者で元CEOのエリザベス・ホームズ。その後始まった裁判は、シリコンバレーのハイテク企業の評価や監視のあり方について広範かつ深刻な問いを投げかけた。

PHOTOGRAPHY AND ILLUSTRATION CREDITS